教員採用試験
教職教養
よく出る 2026年度版
過去問224

資格試験研究会 編

実務教育出版

巻頭企画

教職教養 出題傾向と対策

教職教養の内容と頻出事項

教職教養の内容は多岐にわたるが，おおよそ４つの領域に分けられる。⑴教育原理，⑵教育史，⑶教育法規，⑷教育心理，である。それぞれがどういう内容を含むか，そのうち試験でよく出るのはどれかについて概説しよう。

⑴ 教育原理

教育の原理的な領域である。机上の理論だけでなく，現場の実践と直結した内容も含まれる。

ア）学習指導要領：教育課程の国家基準である。総則の文章の空欄補充問題が多い。「社会に開かれた教育課程」「カリキュラム・マネジメント」といったキーワードに要注意だ。育成する資質能力，授業時数の規定なども覚えよう。特別の教科・道徳，総合的な学習の時間，特別活動といった領域については，目標の原文と内容の骨格を押さえること。

イ）学習理論：歴史上の著名な教授・学習理論について問われる。ラインの教授段階説，パーカーストのドルトンプラン，フィリップスのバズ学習など，提唱者と名称をセットで覚えること。学習評価については，評価の３つの観点と多様な評価技法が頻出だ。

ウ）生徒指導：文部科学省『生徒指導提要』の文章の空欄補充問題が多い。最もよく出るのは，冒頭の「生徒指導の意義」の文章である。繰り返し読んでおこう。生徒指導と教育相談の区別もつけよう。児童生徒の問題行動も頻出。いじめ防止対策推進法の他，いじめや不登校への対応に関する公的な見解を知っておくこと。

エ）特別支援教育：障害のある子どもに対する教育である。特別支援教育の概念を覚え，特別支援学校の目的や，就学の目安となる障害の程度といった制度面の事項を押さえること。特別支援教育は通常学校でも行われるが，１クラスに２～３名いるといわれる発達障害児の理解を深めておくのは重要だ。インクルーシブ教育，障害者差別解消法など，時事的な事項の問題もよく出る。

オ）人権教育：同和問題や人権教育に関する政策，法令，条約について問われる。同和対策審議会答申，人権教育推進法，部落差別解消法，世界人権宣言などだ。2008年の「人権教育の指導方法等の在り方について（第三次とりまとめ）」もよく出る。育成すべき資質能力の３側面を知っておこう。

カ）教育時事：文部科学省の通知（告示）や中央教育審議会答申などの政策文書が出題される。キャリア教育，情報教育，学校の働き方改革，部活動改革，教育振興基本計画など，近年の教育政策を彩るキーワードは数多い。教員によるわいせつ行為が問題になっていることを受け，わいせつ教員対策法という法律も制定されている。2021年１月の中央教育審議会答申「令和の日本型学校教育」のアウトラインも押さえておきたい。

⑵　教育史

西洋と日本に分かれる。

ア）西洋教育史：ルソー，ペスタロッチ，デューイといった著名な教育思想家の文章の正誤判定問題がよく出る。著書や思想のキーワードを把握しておけばよい。デューイなら主著は『学校と社会』，キーワードは「経験学習」だ。ある人物の名前が提示されたら，即座に主著とキーワードが出てくるようにすること。『教職教養らくらくマスター』の思想家一覧表（162～167ページ）を使うとよい。

イ）日本教育史：江戸期に私塾を開設した人物や，明治期に近代学校制度の構築に寄与した人物についてよく問われる（形式は西洋教育史と同じ）。日本教育史では，年表や政策史も出る。戦前の主な政策（学制，諸学校令，国民学校令…）や，戦後の民主教育改革の部分を重点的に見ておくこと。事項を時代順に並べ変えさせる問題も散見される。『教職教養らくらくマスター』の簡易年表を見ておこう。

⑶　教育法規

つまらない領域と思われがちだが，現場の問題を念頭に置くと，無味乾燥な法律条文も頭に入りやすくなる。

ア）基本法規：日本国憲法と教育基本法である。教育を受ける権利を定めた憲法26条，教育の目標を定めた教基法２条，義務教育に関する同５条あたりがよく出題される。教基法４条では「教育の機会均等」が定められているが，格差社会化が進むなか，この条文の重要性はどれほど強調しても足りない。

イ）学校の法規：学校教育法が定める，各学校の目的について押さえよう。１学級の人数，学期・休日の決定権者，教科書，学校の保健業務といった細かい事項も出題される。最近では，住民が学校運営に参画するコミュニティ・スクールも広がりを見せている。

ウ）児童・生徒の法規：子どもの就学手続き，懲戒，感染症予防，児童虐待に関する法規定だ。体罰禁止を定めた学教法第11条はしっかり覚えること。児童虐待防止の上で，教職員は早期発見と通告の義務を課されている。虐待発覚後の対応に関する文部科学省の手引もよく出題される。こども基本法も要注意。

エ）教職員の法規：教育公務員特例法が定める教員研修と，地方公務員法が定める服務の法規定である。教員の不祥事が続発していることもあり，後者の出題頻度は高い。職務上の３つの義務，身分上の５つの義務を覚えよう。やってはいけないこと，制限されていることは何か。教員生活をサバイブする上でも必要な知識となる。

⑷　教育心理

教師たる者，子どもの発達や学習の仕組みを知っておくのは不可欠だ。

ア）発達：子どもの育ちに関する科学知だ。乳児期，幼児期，児童期，青年期といった各時期の特徴を押さえよう。ピアジェの認知発達段階，エリクソンの発達課題説も頻出。愛着，インプリンティングなどの重要概念も押さえよう。

イ）学習：学習のメカニズムである。まずはパブロフの古典的条件付け，スキナーの道具的条件付けの区別をつけよう。洞察，学習曲線，プラトー，ATI，記憶など，押さえるべきキーワードも多い。これらは，現場で授業をするようになった時，必ず役に立つ。

ウ）人格：人格の検査法が頻出だ。TAT，P-F スタディ，Y-G 性格検査など，主なものは知っておこう。概要文と名称を結び付けさせる問題が多い。欲求不満の解消法である防衛機制，心理療法の理論と実践なども，児童生徒のカウンセリングの一翼を担う教員が知っておくべきことだ。

エ）評価・知能：ブルームの教育評価の類型論がよく出る。学習の途中で実施する評価を形成的評価という。評価方法としては，絶対評価や相対評価に加え，個人内評価というものもある。評価を歪める心理効果も知っておきたい（ハロー効果等）。知能検査は，ビネー検査とウェクスラー検査がよく出る。

過去5年間の自治体別頻出テーマ早わかり表

教職教養の内容は以上であるが，さて，この広範な内容のどこから手をつけるか。おおよそのポイントはこれまで述べたとおりであるが，出題傾向は自治体によって異なる。４領域からまんべんなく出題する自治体もあれば，心理などは度外視で，お堅い法規にウエートを置いている自治体もある。また，特定の事項を毎年欠かさず出題する「こだわり」を持っている自治体も存在する。効率のよい学習を行うには，自分が受ける自治体の過去問を分析し，こうした「クセ」を見抜くことが必要となる。

本書では，教職教養の内容を細分した45のテーマを設けている（原理21，歴史２，法規14，心理８）。過去５年間で見て，それぞれのテーマの内容がどれほど出題されているか，**自治体別頻出テーマ早わかり表**を作成したので，６～13ページを見てほしい。これは2020年度から2024年度までの５回の試験で出題された回数を，自治体ごとに整理した表である。「5」は毎年欠かさず出題されている必出テーマ，「4」は5回中4回出ている頻出テーマであることを意味する。前者は白ヌキ数字にし，後者には網掛けをして強調してある。丸数字は，2024年度の試験で出題されていることを意味する。

表を全体的に見て，「5」や「4」という数字が結構あることに気づくだろう。受験者数が最も多い東京都を見ると，高等学校学習指導要領，特別活動，学習指導と評価，生徒指導・教育相談，問題行動，特別支援教育制度，同和問題・人権教育，教員の服務・勤務規則，教育委員会，発達，学習，心理学史が必出であることがわかる。東京都の教員志望者は，これらのテーマの内容は確実に身につけておく必要がある。順番としては，**『教職教養らくらくマスター』**で要点を押さえた後で，本書に盛られた典型過去問にトライするとよいだろう❶。

福島県，茨城県，長野県，名古屋市，鳥取県，岡山市，広島県では，過去5年間で**教育史と教育心理は全く出ていない**。これらの自治体の受験者は，この2つは思い切って捨てる，という戦法も考えられる。

次に，角度を変えて表を横に見てみよう。自治体全般で見て，どういうテーマが相対的に頻出であるかが見えてくる。12～13ページの表の最後の頻出度欄には，5年間で2回以上出題している自治体の数を掲げた。この数は，全自治体で見た一般的な頻出度を把握するための指標となる。この数が30以上のテーマを拾ってみると，小・中学校学習指導要領，生徒指導・教育相談，問題行動，特別支援教育，特別支援教育制度，情報教育，安全・健康・保健，教育政策，西洋教育史，教育基本法，学校保健，児童・生徒の保護，教員研修，教員の服務・勤務規則，発達，および心理学史である。

教員が遵守すべき**服務**が重視されているのは，最近，教員の不祥事が続発しているためだろう。生徒に対するわいせつ行為などは，地公法第33条が禁じる「信用失墜行為」の典型である。大阪府では毎年，具体的な行為の例を提示して，服務違反に当たるか否かを判定させる問題が出ている。受験する自治体を問わず，これらのテーマはまずもって学習しておくべきである。

本書には45のテーマごとの典型過去問が盛られているが，どこから手をつけたらよいか，おおよその見当がついたことと思う。受験する自治体の傾向に合わせて独自のプランを立て，学習を始めよう。本書の典型過去問を繰り返し解くことで，実戦力を確実なものにしてほしい。

---

❶要点整理集である『教職教養らくらくマスター』と本書のテーマ構成は対応している。前者も併せて活用してほしい。

自治体別頻出テーマ早わかり表①（2020～2024年度の出題回数）

		北海道	青森	岩手	宮城	秋田	山形	福島	茨城	栃木	群馬	埼玉	千葉	東京	神奈川	新潟
教育原理	1 教授・学習理論	2	2	1	1	2	2	0	0	3	0	1	0	4	③	③
	2 教育課程	0	1	0	0	0	0	①	①	0	0	0	0	0	0	0
	3 小・中学校学習指導要領	⑤	4	1	②	2	2	⑤	0	1	④	②	⑤	1	⑤	0
	4 高等学校学習指導要領	0	0	0	0	0	0	⑤	0	0	0	0	⑤	⑤	④	0
	5 学習指導要領の変遷	④	0	1	0	②	0	0	0	1	0	3	1	2	0	0
	6 道徳教育	1	0	0	0	②	1	⑤	0	0	2	0	1	2	2	①
	7 総合的な学習の時間	0	0	0	0	1	①	0	0	1	0	0	0	④	1	0
	8 特別活動	1	②	①	0	2	0	④	0	0	0	0	1	⑤	②	1
	9 学習指導と評価	1	0	②	0	1	1	0	①	③	1	②	2	⑤	②	2
	10 生徒指導・教育相談	④	2	③	②	⑤	1	②	0	②	⑤	⑤	③	⑤	3	④
	11 問題行動	④	⑤	④	④	4	2	⑤	③	2	2	⑤	⑤	⑤	3	⑤
	12 特別支援教育	③	0	2	2	1	1	②	②	④	2	②	0	0	1	2
	13 特別支援教育制度	③	1	3	④	⑤	2	④	2	③	③	4	②	⑤	2	2
	14 特別支援教育の教育課程	1	0	1	1	1	0	⑤	0	1	1	1	④	0	2	1
	15 発達障害	0	0	3	2	①	①	0	1	1	0	②	①	1	②	②
	16 同和問題・人権教育	0	0	1	1	0	0	1	0	0	2	0	0	⑤	0	③
	17 社会教育・生涯学習	0	0	0	0	1	2	0	0	0	①	0	0	0	0	1
	18 キャリア教育	0	0	0	0	1	0	0	0	0	2	0	1	②	0	1
	19 情報教育	1	1	1	③	1	①	0	2	1	④	1	④	3	0	③
	20 安全・健康・保健	3	①	2	④	0	1	③	1	1	4	0	3	1	②	②
	21 教育政策	④	①	④	③	③	④	③	⑤	①	1	⑤	⑤	4	②	③
教育史	1 西洋教育史	2	⑤	④	1	⑤	3	0	0	⑤	0	④	0	④	3	④
	2 日本教育史	2	⑤	3	②	④	3	0	0	④	0	1	0	④	0	0

※丸数字は2024年度試験での出題テーマ（以下，同じ）

		北海道	青森	岩手	宮城	秋田	山形	福島	茨城	栃木	群馬	埼玉	千葉	東京	神奈川	新潟
教育法規	1 日本国憲法	0	②	1	0	0	④	2	③	1	1	0	0	3	④	③
	2 教育基本法	0	⑤	④	②	⑤	④	⑤	⑤	⑤	⑤	④	④	③	⑤	④
	3 学校に関する基本法規	0	0	0	0	0	0	④	1	0	0	2	1	③	0	1
	4 学校経営	1	0	2	1	2	1	0	③	2	1	1	2	④	2	1
	5 学校保健	1	2	④	③	②	③	⑤	⑤	2	3	④	1	②	2	3
	6 教科書・著作権	0	0	1	2	0	①	0	2	0	0	1	0	③	①	0
	7 開かれた学校運営	0	1	2	1	0	1	0	①	0	1	④	1	2	0	2
	8 就学	0	0	3	1	②	1	1	0	0	1	0	1	4	②	0
	9 懲戒	1	0	④	2	②	0	③	3	②	1	②	3	2	1	1
	10 児童・生徒の保護	2	0	②	③	0	①	3	④	1	②	2	1	4	2	0
	11 教職員	0	0	1	③	1	1	4	1	0	②	0	①	③	1	1
	12 教員研修	1	1	③	④	②	③	3	④	2	③	0	0	3	1	①
	13 教員の服務・勤務規則	0	③	⑤	2	4	④	⑤	④	④	3	⑤	1	⑤	②	2
	14 教育委員会	0	0	0	0	0	0	0	2	0	0	1	0	⑤	0	0
教育心理	1 発達	3	③	③	②	⑤	0	0	0	4	④	2	0	⑤	⑤	1
	2 動機と欲求	2	1	1	0	1	0	0	0	0	2	0	0	1	②	0
	3 学習	0	1	3	0	②	②	0	0	1	1	①	1	⑤	2	0
	4 人格・防衛機制	1	1	③	1	②	1	0	0	2	1	0	0	②	①	0
	5 心理療法	①	②	1	1	0	①	0	0	2	2	0	0	0	2	0
	6 集団	0	1	0	0	1	0	0	0	①	0	0	0	2	1	0
	7 評価・知能	0	②	③	0	2	①	0	0	③	1	3	1	3	3	0
	8 心理学史	⑤	⑤	⑤	③	④	1	0	0	③	3	③	0	⑤	⑤	0

自治体別頻出テーマ早わかり表②（2020～2024年度の出題回数）

		新潟市	富山	石川	福井	山梨	長野	岐阜	静岡	愛知	名古屋市	三重	滋賀	京都	京都市	大阪
教育原理	1 教授・学習理論	②	3	1	②	③	0	0	1	0	0	0	④	0	0	①
	2 教育課程	0	1	1	0	0	1	0	0	0	0	0	0	0	0	0
	3 小・中学校学習指導要領	0	0	0	③	4	④	0	⑤	4	0	1	3	①	2	4
	4 高等学校学習指導要領	0	0	0	2	0	3	0	0	⑤	0	0	0	0	0	0
	5 学習指導要領の変遷	0	0	0	2	3	0	1	0	0	0	3	1	⑤	0	②
	6 道徳教育	0	1	0	⑤	③	2	0	0	0	0	0	0	③	0	②
	7 総合的な学習の時間	0	0	0	④	0	②	0	0	②	0	0	0	0	0	0
	8 特別活動	0	0	0	2	③	4	0	0	1	0	0	0	0	0	2
	9 学習指導と評価	1	1	②	2	0	1	1	0	①	0	3	1	2	0	1
	10 生徒指導・教育相談	①	②	①	④	⑤	③	②	①	0	0	③	②	③	2	②
	11 問題行動	2	2	③	④	④	3	④	⑤	1	④	⑤	4	⑤	①	4
	12 特別支援教育	1	0	0	2	0	2	①	②	0	3	②	1	①	③	③
	13 特別支援教育制度	2	②	2	2	0	0	1	3	1	③	2	2	③	③	4
	14 特別支援教育の教育課程	1	0	0	1	0	0	0	0	⑤	②	0	0	1	0	0
	15 発達障害	②	1	②	1	0	2	0	0	1	④	1	1	1	0	1
	16 同和問題・人権教育	①	0	0	1	0	0	3	2	④	⑤	⑤	1	1	③	⑤
	17 社会教育・生涯学習	1	③	0	0	1	0	0	0	0	0	0	0	0	①	0
	18 キャリア教育	1	0	1	0	0	0	0	1	1	0	0	0	③	0	1
	19 情報教育	1	①	①	4	1	2	②	4	0	1	④	①	2	0	1
	20 安全・健康・保健	②	③	0	1	1	②	0	⑤	2	1	3	2	③	③	④
	21 教育政策	②	④	1	④	④	④	②	④	③	③	⑤	④	④	②	④
教育史	1 西洋教育史	③	3	③	②	⑤	0	0	3	⑤	0	②	⑤	②	③	③
	2 日本教育史	0	2	0	②	⑤	0	0	②	⑤	0	2	0	0	0	2

		新潟市	富山	石川	福井	山梨	長野	岐阜	静岡	愛知	名古屋市	三重	滋賀	京都	京都市	大阪
教育法規	1 日本国憲法	③	②	2	1	1	⑤	2	1	⑤	0	0	2	①	①	2
	2 教育基本法	④	④	⑤	2	⑤	⑤	④	③	⑤	0	④	⑤	②	②	4
	3 学校に関する基本法規	0	2	0	②	①	3	②	0	0	0	0	0	①	①	1
	4 学校経営	1	0	1	0	2	1	2	0	0	0	2	2	0	1	1
	5 学校保健	2	2	③	0	④	2	④	1	2	2	1	4	①	②	3
	6 教科書・著作権	0	①	1	0	②	0	0	0	0	0	1	0	1	0	0
	7 開かれた学校運営	1	1	1	0	2	3	0	1	0	0	0	1	②	0	0
	8 就学	0	0	1	0	④	④	1	0	0	0	0	1	0	0	0
	9 懲戒	1	1	1	0	2	0	2	0	1	0	0	1	1	①	1
	10 児童・生徒の保護	0	2	2	③	①	1	2	1	0	④	2	1	3	②	4
	11 教職員	0	1	0	0	0	③	0	0	1	0	0	1	0	0	0
	12 教員研修	1	②	③	1	③	2	②	0	1	1	②	1	1	0	0
	13 教員の服務・勤務規則	1	⑤	④	1	⑤	⑤	②	③	0	0	1	⑤	③	0	⑤
	14 教育委員会	0	0	0	0	0	0	0	0	0	0	0	0	0	0	0
教育心理	1 発達	0	①	0	④	2	0	②	1	③	0	③	④	③	0	①
	2 動機と欲求	0	0	0	②	1	0	2	0	①	0	1	1	1	0	1
	3 学習	0	2	1	③	2	0	2	①	②	0	1	3	②	0	②
	4 人格・防衛機制	0	1	0	①	1	0	2	①	2	0	2	④	1	0	1
	5 心理療法	0	②	0	2	0	0	0	1	1	0	1	1	0	0	1
	6 集団	0	1	1	1	0	0	0	0	1	0	0	0	0	0	0
	7 評価・知能	0	③	0	2	①	0	0	0	②	0	0	③	1	1	0
	8 心理学史	0	②	2	⑤	4	0	④	②	④	0	④	④	②	0	①

自治体別頻出テーマ早わかり表③（2020～2024年度の出題回数）

		兵庫	神戸市	奈良	和歌山	鳥取	島根	岡山	岡山市	広島	山口	徳島	香川	愛媛	高知	福岡	佐賀	長崎
教育原理	1 教授・学習理論	0	③	③	2	0	0	1	0	0	1	③	2	1	②	0	1	3
	2 教育課程	0	1	②	0	1	0	1	0	0	0	0	0	0	1	0	2	0
	3 小・中学校学習指導要領	②	2	④	⑤	⑤	2	④	④	④	1	3	⑤	⑤	2	4	2	⑤
	4 高等学校学習指導要領	0	0	0	0	1	0	0	0	0	0	0	⑤	1	0	⑤	0	0
	5 学習指導要領の変遷	2	①	④	1	0	1	②	0	1	②	2	0	0	②	0	0	0
	6 道徳教育	0	0	⑤	0	2	1	③	1	②	0	0	0	1	0	⑤	1	1
	7 総合的な学習の時間	0	0	0	0	1	①	0	0	②	0	0	③	0	0	⑤	0	0
	8 特別活動	0	0	0	0	②	0	0	1	②	0	1	2	0	③	⑤	0	0
	9 学習指導と評価	2	2	⑤	1	0	③	②	1	1	2	②	0	0	1	0	1	1
	10 生徒指導・教育相談	1	2	4	③	1	③	2	①	2	④	④	①	②	②	⑤	④	④
	11 問題行動	2	3	④	⑤	2	④	④	4	④	④	⑤	②	3	③	⑤	3	⑤
	12 特別支援教育	0	③	2	②	0	③	3	3	1	③	2	2	⑤	③	①	③	④
	13 特別支援教育制度	④	2	⑤	3	②	②	3	②	③	④	④	1	⑤	2	2	3	2
	14 特別支援教育の教育課程	1	1	②	1	④	0	0	0	2	0	0	0	⑤	1	0	0	0
	15 発達障害	0	1	0	0	0	1	0	0	0	③	1	②	2	①	0	0	1
	16 同和問題・人権教育	2	3	⑤	2	0	③	④	⑤	0	⑤	②	1	1	③	⑤	②	⑤
	17 社会教育・生涯学習	0	0	0	0	0	0	0	0	0	0	0	0	0	0	0	0	1
	18 キャリア教育	0	0	1	0	1	2	3	0	0	1	2	0	1	0	⑤	0	0
	19 情報教育	2	1	④	2	0	②	④	④	②	3	③	1	2	②	⑤	③	2
	20 安全・健康・保健	1	③	④	0	3	③	0	2	②	⑤	3	0	2	2	3	0	④
	21 教育政策	①	③	⑤	④	③	③	④	②	③	③	3	0	②	③	④	④	④
教育史	1 西洋教育史	0	③	①	⑤	0	0	③	0	0	④	③	3	④	③	0	③	⑤
	2 日本教育史	0	③	①	4	0	0	2	0	0	1	①	0	⑤	③	0	1	⑤

		兵庫	神戸市	奈良	和歌山	鳥取	島根	岡山	岡山市	広島	山口	徳島	香川	愛媛	高知	福岡	佐賀	長崎
教育法規	1 日本国憲法	0	①	①	0	1	0	0	1	④	⑤	1	④	3	③	⑤	2	2
	2 教育基本法	③	④	⑤	⑤	4	②	④	①	④	⑤	③	⑤	④	③	④	⑤	⑤
	3 学校に関する基本法規	0	1	3	1	1	①	1	0	①	1	2	1	0	0	0	2	0
	4 学校経営	1	0	④	0	0	1	1	0	0	②	2	1	①	②	2	②	③
	5 学校保健	1	2	④	2	1	①	2	③	③	④	③	②	②	1	④	④	④
	6 教科書・著作権	0	0	1	②	1	0	0	0	0	1	0	②	1	0	0	0	0
	7 開かれた学校運営	0	0	1	0	2	0	1	0	1	1	1	1	0	0	0	①	1
	8 就学	0	③	2	2	1	0	0	1	0	②	0	1	③	1	1	2	1
	9 懲戒	1	3	2	1	0	1	1	0	1	1	②	1	1	③	2	②	1
	10 児童・生徒の保護	②	④	②	1	0	1	②	1	③	②	1	②	③	②	④	2	③
	11 教職員	0	0	①	2	1	0	②	0	0	1	1	③	2	0	0	③	②
	12 教員研修	3	③	4	4	3	1	②	1	③	④	2	1	②	③	②	④	④
	13 教員の服務・勤務規則	3	⑤	⑤	1	③	②	④	1	2	④	⑤	3	⑤	1	③	⑤	⑤
	14 教育委員会	0	0	1	1	0	0	0	0	0	2	0	0	0	0	0	0	0
教育心理	1 発達	0	②	④	3	0	1	1	0	0	④	④	①	1	2	2	3	④
	2 動機と欲求	1	2	2	②	0	1	2	0	0	0	①	1	1	0	1	0	③
	3 学習	0	①	⑤	③	0	0	2	0	0	④	③	1	1	②	④	③	④
	4 人格・防衛機制	1	1	1	2	0	0	③	0	0	1	①	1	0	①	0	2	2
	5 心理療法	0	0	②	1	0	0	③	0	0	3	0	1	0	0	0	0	1
	6 集団	0	0	①	1	0	0	0	0	0	0	②	0	0	0	0	0	1
	7 評価・知能	0	1	③	3	0	2	1	0	0	④	②	②	①	1	②	⑤	④
	8 心理学史	1	③	⑤	2	0	1	3	0	0	⑤	④	①	1	③	⑤	④	⑤

自治体別頻出テーマ早わかり表④（2020～2024年度の出題回数）

		熊本	熊本市	大分	宮崎	鹿児島	沖縄	頻出度
教育原理	1 教授・学習理論	0	①	2	②	③	4	24
	2 教育課程	1	0	1	1	1	1	2
	3 小・中学校学習指導要領	3	④	⑤	⑤	④	⑤	40
	4 高等学校学習指導要領	2	0	0	⑤	1	4	12
	5 学習指導要領の変遷	2	0	⑤	2	2	1	19
	6 道徳教育	0	1	2	③	0	③	18
	7 総合的な学習の時間	0	0	1	⑤	0	②	9
	8 特別活動	0	0	2	⑤	0	②	17
	9 学習指導と評価	2	2	③	3	0	②	23
	10 生徒指導・教育相談	③	③	⑤	⑤	①	⑤	41
	11 問題行動	④	⑤	⑤	⑤	3	⑤	51
	12 特別支援教育	③	0	④	③	③	③	34
	13 特別支援教育制度	④	③	③	③	3	④	47
	14 特別支援教育の教育課程	0	①	1	④	1	①	10
	15 発達障害	①	1	②	2	0	2	15
	16 同和問題・人権教育	⑤	⑤	3	⑤	⑤	0	28
	17 社会教育・生涯学習	0	0	②	0	0	1	3
	18 キャリア教育	0	0	0	1	0	2	8
	19 情報教育	0	②	2	③	1	③	30
	20 安全・健康・保健	2	1	3	⑤	0	3	34
	21 教育政策	④	④	⑤	⑤	④	②	47
教育史	1 西洋教育史	0	①	④	④	③	⑤	36
	2 日本教育史	0	②	③	③	④	⑤	26

※頻出度欄は５年間で２回以上出題の自治体の数（以下，同じ）

		熊本	熊本市	大分	宮崎	鹿児島	沖縄	頻出度
教育法規	1 日本国憲法	⑤	④	④	⑤	0	③	28
	2 教育基本法	⑤	④	⑤	⑤	④	⑤	50
	3 学校に関する基本法規	2	3	2	3	0	0	14
	4 学校経営	①	③	③	4	2	②	23
	5 学校保健	⑤	⑤	④	⑤	1	2	42
	6 教科書・著作権	0	0	②	2	0	0	8
	7 開かれた学校運営	1	0	4	②	0	0	10
	8 就学	1	②	2	2	0	②	16
	9 懲戒	1	③	2	3	2	2	22
	10 児童・生徒の保護	③	④	④	③	③	1	35
	11 教職員	2	3	3	②	②	0	16
	12 教員研修	④	④	②	③	0	③	34
	13 教員の服務・勤務規則	⑤	⑤	4	⑤	④	②	42
	14 教育委員会	④	0	2	0	0	0	5
教育心理	1 発達	3	1	⑤	③	2	③	31
	2 動機と欲求	1	0	2	3	0	1	12
	3 学習	⑤	②	④	④	②	④	28
	4 人格・防衛機制	1	2	②	④	0	2	16
	5 心理療法	1	0	3	1	②	3	12
	6 集団	0	0	0	①	0	0	2
	7 評価・知能	②	1	④	⑤	1	⑤	24
	8 心理学史	⑤	③	④	④	1	⑤	35

予想問題

No. 1 以下の文章は，生成AIの活用場面の例である。適切でないと判断されるものはどれか。全て選び，番号で答えよ。

① 各種コンクールの作品やレポート・小論文などについて，生成AIによる生成物をそのまま自己の成果物として応募・提出すること。
② グループの考えをまとめたり，アイデアを出す活動の途中段階で，生徒同士で一定の議論やまとめをした上で，足りない視点を見つけ議論を深める目的で活用させること。
③ 英会話の相手として活用したり，より自然な英語表現への改善や一人一人の興味関心に応じた単語リストや例文リストの作成に活用させること，外国人児童生徒等の日本語学習のために活用させること。
④ 定期考査や小テストなどで子供達に使わせること。
⑤ 教師が専門性を発揮し，人間的な触れ合いの中で行うべき教育指導を実施せずに，安易に生成AIに相談させること。
⑥ 生成AIを活用した問題発見・課題解決能力を積極的に評価する観点からパフォーマンステストを行うこと。
⑦ 詩や俳句の創作，音楽・美術等の表現・鑑賞など子供の感性や独創性を発揮させたい場面，初発の感想を求める場面などで最初から安易に使わせること。

No. 2 以下の①～⑤は，第4期教育振興基本計画で示されている5つの基本方針である。空欄に当てはまる語句の組合せとして正しいものは，1～5のどれか。

① グローバル化する社会の（ A ）な発展に向けて学び続ける人材の育成
② 誰一人取り残さず，全ての人の可能性を引き出す（ B ）社会の実現に向けた教育の推進
③ （ C ）や家庭で共に学び支え合う社会の実現に向けた教育の推進
④ 教育デジタル（ D ）の推進
⑤ 計画の実効性確保のための基盤整備・（ E ）

	A	B	C	D	E
1	持続的	共生	地域	トランスフォーメーション	対話
2	飛躍的	共生	学校	レボリューション	対話
3	持続的	総活躍	地域	トランスフォーメーション	支援
4	飛躍的	総活躍	学校	レボリューション	対話
5	持続的	共生	地域	レボリューション	支援

予想問題の解説

No.1の解説 生成AIの利用

らくらくマスター ➡ P.154

文部科学省「初等中等教育段階における生成AIの利用に関する暫定的なガイドライン」（2023年７月）において例示されているものである。基本的な考え方は，思考力や創造力の育成を阻害するような，安易な利用は控えるべき，ということである。あくまで学習を補う，ないしは効率的にするツールとして使うべきである。

①× 適切でない。「コンクールへの応募を推奨する場合は応募要項等を踏まえた十分な指導が必要」とされる。著作権の問題にも留意しないといけない。

②○ 適切である。思考を尽くした上で，足りない視点を補う目的での活用は差し支えない。

③○ 適切である。外国語学習の効率を高める目的での活用といえる。

④× 適切でない。「学習の進捗や成果を把握・評価するという目的に合致しない」とされる。

⑤× 適切でない。教師の専門的な指導との主従関係が逆転してはならない。

⑥○ 適切である。生成AIをツールとして活用する力を評価する，という意図である。

⑦× 適切でない。子供の感性や独創性の育ちを明らかに阻害する。

No.2の解説 第４期教育振興基本計画の施策の基本方針

らくらくマスター ➡ P.136

A **持続的**が入る。持続可能な発展とは，多くの政策文書でみられるキータームだ。

B **共生**が入る。子供が抱える困難が多様化・複雑化する中で，個別最適・協働的学びの一体的充実や**インクルーシブ教育**システムの推進による多様な教育ニーズへの対応などを行う。

C **地域**が入る。コミュニティ・スクールと地域学校協働活動の一体的推進などを行う。

D **トランスフォーメーション**が入る。デジタルトランスフォーメーションは，DXともいう。現在では，学校において情報機器の活用が必須となっている。

E **対話**が入る。関係者との双方向の対話を通じて，施策を決定する。

よって，**1**が正答となる。

正答	
	No.1 ①，④，⑤，⑦
	No.2 1

予想問題

No. 3 2022年の教育公務員特例法及び教育職員免許法改正に関する以下の文章のうち，正しいものはどれか。番号で答えよ。

① 公立の小学校等の校長及び教員の任命権者は，学校の種別ごとに，研修の受講その他の当該校長及び教員の資質の向上のための取組の状況に関する記録を作成しなければならないこととする。

② 公立の小学校等の校長及び教員の任命権者は，当該校長及び教員がその職責，経験及び適性に応じた資質の向上のための取組を行うことを促進するため，当該校長及び教員からの相談に応じ，研修，認定講習等その他の資質の向上のための機会に関する情報を提供し，又は資質の向上に関する指導及び助言を行うものとする。

③ 指導助言者は，資質の向上に関する指導助言等を行うため必要があると認めるときは，独立行政法人教職員支援機構，認定講習等を開設する大学その他の関係者に対し，これらの者が行う研修，認定講習等その他の資質の向上のための機会に関する情報の提供その他の必要な協力を求めることができることとする。

④ 普通免許状及び臨時免許状を有効期間の定めのないものとし，更新制に関する規定を削除することとする。

No. 4 以下の文章は，2022年に改訂された『生徒指導提要』に関するものである。誤っているものはどれか。番号で答えよ。

① 生徒指導とは，児童生徒が，社会の中で自分らしく生きることができる存在へと，自発的・主体的に成長や発達する過程を支える教育活動のことである。

② 生徒指導は，児童生徒一人一人の個性の発見とよさや可能性の伸長と社会的資質・能力の発達を支えると同時に，自己の幸福追求と社会に受け入れられる自己実現を支えることを目的とする。

③ 生徒指導は主に個に焦点を当てて，面接やエクササイズ（演習）を通して個の内面の変容を図ることを目指している。

④ 発達支持的生徒指導は，全ての児童生徒を対象とする。

⑤ 児童会・生徒会や保護者会といった場において，校則について確認したり議論したりする機会を設けるなど，絶えず積極的に見直しを行っていくことが求められる。

予想問題の解説

No.3の解説 教育公務員特例法・教育職員免許法改正 らくらくマスター P.236

研修記録の活用，教員免許更新制の廃止がポイントである。

①× 学校の種別ごとではなく，**当該校長及び教員**ごとに記録を作成する。教員免許更新制の廃止により，個々の教員の立ち位置を踏まえた研修が実施されることになった。その際に，過去の研修の受講記録等が活用される。

②× 任命権者ではなく，**指導助言者**である。指導助言者とは，県費負担教職員（指定都市を除く市町村立の小・中学校等の教職員）の場合は市町村教育委員会である。任命権者の都道府県教育員会よりも，個々の教員に近い位置にいる市町村教育委員会が指導・助言を行う。

③○ 正しい。外部の専門機関の力も借りる。

④× 臨時免許状ではなく，**特別免許状**である。不評であった教員免許更新制の廃止に伴い，普通免許状と特別免許状の有効期間（10年間）が撤廃された。臨時免許状の有効期間は３年間である。

No.4の解説 生徒指導提要 らくらくマスター P.70

『生徒指導提要』は，子どもの問題行動等について詳述した基本資料である。

①○ 正しい。問題行動を起こした生徒への指導と誤解されがちだが，全ての児童生徒の成長や発達を促す教育活動をいう。

②○ 正しい。発達とは，児童生徒の心理面の発達のみならず，学習面，社会面，進路面，健康面の発達を含む包括的なものである。

③× 生徒指導ではなく，**教育相談**である。前者は集団，後者は個に焦点を当てる。

④○ 正しい。生徒指導は，①**発達支持的生徒指導**，②**課題予防的生徒指導**，③**困難課題対応的生徒指導**，という３つに類型化される。①は，全ての児童生徒を対象とする。

⑤○ 正しい。肌着の色まで指定するなど，時代錯誤のブラック校則への批判が強まっている。時代の変化に応じて校則は絶えず見直しが求められるが，児童生徒の参画を促してもいい。未来の民主国家を担う主権者意識を養うことにもつながる。

正答	
	No.3 ③
	No.4. ③

予想問題

No. 5 2022年３月に閣議決定された「第３次学校安全の推進に関する計画」について，以下の問いに答えよ。

(1) 以下のうち，「第３次学校安全の推進に関する計画」の施策の基本的な方向性に含まれないものはどれか。番号で答えよ。

① 全ての児童生徒が，安全に関する資質・能力を身に付けることを目指す。

② 学校安全計画・危機管理マニュアルを見直すサイクルを構築し，学校安全の実効性を高める。

③ 地域の多様な主体と密接に連携・協働し，子供の視点を加えた安全対策を推進する。

④ 全ての学校における実践的・実効的な安全教育を推進する。

⑤ 地域の災害リスクを踏まえた実践的な防災教育・訓練を実施する。

⑥ 事故情報や学校の取組状況などデータを活用し学校安全を「見える化」する。

⑦ 学校安全に関する意識の向上を図る（学校における安全文化の醸成）。

(2) 学校安全は，３つの活動からなる。そのうちの１つは安全教育である。残りの２つを答えよ。

No. 6 教育職員等による児童生徒性暴力の防止等に関する法律，および教育職員等による児童生徒性暴力等の防止等に関する基本的な指針に関する以下の文章のうち，誤っているものはどれか。番号で答えよ。

① 児童生徒性暴力等には，刑事罰の対象とならない行為も含むが，児童生徒等の同意があるものや，暴行・脅迫等を伴わないものは除かれる。

② 児童生徒性暴力等を行ったことにより免許状が失効等した者については，その後の事情から再免許を授与するのが適当である場合に限り，再免許を授与することができる。

③ 文部科学大臣は，教育職員等による児童生徒性暴力等の防止等に関する施策を総合的かつ効果的に推進するための基本的な指針を定める。

④ 国，地方公共団体等は，教育職員等及び児童生徒等に対し，児童生徒性暴力等の防止のため，啓発等を行わなければならない。

⑤ 免許管理者（都道府県教育委員会）は，当該都道府県において免許状を有する者がわいせつ行為で免許状を失効するに至ったときは，当該者の情報をデータベースに迅速に記録し，データベースに記録する情報の期間は，当面，少なくとも40年間分とする。

予想問題の解説

No.5の解説 第3次学校安全の推進に関する計画 らくらくマスター P.124

(1)

① × 第2次学校安全の推進に関する基本計画の施策の方向性である。

② ○ 正しい。学校保健安全法にて，学校は学校安全計画・危機管理マニュアルを作成することが義務付けられている。

③ ○ 正しい。「コミュニティ・スクール等，学校と地域との連携・協働の仕組みを活用した学校安全の取組の推進」などを図る。

④ ○ 正しい。「ネット上の有害情報対策」(SNSに起因する被害)，性犯罪・性暴力対策など，現代的課題に関する教育」などを行う。

⑤ ○ 正しい。

⑥ ○ 正しい。

⑦ ○ 正しい。

(2) **安全管理**と**組織活動**である。安全管理は児童生徒等を取り巻く環境を安全に整えることで，組織活動は安全教育と安全管理を円滑に進めることである。

No.6の解説 わいせつ教員対策 らくらくマスター P.152

子どもの心に深い傷をもたらすわいせつ行為は，断じて許されない。教育職員等による児童生徒性暴力等を防止するための法律と指針ができている。

① × 児童生徒の同意や，暴行・脅迫等の**有無は問わない**。行為の意味を理解できない子どもの同意があったとしても，免責にはならない。刑法上は，16歳未満の者との性交は無条件に強制性交等となる。

② ○ 正しい。都道府県教育委員会は，現行の教育職員免許法の欠格期間（3年間）経過後，厳しいルールに基づき**再免許授与の可否を判断**する。免許状の再授与審査会は，児童生徒性暴力等に関する学識経験を有する者で構成し，当該児童生徒性暴力等の事案と直接の人間関係又は特別の利害関係を有しない者（第三者）により，原則として，出席委員の全会一致をもって議決となる。

③ ○ 正しい。

④ ○ 正しい。

⑤ ○ 正しい。データベースの整備により，わいせつ行為を行ったことを隠して，再雇用されるのを防ぐためである。

正答	
No.5	(1) ① (2) **安全管理，組織活動**
No.6	①

本書の構成と使い方

●本書に収録されている「問題」について

①過去に教員採用試験に出題された教職教養の問題を分析し，出題頻度が高く，今後も出題の可能性が高いと思われる問題をセレクトして掲載しました。すぐに正誤の確認ができ，学習する際に問題と解説を照らし合わせて見ることができるように，左のページに問題，右のページに解説と正答を配置してあり，見やすくなっています。

②学習上，最新の法改正に対応した問題も解いていただきたいため，新規に作成した予想問題（問題文の後に自治体名の代わりに【予想問題】と表示してあるもの）も一部掲載しています。

③掲載している問題の中には，改正された法律や省令等が施行される前の出題であるため，問題文が旧法の条番号，条文でつくられているものも含まれています。そのような問題については，基本的に問題文は改変せず，解説で改正法の内容等を補足説明してありますが，一部改題している場合もあります。

④編集上の都合により，題意を損なわない範囲で問題文を改題している場合があります。

●本書の構成

①頻出度……………………………………………………………………………………

各テーマをA，B，Cの３段階（A→非常によく出題される。B→よく出題される。C→出題頻度はA，B以下だが出題される）で評価しています。

②必修問題…………………………………………………………………………………

多くの自治体で繰り返し出題されており，今後も出題可能性の高い，各テーマの典型的な問題，合格のためには必ず解いておかなければならない良問をピックアップし，ていねいな解説を付けています。

③出題データ………………………………………………………………………………

掲載してある「必修問題」やそれに類似する問題が繰り返し出題される自治体を中心に，過去５年間に何回出題されているか等のデータを載せています。

④ここが問われる！出題ポイント…………………………………………………………

そのテーマに関する問題で問われる項目やポイント，問題形式，頻出の自治体などを説明しています。

⑤実戦問題

重要テーマがスムーズに理解できるよう，バランスよく問題を選び，初学者でもわかりやすい解説を付けています。問題No.の上には，３段階の難易度表示（★→比較的易しい，★★→標準レベル，★★★→難しい）を付けました。全部解いて，実戦力をアップしましょう。

本書に掲載してあるような試験によく出る問題をたくさん解くことで，多くの自治体の全般的な出題傾向をつかむことができ，覚えなければならない重要事項を知識として定着させることが可能となります。本書を活用して，ぜひとも合格を勝ち取ってください。

それぞれの問題と関連する重要知識が書かれている『教職教養らくらくマスター』（実務教育出版）の該当ページ（各テーマの最初のページを入れてあります）を示しています。要点整理集の『教職教養らくらくマスター』を参照して，より知識を深めてください。『教職教養らくらくマスター』に書かれている重要事項の要点チェック・理解と本書の問題演習を繰り返すことで学習効果も倍増しますのでぜひ併用してください。

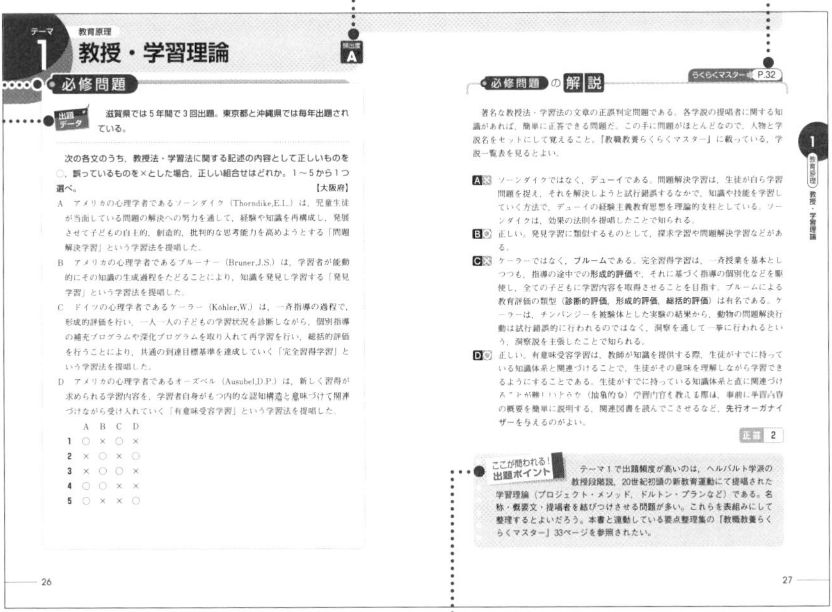
テーマ 1 教育原理

教授・学習理論

頻出度 A

必修問題

出題データ　滋賀県では5年間で3回出題。東京都と沖縄県では毎年出題されている。

次の各文のうち，教授法・学習法に関する記述の内容として正しいものを○，誤っているものを×とした場合，正しい組合せはどれか。1～5から1つ選べ。【大阪府】

A　アメリカの心理学者であるソーンダイク（Thorndike,E.L.）は，児童生徒が当面している問題の解決への努力を通して，経験や知識を再構成し，発展させて子どもの自主的，創造的，批判的な思考能力を高めようとする「問題解決学習」という学習法を提唱した。

B　アメリカの心理学者であるブルーナー（Bruner,J.S.）は，学習者が能動的にその知識の生成過程をたどることにより，知識を発見し学習する「発見学習」という学習法を提唱した。

C　ドイツの心理学者であるケーラー（Köhler,W.）は，一斉指導の過程で，形成的評価を行い，一人一人の子どもの学習状況を診断しながら，個別指導の補充プログラムや深化プログラムを取り入れて再学習を行い，総括的評価を行うことにより，共通の到達目標基準を達成していく「完全習得学習」という学習法を提唱した。

D　アメリカの心理学者であるオーズベル（Ausubel,D.P.）は，新しく習得が求められる学習内容を，学習者自身がもつ内的な認知構造と意味づけて関連づけながら受け入れていく「有意味受容学習」という学習法を提唱した。

	A	B	C	D
1	○	×	○	×
2	×	○	×	○
3	×	○	○	×
4	○	○	×	×
5	○	×	×	○

26

必修問題の解説　らくらくマスター P.32

著名な教授法・学習法の文章の正誤判定問題である。各学説の提唱者に関する知識があれば，簡単に正答できる問題だ。この手に問題がほとんどなので，人物と学説名をセットにして覚えること。『教職教養らくらくマスター』に載っている，学説一覧表を見るとよい。

A×　ソーンダイクではなく，デューイである。問題解決学習は，生徒が自ら学習問題を捉え，それを解決しようと試行錯誤するなかで，知識や技能を学習していく方法で，デューイの経験主義教育思想を理論的支柱としている。ソーンダイクは，効果の法則を提唱したことで知られる。

B○　正しい。発見学習に類似するものとして，探求学習や問題解決学習などがある。

C×　ケーラーではなく，**ブルーム**である。完全習得学習は，一斉授業を基本としつつも，指導の途中での**形成的評価**や，それに基づく指導の個別化などを駆使し，全ての子どもに学習内容を取得させることを目指す。ブルームによる教育評価の類型（**診断的評価，形成的評価，総括的評価**）は有名である。ケーラーは，チンパンジーを被験体とした実験の結果から，動物の問題解決行動は試行錯誤的に行われるのではなく，洞察を通して一挙に行われるという，洞察説を主張したことで知られる。

D○　正しい。有意味受容学習は，教師が知識を提供する際，生徒がすでに持っている知識体系と関連づけることで，生徒がその意味を理解しながら学習できるようにすることである。生徒がすでに持っている知識体系と直に関連づけることが難しいような（抽象的な）学習内容を教える際は，事前に学習内容の概要を簡単に説明する，関連図書を読んでこさせるなど，**先行オーガナイザー**を与えるのがよい。

正答　2

ここが問われる！出題ポイント　テーマ1で出題頻度が高いのは，ヘルバルト学派の教授段階説，20世紀初頭の新教育運動にて提唱された学習理論（プロジェクト・メソッド，ドルトン・プランなど）である。名称・概要文・提唱者を結びつけさせる問題が多い。これらを表組みにして整理するとよいだろう。本書と連動している要点整理集の『教職教養らくらくマスター』33ページを参照されたい。

1 教育原理 教授・学習理論

27

2026年度版 教員採用試験

教職教養 よく出る過去問224 contents

巻頭企画

Section 1 教育原理

Section 2 教育史

Section 3 教育法規

Section 4 教育心理

Section
1
教育原理

1	教授・学習理論	12	特別支援教育
2	教育課程	13	特別支援教育制度
3	小・中学校学習指導要領	14	特別支援学校の教育課程
4	高等学校学習指導要領	15	発達障害
5	学習指導要領の変遷	16	同和問題・人権教育
6	道徳教育	17	社会教育・生涯学習
7	総合的な学習の時間	18	キャリア教育
8	特別活動	19	情報教育
9	学習指導と評価	20	安全・健康・保健
10	生徒指導・教育相談	21	教育政策
11	問題行動		

テーマ 1 教育原理

教授・学習理論

頻出度 A

必修問題

出題データ　大阪府での出題のほか，東京都，滋賀県，沖縄県では5年間で4回出題されている。

次の各文のうち，教授法・学習法に関する記述の内容として正しいものを○，誤っているものを×とした場合，正しい組合せはどれか。1～5から1つ選べ。 **【大阪府】**

A　アメリカの心理学者であるソーンダイク（Thorndike,E.L.）は，児童生徒が当面している問題の解決への努力を通して，経験や知識を再構成し，発展させて子どもの自主的，創造的，批判的な思考能力を高めようとする「問題解決学習」という学習法を提唱した。

B　アメリカの心理学者であるブルーナー（Bruner,J.S.）は，学習者が能動的にその知識の生成過程をたどることにより，知識を発見し学習する「発見学習」という学習法を提唱した。

C　ドイツの心理学者であるケーラー（Köhler,W.）は，一斉指導の過程で，形成的評価を行い，一人一人の子どもの学習状況を診断しながら，個別指導の補充プログラムや深化プログラムを取り入れて再学習を行い，総括的評価を行うことにより，共通の到達目標基準を達成していく「完全習得学習」という学習法を提唱した。

D　アメリカの心理学者であるオーズベル（Ausubel,D.P.）は，新しく習得が求められる学習内容を，学習者自身が持つ内的な認知構造と意味づけて関連づけながら受け入れていく「有意味受容学習」という学習法を提唱した。

	A	B	C	D
1	○	×	○	×
2	×	○	×	○
3	×	○	○	×
4	○	○	×	×
5	○	×	×	○

必修問題の解説

らくらくマスター ➡ P.32

著名な教授法・学習法の文章の正誤判定問題である。各学説の提唱者に関する知識があれば，簡単に正答できる問題だ。この手に問題がほとんどなので，人物と学説名をセットにして覚えること。『教職教養らくらくマスター』に載っている，学説一覧表を見るとよい。

A × ソーンダイクではなく，**デューイ**である。問題解決学習は，生徒が自ら学習問題を捉え，それを解決しようと試行錯誤するなかで，知識や技能を学習していく方法で，デューイの経験主義教育思想を理論的支柱としている。ソーンダイクは，効果の法則を提唱したことで知られる。

B ○ 正しい。発見学習に類似するものとして，探求学習や問題解決学習などがある。

C × ケーラーではなく，**ブルーム**である。完全習得学習は，一斉授業を基本としつつも，指導の途中での**形成的評価**や，それに基づく指導の個別化などを駆使し，全ての子どもに学習内容を取得させることを目指す。ブルームによる教育評価の類型（**診断的評価，形成的評価，総括的評価**）は有名である。ケーラーは，チンパンジーを被験体とした実験の結果から，動物の問題解決行動は試行錯誤的に行われるのではなく，洞察を通して一挙に行われるという，洞察説を主張したことで知られる。

D ○ 正しい。有意味受容学習は，教師が知識を提供する際，生徒がすでに持っている知識体系と関連づけることで，生徒がその意味を理解しながら学習できるようにすることである。生徒がすでに持っている知識体系と直に関連づけることが難しいような（抽象的な）学習内容を教える際は，事前に学習内容の概要を簡単に説明する，関連図書を読んでこさせるなど，**先行オーガナイザー**を与えるのがよい。

正答 2

ここが問われる！出題ポイント

テーマ１で出題頻度が高いのは，ヘルバルト学派の教授段階説，20世紀初頭の新教育運動にて提唱された学習理論（プロジェクト・メソッド，ドルトン・プランなど）である。名称・概要文・提唱者を結びつけさせる問題が多い。これらを表組みにして整理するとよいだろう。本書と連動している要点整理集の『教職教養らくらくマスター』33ページを参照されたい。

実戦問題

★★
No. 1 **次のA～Dの文章は，教育プランについての説明である。それぞれの説明と教育プランの名称の組合せとして最も適当なものはどれか。** **【岡山県】**

〔説明〕

A　アメリカのパーカーストが考案した教育プラン。一斉授業ではなく，子どもの個性や要求に応じた個別学習の方式を採用する。主要な基本原理は自由と協働である。

B　ドイツのペーターゼンが大学附属実験学校で試みた学校改革案。従来の学年割を廃し，時間割や科目別によらない合科教授と集団作業を中心とするカリキュラム編成を基本とした。

C　教科の基礎的な知識の伝達を重視する立場からアメリカの教育学者が提起した教育プラン。「探索」「提示」「理解（同化）」「組織化」「発表」の5段階の教授過程を経て単元の完全習得を目指す。

D　アメリカのウォッシュバーンが開発・実践した学校改革案。カリキュラムを，共通に習得すべき基礎的・常識的な知識・技能と，社会性の育成を目指す集団的・創造的活動から構成した。

〔教育プラン〕

ア　モリソン・プラン　　イ　ドルトン・プラン　　ウ　ウィネトカ・プラン
エ　イエナ・プラン

	A	B	C	D
1	ア	エ	イ	ウ
2	イ	ウ	ア	エ
3	ア	ウ	エ	イ
4	ウ	ア	エ	イ
5	イ	エ	ア	ウ

★
No. 2 **次の教育・学習方法とそれを考案した学者の組合せとして誤っているものを，次の1～5から1つ選びなさい。** **【高知県】**

1　プログラム学習 ―――― パーカー（Parker, F. W.）
2　発見学習 ―――― ブルーナー（Bruner, J. S.）
3　問題解決学習 ―――― デューイ（Dewey, J.）
4　ドルトン・プラン ―――― パーカースト（Parkhurst, H.）
5　プロジェクト・メソッド ―― キルパトリック（Kilpatrick, W. H.）

実戦問題の解説

No.1の解説　教育プラン　　らくらくマスター ➡ P.32

各プランの提唱者を知っておけば正答できる問題である。

A イ　**ドルトン・プラン**である。パーカーストが実践した自学自習の教育方法である。

B エ　**イエナ・プラン**である。1924年から1949年の間，ドイツのイエナ大学附属学校にて実勢された教育計画である。従来の年齢別学年学級制を廃止し，下級（第1～第3学年），中級（4～6），上級（6，7～8），青年集団（8，9～10）という基幹集団を編成するなど，固定化・形骸化した学校教育を克服することが目指された。

C ア　**モリソン・プラン**である。モリソンが提唱した学習指導法で，5段階の「マスタリー方式」の過程を経て，各単元の完全な習得が達成される。

D ウ　**ウィネトカ・プラン**である。基礎的・常識的な知識・技能は，生徒の個別学習で習得される。このプランは，個別学習と集団活動を組み合わせたものとして注目される。

No.2の解説　教育方法・学習方法の考案者　　らくらくマスター ➡ P.32

1 ×　プログラム学習を考案したのは**スキナー**である。学習者に学習プログラムを提示し，個別学習によって目標へと到達させる教育方法である。①学習内容の細分化・系列化，②学習者の積極的反応の喚起，③即自的なフィードバック，④学習者のペースの重視，を方法原理としている。

2 ○　正しい。発見学習は，知識の生成過程に生徒を参加させることで，諸々の学習能力や態度の育成を図る方法である。ブルーナーは『教育の過程』という著作において，発見学習の考え方を学校教育のカリキュラムに反映させることを提唱した。

3 ○　正しい。問題解決学習は，生徒が自ら学習問題を捉え，それを解決しようと試行錯誤する中で知識や技能を学習していく方法である。デューイの経験主義教育思想を理論的支柱としている。

4 ○　正しい。ドルトン・プランの詳細は，必修問題の選択肢**2**の解説を参照のこと。

5 ○　正しい。プロジェクト・メソッドの詳細は，実戦問題**No.4**の選択肢**イ**の解説を参照のこと。

正答　No.1　5　　No.2　1

実戦問題

★
No. 3 次の各文は，近代の教授法について述べたものである。正しいものはどれか。1～5から選びなさい。【滋賀県】

1 教育の目標を倫理学に求め，方法を心理学に求めて，科学的で実際的な教育学の体系を樹立しようとしたヘルバルトは，「分析，連合，系統，応用」という4段階教授法を提案した。

2 「教師の教師」とよばれたラインは，「分析，総合，連合，系統，方法」という5段階教授法を提案し，『一般教育学』を著し，教授理論を展開した。

3 ツィラーは，教科の羅列主義を排して，宗教・歴史・文学からなる情操教科を中核に据える編成を考え，ヘルバルトの教授段階論を発展させた「予備，提示，連結，総括」という4段階教授法を提案した。

4 コメニウスは，実物や具体物を使って学習者の感覚的印象を通して認識形成を図ろうとする直観教授の見地から，世界初の挿絵入り教科書である『基礎教科書』を著した。

5 人間の自己発展や自己活動を重視し「合自然の教育」を主張したペスタロッチは，単純な構成要素（数・形・語，直観のABC）から事物の表象を再構成する道筋を示した「メトーデ」を提案した。

★★
No. 4 次の学習指導または教授の過程に関する説明ア～ウと人名A～Eの組合せとして適切なものは，次の1～5のうちのどれか。【東京都】

ア 従来の機械的な暗記中心の教授法に対して，心理学に立脚した教授法を案出して，教材を予備・提示・比較・総括・応用の五つの段階を経て教授する方法を唱えた。

イ 児童・生徒の生活や要求と無関係な知識を習得させる従来の講義法を改善し，児童・生徒の現実の生活から取り出した学習内容を目標設定・計画・遂行・評価の段階を経て教授する方法を唱えた。

ウ 問題・予想・討論・実験の授業の過程により，科学的認識の成立過程に即して，科学上の一般的で基礎的な諸概念や原理的な諸法則を学ばせる方法を唱えた。

A 板倉聖宣　B キルパトリック　C ソーンダイク　D 遠山啓
E ライン

1 アーC　イーD　ウーA　**2** アーB　イーC　ウーD
3 アーC　イーD　ウーB　**4** アーE　イーB　ウーD
5 アーE　イーB　ウーA

実戦問題の解説

No.3の解説　近代の教授法

らくらくマスター P.32

1 × ヘルバルトが提唱した4段階教授法は，「**明瞭－連合－系統－方法**」の4段階からなる。

2 × ラインが提唱した5段階教授法は，「予備－提示－比較－総括－応用」の5段階からなる。文中の5段階教授法は**ツィラー**のものである。また，『一般教育学』を著したのは，ラインではなく，その師匠の**ヘルバルト**である。

3 × ツィラーは，ヘルバルトの4段階教授法を「分析－総合－連合－系統－方法」からなる5段階教授法に発展させた。宗教・歴史・文学という情操教科を中心として諸教科を統合する試みは，**中心統合法**と呼ばれる。

4 × コメニウスが著した世界初の挿絵入り教科書は，『**世界図絵**』である。そこでは，見開き左ページに挿絵，右ページに文列を配し，学習が直観（実物）的に楽しく且つ容易に行えるよう工夫が凝らされている。

5 ○ 正しい。ペスタロッチは，知育は感覚的直観から明晰な概念に至るものとして**直観のABC**を説き，3H（頭・手・心）の調和的発達による陶冶と徳性の完成が教育の目的であると考えた。

No.4の解説　学習指導・教授の過程

らくらくマスター P.32

ア E **ライン**に関する説明である。ラインは，ヘルバルトの弟子である。師匠のヘルバルトは，「明瞭－連合－系統－方法」からなる4段階教授法を提唱した。なお，ヘルバルト学派の中には，ラインの他，ツィラーがいる。ツィラーも独自の5段階教授法（分析－総合－連合－系統－方法）を提唱している。ラインのものと混同しないよう，注意すること。

イ B **キルパトリック**に関する説明である。彼が提唱した教授法は，**プロジェクト・メソッド**と呼ばれる。「目標設定・計画・遂行・評価の段階」という記述に着目のこと。キルパトリックは，進歩主義教育協会を結成し，20世紀初頭のアメリカにおける進歩主義教育運動の主導的役割を果たした。

ウ A **板倉聖宣**に関する説明である。板倉が提唱した授業の方法は，**仮説実験授業**と呼ばれる。1960年代の科学教育現代化の時代に，彼が小学校教師たちの協力を経て開発した理科の実験授業方式である。

以上から，**5**が正答となる。

正答　No.3　5　　No.4　5

教育課程

頻出度 C

必修問題

出題データ　奈良県，佐賀県では 5 年間で 2 回出題されている。

次の各文は，カリキュラム（教育課程）について述べたものである。文中の［ア］～［オ］に当てはまる語句の組合せとして最も適当なものを，次の①～⑤のうちから選びなさい。　【神奈川県・横浜市・川崎市・相模原市】

(1) 教育目的に応じて文化遺産の中から選択・組織された知識や技術の体系としての教科によって構成されたカリキュラムを［ア］カリキュラムという。

(2) 相互に重複する無駄や，関連づけた方が学習効果が高まると予想されるものが見られる場合，それぞれに独立して存在する教科はそのままにして，内容面で二つ以上の教科を相互に関連づけて編成されるカリキュラムを［イ］カリキュラムという。

(3) 教育課程の編成の全体構造において，特定の教科，学習者の関心，社会の問題などを中核として置き，その周辺に基礎的知識・技術などを配置して構造化されたカリキュラムを［ウ］カリキュラムという。

(4) 教科を基準として組織されるカリキュラムが，学問領域の過度の専門分化によって，学習者の思考の枠組みや生活経験の実態に合わなくなったことを解決するために，教育内容が再編成されるカリキュラムを［エ］カリキュラムという。

(5) 教育内容を既存の教科を構成するさまざまの文化領域の知識，技能，価値から形成するのではなく，学習者の自発的で活動的な学習経験を尊重するために，そのすべてを学習者の生活経験，必要や興味，能力，要求に応じて，できるだけ学習者とともに，その都度構成しようとするカリキュラムを［オ］カリキュラムという。

① ア 教科　イ 相関　ウ コア　エ 広域　オ 経験
② ア 教科　イ コア　ウ 相関　エ 広域　オ 経験
③ ア 相関　イ 教科　ウ コア　エ 経験　オ 広域
④ ア 相関　イ コア　ウ 経験　エ 広域　オ 教科
⑤ ア 教科　イ 相関　ウ コア　エ 経験　オ 広域

必修問題の解説

らくらくマスター P.34

教育課程（カリキュラム）の語源は，走路を意味するラテン語であり，もともとの意味は，目標（ゴール）へとつながったコースのことである。本問では，スペアーズによる著名なカリキュラム類型について問われている。

ア **教科**が入る。学校で採用されている，最もオーソドックスな型のカリキュラムである。教科とは，知識や技術などの教育内容を区分けし，系統立てて組織化したものをいう。小学校の場合，国語，社会，算数，理科，生活，音楽，図画工作，家庭，体育，外国語の10教科がある。

イ **相関**が入る。教科や科目の枠は保ちつつ，内容が類似したもの同士を関連づけて生徒に学習させるカリキュラムである。小学校低学年の生活科などは，この考え方に近く，「国語科，音楽科，図画工作科など他教科等との関連を積極的に図り，指導の効果を高めるようにすること」とされている（小学校学習指導要領）。

ウ **コア**が入る。中心課程（core course）と周辺課程からなるカリキュラムである。中心課程には，生徒の関心に応える，教科の枠を超えた総合的な学習内容が用意され，周辺課程の教科の学習は，これとの関連において展開される。コア・カリキュラムの実践事例として，バージニア・プランがある。

エ **広域**が入る。高等学校の総合学科では，「体系性や専門性等において相互に関連する各教科・科目によって構成される科目群を複数設ける」（高等学校学習指導要領）こととされ，学校ごとに，ユニークな科目群が設定されているが，これなどは，広領域カリキュラムの例に該当すると考えられる。

オ **経験**が入る。生徒の諸活動を中心にして構成されるカリキュラムであり，経験による学習（なすことによって学ぶ）を重視する。

よって，正答は①である。

正答 ①

ここが問われる！出題ポイント

①教育課程の類型，②小・中・高等学校の教育課程の領域，ならびに③教育課程の国家基準である学習指導要領の基本的性格について問われることが多い。①は，上記のスペアーズの類型論が頻出である。②については，小学校高学年の外国語科が創設されたこと，高校の教育課程には特別の教科の道徳はないことなど，細かい事項に関する知識も要る。

実戦問題

★★

No. 1 平成29年，平成30年告示の学習指導要領における教育課程に関する記述として，最も適当なものを選びなさい。　【千葉県・千葉市・改題】

① 小学校の教育課程は，国語，社会，算数，理科，生活，音楽，図画工作，家庭，体育及び外国語の各教科，特別の教科である道徳，外国語活動，総合的な学習の時間並びに特別活動によって編成するものとする。

② 高等学校の職業に関する各教科・科目については，就業体験をもって実習に替えることはできない。

③ 中学校の教育課程は，必修教科，選択教科，道徳，特別活動及び総合的な学習の時間によって編成するものとする。

④ 中学校の選択教科は，地域や学校，生徒の実態を考慮して，音楽，美術，保健体育，技術・家庭，外国語から設けなければならない。

⑤ 高等学校の各学科に共通する必履修教科は，国語，地理歴史，公民，数学，理科，保健体育，芸術，外国語，家庭，総合的な探究の時間及び特別活動である。

★

No. 2 教育課程について説明した文として適切でないものを，次の１～５から１つ選びなさい。　【宮城県・仙台市】

1 教育課程とは，学校教育の目的や目標を達成するために，教育の内容を児童生徒の心身の発達に応じ，授業時数との関連において総合的に組織した学校の教育計画である。

2 教育課程の編成の基本的な要素は，学校の教育目標の設定，指導内容の組織及び授業時数の配当である。

3 学習指導要領は，学校教育法及び学校教育法施行規則に基づいて，文部科学大臣が公示する教育課程の基準である。

4 学習指導要領に示された内容等を確実に指導した上で，学校において特に必要であると認められる場合には，学習指導要領に示していない内容でも，これを加えて教育課程を編成，実施することができる。

5 教育課程は，教育基本法及び学校教育法その他の法令並びに学習指導要領の示すところに従いながら，学校設置者が地域や学校の実態及び児童生徒の心身の発達段階や特性等を考慮し創意工夫を加えて編成する。

実戦問題の解説

No.1の解説　教育課程の領域　らくらくマスター P.34，44

①○ 2017年公示の学習指導要領では，教科に**外国語科**が加わり，道徳は「**特別の教科 道徳**」となっている。学校教育法施行規則第50条第1項による。

②×「職業に関する各教科・科目については，就業体験活動をもって実習に替えることが**できる**」(高等学校学習指導要領総則)。

③× 学校教育法施行規則では，中学校の教育課程は「各教科，特別の教科である道徳，総合的な学習の時間並びに特別活動によつて編成するものとする」とされている（第72条)。選択教科は，各学校の判断で標準授業時数の枠外で開設することとなっている。

④× 中学校においては，「各教科や，特に必要な教科を，**選択教科**として開設し生徒に履修させることができる」とある（中学校学習指導要領総則)。

⑤× 各学科に共通する必履修教科は，国語，地理歴史，公民，数学，理科，理数，保健体育，芸術，外国語，家庭，情報の11教科である（2018年公示の新学習指導要領では，**理数**も加わっている)。総合的な探究の時間と特別活動は教科ではない。

No.2の解説　教育課程の基礎事項　らくらくマスター P.34，36

1○ わが国で初めて教育課程という用語が使われたのは，1951年版の学習指導要領（一般篇）においてである。

2○ 学校の教育目標を設定する際は，地域や学校の実態及び児童生徒の心身の発達の段階と特性を考慮する必要がある。

3○ 教育課程は，各学校が独自に編成することになっているが，その際，教育課程の国家基準としての学習指導要領に依拠することが法定されている(学校教育法施行規則第52条，他の学校にも準用)。

4○ 2003年の学習指導要領一部改訂により，個に応じた指導を重視する立場から，学習指導要領に示して**いない**内容を加えて指導することができることを明確化されている。

5× 教育課程を編成するのは，学校設置者ではなく**各学校**である。学習指導要領総則の「小学校（中学校）教育の基本と教育課程の役割」を参照。校長が責任者となって編成するということであるが，教育課程の編成作業は，**全教職員の協力**の下に行わなければならない。

正答　No.1 ①　No.2 5

テーマ 3 教育原理

小・中学校学習指導要領

頻出度 A

必修問題

出題データ　岡山市では 5 年間で 4 回の出題。福島県や千葉県など，13の自治体で毎年出題されている。

次の文は，平成29年 3 月告示の小学校学習指導要領，中学校学習指導要領の「総則」の一部である。正しいものを○，誤っているものを×としたとき，その組合せとして正しいものはどれか。ただし，中学校は「児童」を「生徒」と読み替えること。　【岡山市】

A　学校における道徳教育は，特別の教科である道徳（以下「道徳科」という。）を要として学校の教育活動全体を通じて行うものであり，道徳科はもとより，各教科，外国語活動，総合的な学習の時間及び特別活動のそれぞれの特質に応じて，児童の発達の段階を考慮して，適切な指導を行うこと。

B　学校における体育・健康に関する指導を，児童の発達の段階を考慮して，学校の教育活動全体を通じて適切に行うことにより，健康で安全な生活と豊かなスポーツライフの実現を目指した教育の充実に努めること。

C　児童が各教科等の特質に応じた見方・考え方を働かせながら，知識を相互に関連付けてより深く理解したり，情報を精査して考えを形成したり，問題を見いだして解決策を考えたり，思いや考えを基に創造したりすることに向かう探究を重視した学習の充実を図ること。

D　情報活用能力の育成を図るため，各学校において，コンピュータや情報通信ネットワークなどの情報手段を活用するために必要な環境を整え，これらを適切に活用した学習活動の充実を図ること。

E　学習や生活の基盤として，教師と児童との信頼関係及び児童相互のよりよい人間関係を育てるため，日頃から学級活動の充実を図ること。

	A	B	C	D	E
1	×	○	○	○	×
2	○	×	○	×	○
3	×	×	○	×	○
4	×	○	×	○	×
5	○	○	×	○	×

必修問題の解説

らくらくマスター P.36

学習指導要領総則の記載事項は多岐にわたるが，本問では全般の基本事項がバランスよく出題されている。

1 ○ 正しい。2015年の学習指導要領改訂により，道徳は教科となっている。道徳教育は，道徳科の授業のみならず，学校の**教育活動全体**を通じて行うとされる。

2 ○ 正しい。体育に関する指導については，「積極的に運動する児童とそうでない児童の**二極化傾向**が指摘されていることなどから，**生涯にわたって**運動やスポーツを豊かに実践していくとともに，現在及び将来の体力の向上を図る実践力の育成を目指し，児童が自ら進んで運動に親しむ資質・能力を身に付け，心身を鍛えることができるようにする」とされる（小学校学習指導要領解説・総則編）。

3 × 探究ではなく**過程**である。現行の学習指導要領では，「思考力，判断力，表現力等」を育成することになっているが，本肢で言われていることは，思考・判断・表現の過程に他ならない。児童が能動的に学習に参加する，**主体的・対話的で深い学び**が重視されている。

4 ○ 正しい。今の情報化社会では，情報活用能力の育成が重要となる。現在では，学校において「**1人1台端末**」がほぼ実現されている（GIGAスクール構想）。小学校では，プログラミング教育が必修となっている。

5 × 学級活動ではなく，**学級経営**である。児童にとって，学級を居心地のよい場所にすることが求められる。そのための基盤となるのが児童理解であり，「学級担任の教師の，日ごろのきめ細かい観察を基本に，面接など適切な方法を用いて，一人一人の児童を客観的かつ総合的に認識することが児童理解の第一歩」となる（小学校学習指導要領解説・総則編）。

よって，**5**が正答となる。

正答 5

ここが問われる！出題ポイント

学習指導要領総則の部分で，空欄補充問題が非常に多い。「生きる力」「確かな学力」などのキーワード，育成する資質・能力の３本柱など，重要事項を覚えること。内容や授業時数の正誤判定問題も多い。学習指導要領に示していない（発展的な）内容も追加できること，週間授業時数や１単位時間の原則など，知っておくべき事項は数多い。

実戦問題

★
No. 1 「小学校学習指導要領」の「第1章　総則　第4　児童の発達の支援」に関する内容として，適当でないものを選びなさい。　【千葉県・千葉市】

① 学習や生活の基盤として，教師と児童との信頼関係及び児童相互のよりよい人間関係を育てるため，日頃から学級経営の充実を図ること。

② 主に集団の場面で必要な指導や援助を行うガイダンスと，個々の児童の多様な実態を踏まえ，一人一人が抱える課題に個別に対応した指導を行うカウンセリングのどちらか一方により，児童の発達を支援すること。

③ 児童が，学ぶことと自己の将来とのつながりを見通しながら，社会的・職業的自立に向けて必要な基盤となる資質・能力を身に付けていくことができるよう，特別活動を要としつつ各教科等の特質に応じて，キャリア教育の充実を図ること。

④ 障害のある児童などについては，特別支援学校等の助言又は援助を活用しつつ，個々の児童の障害の状態等に応じた指導内容や指導方法の工夫を組織的かつ計画的に行うものとする。

⑤ 海外から帰国した児童などについては，学校生活への適応を図るとともに，外国における生活経験を生かすなどの適切な指導を行うものとする。

★★
No. 2 次の文は，平成29年告示の小学校学習指導要領に示されるカリキュラム・マネジメントに関する内容の一部である。下線部A～Eについて正しいものを○，誤っているものを×としたとき，その組合せとして正しいものはどれか。

【岡山県・改題】

各学校においては，$_{A}$児童や学校，地域の実態を適切に把握し，教育の目的や目標の実現に必要な教育の内容等を$_{B}$教科独自の視点で組み立てていくこと，教育課程の実施状況を$_{C}$評価してその改善を図っていくこと，教育課程の実施に必要な$_{D}$人的又は物的な体制を確保するとともにその改善を図っていくことなどを通して，教育課程に基づき$_{E}$自発的かつ効率的に各学校の教育活動の質の向上を図っていくこと（以下「カリキュラム・マネジメント」という。）に努めるものとする。

	A	B	C	D	E
①	×	○	○	×	○
②	○	○	×	×	○
③	×	×	×	○	○
④	○	×	○	○	×
⑤	×	○	○	○	×

実戦問題の解説

No.1の解説 児童の発達の支援 らくらくマスター P.36

今の学校では，児童生徒の背景が多様化している。

①○ 適当である。必修問題の選択肢**5**の解説を参照。

②× どちらか一方ではなく，**双方**である。「あらかじめ適切な時期や機会を設定し，主に集団の場面で必要な指導や援助を行うガイダンスと，個々の児童が抱える課題を受け止めながら，その解決に向けて，主に個別の会話・面談や言葉がけを通して指導や援助を行うカウンセリングの**双方**により，児童の発達を支援することが重要」とある（小学校学習指導要領解説・総則編）。

③○ 適当である。キャリア教育は学校の教育活動全体を通じて行うが，特別活動がその要となる。

④○ 適当である。特別支援学校は，通常学校における特別支援教育に対し，助言や援助を行う**センター的機能**を期待されている。

⑤○ 適当である。近年，帰国子女や外国籍の児童が増えているが，彼らが持っている外国での生活経験は，他の児童の異文化理解を促すのにも役立つ。

No.2の解説 カリキュラム・マネジメント らくらくマスター P.36

学校教育にも，合理的な経営（マネジメント）の視点が求められる。

A○ 正しい。たとえば地域の実態に応じて，体育科の授業でスキーを取り上げるなど，工夫の余地はいろいろある。

B× 正しくは，**教科等横断的な視点**である。各教科等の内容相互の関連を図りながら指導計画を作成する。

C○ 正しい。各種調査結果やデータ等を活用し，教育課程の実施状況を確認する。

D○ 正しい。「教師の指導力，教材・教具の整備状況，地域の教育資源や学習環境（近隣の学校，社会教育施設，児童の学習に協力することのできる人材等）などについて具体的に把握して，教育課程の編成に生かすこと」とある（小学校学習指導要領解説・総則編）。

E× 正しくは，**組織的かつ計画的**である。行き当たりばったりではなく，組織的・計画的に教育活動の質の向上を図る，マネジメントの視点が求められる。

正答 No.1 ② No.2 ④

実戦問題

★
No. 3 次の文章は，小学校学習指導要領（平成29年３月告示）の「第１章　総則　第１　小学校教育の基本と教育課程の役割」の一部である。（　①　）～（　④　）に当てはまる語句の組合せとして最も適切なものを，下の１～５の中から１つ選びなさい。【鳥取県】

1　各学校においては，教育基本法及び学校教育法その他の法令並びにこの章以下に示すところに従い，児童の（　①　）調和のとれた育成を目指し，児童の心身の発達の段階や特性及び学校や（　②　）を十分考慮して，適切な教育課程を編成するものとし，これらに掲げる目標を達成するよう教育を行うものとする。

2　学校の教育活動を進めるに当たっては，各学校において，第３の１に示す主体的・対話的で深い学びの実現に向けた（　③　）を通して，創意工夫を生かした特色ある教育活動を展開する中で，次の(1)から(3)までに掲げる事項の実現を図り，児童に（　④　）を育むことを目指すものとする。

1	①人間として	②家庭環境	③指導環境	④確かな学力
2	①知・徳・体の	②家庭環境	③指導環境	④生きる力
3	①人間として	②家庭環境	③授業改善	④確かな学力
4	①知・徳・体の	②地域の実態	③授業改善	④生きる力
5	①人間として	②地域の実態	③授業改善	④生きる力

★
No. 4 次の文章は，現行の中学校学習指導要領にある「中学校教育の基本と教育課程の役割」の一部である。空欄［ア］～［オ］に当てはまる最も適当な語句を，下の語群の①～⑤からそれぞれ１つずつ選び，番号で答えなさい。【熊本県・改題】

基礎的・基本的な知識及び技能を確実に［ア］させ，これらを［イ］して課題を解決するために必要な思考力，判断力，表現力等を育むとともに，［ウ］に学習に取り組む態度を養い，個性を生かし多様な人々との協働を促す教育の充実に努めること。その際，生徒の発達の段階を考慮して，生徒の［エ］など，学習の基盤をつくる活動を充実するとともに，家庭との連携を図りながら，生徒の［オ］が確立するよう配慮すること。

（語群）

ア	①習熟	②獲得	③習得	④理解	⑤定着
イ	①応用	②利用	③探求	④追求	⑤活用
ウ	①積極的	②意欲的	③協働的	④主体的	⑤能動的
エ	①特別活動	②言語活動	③体験活動	④交流活動	⑤協働活動
オ	①学習習慣	②生活習慣	③学習態度	④生活態度	⑤学習訓練

実戦問題の解説

No.3の解説 小学校教育の基本と教育課程の役割

らくらくマスター ➡ P.36

新学習指導要領総則の冒頭の原文である。出題頻度が高く，本問のような空欄補充問題が多い。

① 「**人間として**」が入る。教育の目的は，調和のとれた人間の育成である。そのため，学校においては多様な教科や体験活動がカリキュラムの中に組まれている。

② 「**地域の実態**」が入る。「地域には，都市，農村，山村，漁村など生活条件や環境の違いがあり，産業，経済，文化等にそれぞれ特色をもっている。こうした地域社会の実態を十分考慮して教育課程を編成することが必要である」とされる（小学校学習指導要領解説）。

③ 「**授業改善**」が入る。PDCAサイクルに沿って，絶えず授業を磨いていかねばならない。

④ 「**生きる力**」が入る。生きる力とは，「基礎・基本を確実に身に付け，いかに社会が変化しようと，自ら課題を見付け，自ら学び，自ら考え，主体的に判断し，行動し，よりよく問題を解決する資質や能力，自らを律しつつ，他人とともに協調し，他人を思いやる心や感動する心などの豊かな人間性，たくましく生きるための健康や体力」を指す（同上）。

よって，正答は**5**である。

No.4の解説 中学校教育の基本と教育課程の役割

らくらくマスター ➡ P.36

確かな学力について述べた部分である。

ア③ **習得**が入る。学校教育法第30条第２項でも「生涯にわたり学習する基盤が培われるよう，基礎的な知識及び技能を習得させる」ことと規定されている。

イ⑤ **活用**が入る。毎年４月に実施される「全国学力・学習状況調査」では知識と活用の問題が出題される。

ウ④ **主体的**が入る。新学習指導要領では，主体的・対話的で深い学び（アクティブ・ラーニング）が重視される。

エ② **言語活動**が入る。言語は，思考し伝達するためのツールである。

オ① **学習習慣**が入る。「家庭との連携を図りながら，宿題や予習・復習など家庭での学習課題を適切に課したり，発達の段階に応じた学習計画の立て方や学び方を促したりするなど家庭学習も視野に入れた指導を行う必要がある」（中学校学習指導要領解説）。

正答 No.3 5　No.4 ア－③ イ－⑤ ウ－④ エ－② オ－①

実戦問題

★★
No. 5 学習指導要領の「第1章　総則　第2　教育課程の編成」の内容について述べた次の①～④のうち，正しいものはどれか。1つ選べ。【香川県】

① 各教科，道徳科，外国語活動及び特別活動の内容については，学習指導要領の趣旨に沿うものであっても，学校の裁量において学習指導要領の内容に示されていない事項を加えて指導することはできない。

② 特別活動の学校行事に掲げる各行事の実施と同様の成果が期待できる場合であっても，総合的な学習の時間における学習活動をもって，特別活動の学校行事に掲げる各行事の実施に替えることはできない。

③ 2以上の学年の児童で編制する学級について特に必要がある場合は，各教科及び道徳科の目標の達成に支障のない範囲内で，各教科及び道徳科の目標及び内容について学年別の順序によらないことができる。

④ 各教科等の授業は，年間30週以上にわたって行うよう計画し，週当たりの授業時数が児童の負担過重にならないようにするものとする。

★
No. 6 次の記述は，「中学校学習指導要領」（平成29年3月文部科学省）「総則編　第3章　第3節　教育課程の実施と学習評価　2　学習評価の充実」からの抜粋である。

空欄［ア］～［エ］に当てはまるものの組合せとして最も適切なものを，後の①～⑤のうちから選びなさい。【神奈川県・横浜市・川崎市・相模原市】

(1) 生徒のよい点や進歩の状況などを積極的に評価し，学習したことの［ア］を実感できるようにすること。また，各教科等の目標の実現に向けた学習状況を把握する観点から，単元や題材など内容や時間のまとまりを見通しながら［イ］の場面や方法を工夫して，学習の過程や成果を評価し，指導の改善や学習意欲の向上を図り，［ウ］の育成に生かすようにすること。

(2) ［エ］の中で学習評価の妥当性や信頼性が高められるよう，組織的かつ計画的な取組を推進するとともに，学年や学校段階を超えて生徒の学習の成果が円滑に接続されるように工夫すること。

①	ア	意義や価値	イ	指導	ウ	知識及び技能	エ	創意工夫
②	ア	結果と過程	イ	指導	ウ	知識及び技能	エ	授業改善
③	ア	意義や価値	イ	指導	ウ	資質・能力	エ	授業改善
④	ア	意義や価値	イ	評価	ウ	資質・能力	エ	創意工夫
⑤	ア	結果と過程	イ	評価	ウ	資質・能力	エ	授業改善

実戦問題の解説

No.5の解説 教育課程の編成
らくらくマスター P.36

①× 学習指導要領の内容は「全ての児童に対して指導するものとする内容の範囲や程度等を示したものであり，学校において特に必要がある場合には，この事項にかかわらず**加えて指導することができる**」とされる。

②× 同様の成果が期待できる場合，「総合的な学習の時間における学習活動をもって相当する特別活動の学校行事に掲げる各行事の実施に替えることができる」。集団活動という点で似ているためである。

③○ 正しい。「2以上の学年の児童で編制する学級」とは，複式学級のことである。

④× 年間30週以上ではなく，**年間35週以上**である。「授業時数を年間35週（第1学年については34週）以上にわたって行うように計画することとしているのは，各教科等の授業時数を年間35週以上にわたって配当すれば，学校教育法施行規則において定めている年間の授業時数について児童の負担過重にならない程度に，週当たり，1日当たりの授業時数を平均化することができることを考慮したものである」（小学校学習指導要領解説）。

No.6の解説 学習評価の充実
らくらくマスター P.36

ア **意義や価値**が入る。「児童が学習したことの意義や価値を実感できるようにすることで，自分自身の目標や課題をもって学習を進めていけるように，評価を行うことが大切」とされる（小学校学習指導要領解説）。

イ **評価**が入る。評価の場面は学習の終了時に限られない。指導方針の修正を図るべく学習の途中ですることもあり得るし，評価方法の工夫として生徒同士の相互評価や自己評価を取り入れてもいい。

ウ **資質・能力**が入る。資質・能力を評価する観点として，「知識・技能」，「思考・判断・表現」，「主体的に学習に取り組む態度」の3つがある。新学習指導要領で育成する3つの資質・能力と対応する。

エ **創意工夫**が入る。創意工夫は大切だが，学習評価の妥当性（測定しようとしている資質・能力を適切に測れているか），信頼性（誰がやっても同じ結果になるか）を担保する必要がある。

正答 No.5 ③ No.6 ④

実戦問題

★

No. 7 次は，「小学校学習指導要領」（平成29年告示）の「第１章　総則　第２　教育課程の編成」の一部です。文中の ① ～ ③ にあてはまる語句の組合せとして正しいものを，下の１～４の中から１つ選びなさい。

【埼玉県・さいたま市】

各学校においては，児童や学校，地域の実態及び児童の発達の段階を考慮し，豊かな ① の実現や ② 等を乗り越えて次代の社会を形成することに向けた現代的な諸課題に対応して求められる資質・能力を， ③ 的な視点で育成していくことができるよう，各学校の特色を生かした教育課程の編成を図るものとする。

1	①人生	②環境問題	③課題解決
2	①人生	②災害	③教科等横断
3	①生活	②災害	③課題解決
4	①生活	②環境問題	③教科等横断

★★

No. 8 次の文章は，平成29年告示の小学校学習指導要領の「第１章　総則」の一部である。（　Ａ　）～（　Ｅ　）に当てはまる語句の組合せとして正しいものはどれか。

【岡山県・改題】

ア　学校がその目的を達成するため，学校や地域の実態等に応じ，教育活動の実施に必要な人的又は物的な体制を家庭や地域の人々の（　A　）を得ながら整えるなど，家庭や地域社会との（　B　）及び（　C　）を深めること。また，高齢者や異年齢の子供など，地域における世代を越えた（　D　）の機会を設けること。

イ　他の小学校や，幼稚園，認定こども園，保育所，中学校，高等学校，特別支援学校などとの間の（　B　）や（　D　）を図るとともに，障害のある幼児児童生徒との（　D　）及び（　E　）の機会を設け，共に尊重し合いながら（　C　）して生活していく態度を育むようにすること。

	A	B	C	D	E
1	協力	連携	協働	交流	共同学習
2	協力	交流	協働	相互理解	共同学習
3	参加	協力	交流	相互理解	体験活動
4	参加	協力	理解	交流	共同学習
5	協働	連携	交流	協力	体験活動

実戦問題の解説

No.7の解説 教育課程の編成
らくらくマスター ➡ P.36

① **人生**が入る。寿命の延びに伴い，人生100年時代の到来が言われている。

② **災害**が入る。「未曽有の大災害となった東日本大震災や2016年の熊本地震をはじめとする災害等による困難を乗り越え次代の社会を形成するという大きな役割を担う児童に，現代的な諸課題に対応して求められる資質・能力を教科等横断的に育成することが一層重要」とある（小学校学習指導要領解説・総則編）。

③ **教科等横断**が入る。たとえば放射線の科学的な理解や，その問題を探究する態度を養うに際しては，理科のみならず，県内外の協力（社会科），健康の成り立ち（保健体育科），食品の選択（技術・家庭科），情報と情報の関係（国語科）や情報の信頼性の確かめ方（国語科），といった内容を有機的に絡めた教育課程を構成する。

No.8の解説 共同学習
らくらくマスター ➡ P.36

現在では，障害のある子とそうでない子の交流・共同学習が推奨されている。

A **協力**が入る。教育活動の実施に際しては，保護者や地域住民等の協力も得る。そのため，学校の「教育活動その他の学校運営の状況に関する情報を積極的に提供するものとする」と規定されている（学校教育法第43条）。

B **連携**が入る。「学校がその目的を達成するためには，家庭や地域の人々とともに児童を育てていくという視点に立ち，家庭，地域社会との連携を深め，学校内外を通じた児童の生活の充実と活性化を図る」（小学校学習指導要領解説・総則編）。

C **協働**が入る。「家庭や地域社会に積極的に働きかけ，それぞれがもつ本来の教育機能が総合的に発揮されるようにする」（同上）。

D **交流**が入る。高齢化が進んでいる中，高齢者との交流の機会を設けることは大事である。

E **共同学習**が入る。障害のある子とその教育について，理解や認識を深める機会となる。障害者基本法第16条でも，「国及び地方公共団体は，障害者である児童及び生徒と障害者でない児童及び生徒との**交流及び共同学習**を積極的に進めることによつて，その相互理解を促進しなければならない」と定められている。

正答 No.7 2　No.8 1

テーマ 4 教育原理

高等学校学習指導要領

頻出度 B

必修問題

出題データ　東京都では毎年出題されている。香川県や福岡県でも必出である。

高等学校学習指導要領総則の「教育課程の編成」に関する記述として適切なものは，次の1～5のうちのどれか。　【東京都】

1　卒業までに履修させる単位数の計は，各教科・科目の単位数並びに総合的な探究の時間の単位数を含めて74単位以上とし，単位については，1単位時間を50分とし，30単位時間の授業を1単位として計算することを標準とする。

2　各教科・科目等の授業時数等については，定時制の課程において，特別の事情がある場合には，ホームルーム活動の授業時数の一部を減じ，又はホームルーム活動及び生徒会活動の内容の一部を行わないものとすることができる。

3　各教科・科目等の内容等の取扱いのうち内容の範囲や程度等を示す事項は，当該科目を履修する全ての生徒に対して指導するものとする内容の範囲や程度等を示したものではないので，学校において必要がある場合には，この事項にかかわらず指導することができる。

4　学校においては，道徳教育を推進するために，生徒の特性や進路，学校や地域の実態等を考慮し，地域や産業界等との連携を図り，産業現場等における長期間の実習を取り入れるなどの就業体験活動の機会を積極的に設けるとともに，地域や産業界等の人々の協力を積極的に得るよう配慮するものとする。

5　生徒や学校の実態等に応じ，必要がある場合には，必履修教科・科目を履修させた後に，義務教育段階での学習内容の確実な定着を図ることを目標とした学校設定科目等を履修させるようにすること。

らくらくマスター P.44

必修問題の解説

高等学校の教育課程のキータームは「単位」であり，卒業までに修得させる単位数などの数字は重要だ。義務教育の内容を定着させたり，キャリア教育を充実させたりするための規定も盛り込まれている。

1 × 30単位時間ではなく，**35単位時間**の授業を1単位として計算することを標準とする。

2 ○ 適切である。「特別の事情がある場合」とは，一般的にいえば，生徒の勤務の実態，交通事情などの事情がある場合である（高等学校学習指導要領解説）。定時制の場合，仕事を持っている生徒も少なくない。

3 × 各教科・科目の内容の範囲や程度等を示す事項は，当該科目を履修する**全ての生徒に対して指導するものとする内容の範囲や程度等を示したもの**である。必要な場合，この内容を消化した上で，それ以外の内容を加えて指導することもできる。この場合，学習指導要領で定められた内容の趣旨を逸脱したり，生徒の**負担が過重**となったりすることのないようにするものとする。

4 × 道徳教育ではなく，**キャリア教育及び職業教育**である。「就業に関わる体験的な学習の指導を適切に行うように示すとともに，普通科を含めてどの学科においても，**キャリア教育**を推進する観点から，産業現場等における長期間の実習を取り入れるなどの**就業体験活動**の機会を積極的に設けるとともに，地域や産業界等の人々の協力を積極的に得るよう配慮すべきこと」とされる（高等学校学習指導要領解説）。

5 × 順番が逆である。必履修教科・科目を履修させるのは，義務教育段階での学習内容の確実な定着を図ることを目標とした学校設定科目等を履修させた後である。

正答 2

ここが問われる！出題ポイント

普通教育と専門教育の双方を担う高等学校の教育課程は，いささか込み入っている。しかし，頻出事項はだいたい決まっている。各教科・科目の履修，授業時数，そして単位の修得及び卒業の認定に関する規定を重点的に見ておこう。また，学校設定教科・科目も要注意。

実戦問題

★★
No. 1 高等学校学習指導要領総則に関する記述として適切なものは，次の1～5のうちのどれか。 **【東京都・改題】**

1 道徳教育は，豊かな心をもち，人間としての在り方生き方の自覚を促し，道徳性を育成することをねらいとする教育活動であることから，国語科やホームルーム活動を中心に各教科・科目等の特質に応じ学校の教育活動全体を通じて適切な指導を行うこととしている。

2 必履修教科・科目についての単位数は，標準単位数として示された単位数を下らないものとするが，生徒の実態及び専門学科の特色等を考慮し，特に必要がある場合には，標準単位数が2単位である必履修教科・科目についてはその単位数を減じて1単位とすることができる。

3 義務教育段階での学習内容の確実な定着を図ることを目標とした学校設定科目等を設定し履修させた場合には，それに対応する必履修教科・科目を履修させる必要はない。

4 全日制の課程における週当たりの授業時数は，30単位時間を標準とするが，必要がある場合には，これを増加することができる。

5 卒業までに修得させる単位数は，基礎的・基本的な知識・技能を確実に習得させ，これらを活用して課題を解決するために必要な思考力，判断力，表現力その他の能力をはぐくむ必要があることから，改訂前と比べて2単位増加し76単位以上としている。

★★★
No. 2 高等学校の教育課程について，次の問いに答えなさい。

【静岡県・静岡市・改題】

(1) 適切な語を入れなさい。

<table>
<tr><td rowspan="5">高等学校の教育課程</td><td rowspan="3">教科</td><td>普通教科</td><td>国語，地理歴史，公民，数学，理科，理数，保健体育，芸術，外国語，家庭，（ ① ）</td></tr>
<tr><td>専門教科</td><td>農業，工業，商業，水産，家庭，看護，（ ① ），福祉，理数，体育，音楽，美術，英語</td></tr>
<tr><td>（ ② ）</td><td></td></tr>
<tr><td colspan="2">（ ③ ）</td><td>ホームルーム活動，生徒会活動，学校行事</td></tr>
<tr><td colspan="3">総合的な探究の時間</td></tr>
</table>

(2) 「産業社会と人間」をすべての生徒に原則として入学年次に履修させるものとしている学科を何というか，答えなさい。

実戦問題の解説

No.1の解説　高等学校学習指導要領総則　らくらくマスター→P.44

1 × 総則の原文には「国語科やホームルーム活動を中心に」という記述はない。道徳教育に際しては，「各教科に属する科目，総合的な探究の時間及び特別活動のそれぞれの特質に応じて，適切な指導を行わなければならない」とある。

2 × 必履修教科・科目のうち単位数の減が認められるのは，「数学Ⅰ」（3単位→2単位），「英語コミュニケーションⅠ」（3単位→2単位）である。また，「その他の必履修教科・科目（標準単位数が2単位であるものを除く。）についてはその単位数の一部を減じることができる」。

3 × 義務教育の内容を定着させるための学校設定科目等の履修をもって，必履修教科・科目の履修に替えることができるという定めはない。この学校設定科目等を履修させた後，必履修教科・科目を履修させることになっている。

4 ○ 正しい。教育的な配慮に基づき，学校や生徒の実態等に応じた授業時数を定めることができるよう，「標準」という表現になっている。

5 × 卒業までに修得させる単位数は**74単位以上**である。

No.2の解説　高等学校の教育課程　らくらくマスター→P.44

(1)

① 「**情報**」が入る。情報科の必修科目は情報Ⅰである。

② 「**学校設定教科**」が入る。**学校設定教科**とは，学習指導要領で定められたもの以外に，各学校が独自に設定できる教科・科目のことである。1999年版の高等学校学習指導要領で新設された。

③ 「**特別活動**」が入る。高等学校の教育課程は，各教科・科目，特別活動，そして総合的な探究の時間からなる。高等学校の場合，**特別の教科である道徳はない**。

(2) **総合学科**という。総合学科は，1993年に創設された。普通科と専門学科に次ぐ「第3の学科」と言われる。総合学科における「産業社会と人間」の標準単位数は2～4単位とされる。

正答	
	No.1　4
	No.2　(1)①情報　②学校設定教科　③特別活動　(2)総合学科

実戦問題

★★
No. 3 **学習指導要領の「第1章　総則　第2款　教育課程の編成」の内容について述べた次の①～④のうち，正しいものはどれか。1つ選べ。**　**【香川県】**

① 各学校において卒業までに履修させる単位数は，各教科・科目の単位数並びに総合的な探究の時間の単位数を含めて70単位以上とする。

② 各教科・科目の履修等については，生徒の実態及び専門学科の特色等を考慮し，特に必要がある場合には，全ての必履修教科・科目について，その単位数の一部を減じることができる。

③ 専門学科においては，専門教科・科目の履修により，必履修教科・科目の履修と同様の成果が期待できる場合は，専門教科・科目の履修をもって，必履修教科・科目の一部又は全部に替えることができる。

④ 総合学科においては，「産業社会と人間」及び専門教科・科目を合わせて20単位以上設け，生徒が多様な各教科・科目から主体的に選択履修できるようにすること。

★★
No. 4 **高等学校学習指導要領総則の「教育課程の編成」に関する次の記述ア～エのうち，正しいものを選んだ組合せとして適切なものは，下の1～5のうちのどれか。**　**【東京都】**

ア　教育課程の編成に当たっては，生徒の特性，進路等に応じた適切な各教科・科目の履修ができるようにし，このため，多様な各教科・科目を設け生徒が自由に選択履修することのできるよう配慮するものとする。

イ　全日制の課程における各教科・科目及びホームルーム活動の授業は，年間35週行うことを標準とし，必要がある場合には，ホームルーム活動の授業を特定の学期又は特定の期間に行うことができる。

ウ　指導計画の作成に当たっては，各学校においては，各教科・科目等について相互の関連を図り，系統的，発展的な指導ができるようにすることに配慮しながら，学校の創意工夫を生かし，全体として，調和のとれた具体的な指導計画を作成するものとする。

エ　職業に関する各教科・科目については，職業資格の取得をもって実習に替えることができる。この場合，職業資格の取得に関する学習活動は，その各教科・科目の内容に直接関係があり，かつ，その一部としてあらかじめ計画し，評価されるものであることを要することに配慮するものとする。

1　ア・イ　　**2**　ア・ウ　　**3**　ア・エ　　**4**　イ・ウ　　**5**　ウ・エ

実戦問題の解説

No.3の解説 高等学校の教育課程の編成 らくらくマスター P.44

①× 70単位以上ではなく，**74単位以上**である。普通科においては，卒業までに修得させる単位数に含めることができる学校設定科目及び学校設定教科に関する科目に係る修得単位数は，合わせて20単位を超えることができない。

②× 必要がある場合，「数学Ⅰ」及び「英語コミュニケーションⅠ」については2単位とすることができ，その他の必履修教科・科目（標準単位数が2単位であるものを除く。）についてはその単位数の一部を減じることができる。**全ての必修教科・科目ではない。**

③○ 正しい。各教科・科目間の指導内容の重複を避け，教育内容の精選を図るためである。

④× 20単位以上ではなく，**25単位以上**である。総合学科は，普通教育及び専門教育を選択履修を旨として総合的に施す学科として，高等学校教育の一層の個性化・多様化を推進するため，普通科・専門学科に並ぶ新たな学科として，1993年3月に設けられた。

No.4の解説 高等学校の教育課程の編成 らくらくマスター P.44

高等学校では選択履修の幅も広く，創意工夫を生かした弾力的なカリキュラムを組める。

ア○ 正しい。生徒の選択の幅を拡大する際は，適切なガイダンスを行うことに留意しなければならない。

イ× **ホームルーム活動**の授業は，特定の学期または特定の期間に（集中的に）実施することはできない。各教科・科目の授業は，この限りではない。たとえば，「実習科目や社会人を非常勤講師として招いて実施する授業などでの活用が考えられる」（高等学校学習指導要領解説）。

ウ○ 正しい。各教科・科目等相互の関連を図るとともに，各教科・科目等において，系統的，発展的な指導を行うことは，生徒の発達の段階に応じ，その目標やねらいを効果的に実現するために必要である（同上）。

エ× 職業資格の取得ではなく，**就業体験活動**である。就業体験活動は，関係する科目の指導計画に適切に位置付けて行う必要がある。

正答 No.3 ③　No.4 2

テーマ 5 教育原理

学習指導要領の変遷

頻出度 B

必修問題

出題データ　京都府と大分県では毎年，北海道，奈良県などでは5年間で4回出題されている。

次のA～Fは，これまでの学習指導要領改訂の特色を示したものである。古い順に並べたものとして最も適切なものを，下の1～5の中から1つ選びなさい。　【鳥取県】

A　ゆとりある充実した学校生活の実現＝学習負担の適正化（各教科等の目標・内容を中核的事項にしぼる）

B　「生きる力」の育成，基礎的・基本的な知識・技能の習得，思考力・判断力・表現力等の育成のバランス（授業時数の増，指導内容の充実，小学校外国語活動の導入）

C　教育課程の基準としての性格の明確化（道徳の時間の新設，基礎学力の充実，科学技術教育の向上等）

D　社会の変化に自ら対応できる心豊かな人間の育成（生活科の新設，道徳教育の充実）

E　基礎・基本を確実に身に付けさせ，自ら学び自ら考える力などの「生きる力」の育成（教育内容の厳選，「総合的な学習の時間」の新設）

F　教育内容の一層の向上（「教育内容の現代化」，算数における集合の導入等）

1　F→C→A→D→E→B
2　F→A→C→E→B→D
3　F→A→C→D→B→E
4　C→F→A→D→E→B
5　C→A→F→E→D→B

らくらくマスター P.60

必修問題の解説

学習指導要領はおおよそ10年おきに改訂されているが，改訂内容を時代順に並べ替えさせる典型問題である。この手の問題に対処するには，「1958年－国家基準，1989年－生活科，1998年－総合的な学習の時間」というように，各年の改訂内容のキーワードを押さえておくとよい。

A **1977年**の改訂内容である。高度経済成長期の過密カリキュラム（詰め込み教育）が反省され，ゆとり・精選の方針に基づいた改訂がなされた。

B **2008年**の改訂内容である。1998年改訂のゆとり学習指導要領による学力低下への批判が高まり，授業時間の増加が図られた。小学校高学年の教育課程に**外国語活動**が導入されたのも目玉ポイントである。

C **1958年**の改訂内容である。注目箇所は「**道徳の時間**の新設」。科学技術教育の向上は，高度経済成長への離陸期にあった当時の状況を反映している。またこの年の改訂により，学習指導要領が教育課程の国家基準となったことも重要だ（それまでは，必要に応じて参照する試案だった）。これ以降，各学校が教育課程を編成する際は，学習指導要領に依拠することが義務づけられた。

D **1989年**の改訂内容である。**生活科**が判別のキーワードとなる。小学校低学年の理科と社会が統合され，生活科となった。果物の皮がむけない，靴紐を結べないなど，基本的な生活技能の低下が問題視され，このような改訂がなされた。

E **1998年**の改訂内容である。教育内容の厳選＝「ゆとり教育」路線の導入として知られる。教育内容の３割削減などは，大きな注目を集めた。**総合的な学習の時間**が創設されたのもこの年の改訂によってである。

F **1968年**の改訂である。時代は高度経済成長期。国際間の科学技術競争が激化していた当時の様相を反映している。

正答 4

ここが問われる！出題ポイント

各年の学習指導要領の改訂内容を問う問題が多い。文章を提示してどの年の改訂内容かを答えさせる問題や，上記のような並べ替えの問題が主である。各年の改訂内容をキーワード形式で整理しておこう（『教職教養らくらくマスター』61ページを参照）。2015年の改訂で，道徳は教科となっている。2017年公示の新学習指導要領の目玉は，外国語教育の早期化である。

学習指導要領の変遷

実戦問題

★★

No. 1 中央教育審議会「幼稚園，小学校，中学校，高等学校及び特別支援学校の学習指導要領等の改善及び必要な方策等について（答申）」（平成28年12月21日）で示されている内容として，適するものを，次の選択肢から１つ選び，番号で答えなさい。 【宮崎県】

1　学校を変化する社会とは別の不易の目的を有する場として位置付け，「社会から独立した教育課程」を目指すべき理念として位置付けることとしている。

2　学習指導要領等が果たす役割の一つは，学校における教育水準を全国的に確保することであるため，学校の特色を生かすことは控え，学習指導要領等を踏まえ教育改善を図っていくことが重要である。

3　これからの学習指導要領等は，学校教育における学習の全体像を分かりやすく見渡せる「学びの地図」としての役割を果たしていくことが期待されている。

4　学習指導要領等は，時代の変化や子供たちの状況，社会の要請等を踏まえ，おおよそ５年ごとに，数次にわたり改訂されてきた。

5　平成15年の学習指導要領一部改正において，その基準性を明確にし，学習指導要領に示されていない内容は指導してはならないことを明確にした。

★

No. 2 次のア～エは，平成元年以降の学習指導要領改訂により新設された教科等である。この新設された教科等と改訂の時期の組合せが正しいものを①～⑤から１つ選べ。 【秋田県】

ア　総合的な学習の時間　　イ　外国語活動（小学校）
ウ　生活科（小学校）　　エ　情報科（高等学校）

	平成元年	平成10年・11年	平成20年・21年
①	ウ　エ	ア	イ
②	ア	ウ	イ　エ
③	ウ	ア　エ	イ
④	ア	イ　ウ	エ
⑤	ア　ウ	エ	イ

実戦問題の解説

No.1の解説 2017年の学習指導要領改訂の内容 らくらくマスター P.60, 62

1と**2**は，常識で正誤を判定できるだろう。

1 × 「学校を変化する社会の中に位置付け，…**社会に開かれた教育課程**を目指すべき理念として位置付けることとしている」とある（答申本文）。

2 × 学習指導要領の役割は教育水準の全国的な確保であるが，「**各学校がその特色を生かしながら**創意工夫を重ね，子供や地域の現状や課題を捉え，教育活動の更なる充実」を図ることも必要とされる。学習指導要領に示されていることは，全ての子どもに教えるべき最低限の内容である。

3 ○ 正しい。子供たちが身に付ける資質・能力や学ぶ内容などの全体図である。

4 × おおよそ**10年ごと**に改訂されてきている。

5 × 2003年の一部改訂において，学習指導要領に示されていないことも指導できるとされた。学習指導要領の**基準性**が明瞭にされたことになる。

No.2の解説 学習指導要領改訂により新設された教科等 らくらくマスター P.60

ア 総合的な学習の時間は，**1998・99**（平成10・11）年の改訂により新設された。教育課程に「総合的な学習の時間」が加えられるとともに，「生きる力」をはぐくむことが初めて強調されたのも，この年の改訂においてである。

イ 外国語活動（小学校）は，**2008・09**（平成20・21）年の改訂により小学校高学年の教育課程に新設された。「外国語を通じて，言語や文化について体験的に理解を深め，積極的にコミュニケーションを図ろうとする態度の育成を図り，外国語の音声や基本的な表現に慣れ親しませながら，コミュニケーション能力の素地を養う」ことを目的としている。現行の学習指導要領では，**中学年**に移行している。

ウ 生活科（小学校）は，**1989**（平成元）年の改訂により新設された。小学校低学年の社会と理科が統合されてできた教科である。

エ 情報科（高等学校）は，**1998・99**（平成10・11）年の改訂により新設された。社会の情報化に対応するためである。当該教科は，高等学校の全学科の共通教科となっている。

よって，正答は③である。

正答 No.1 3　No.2 ③

実戦問題

★

No. 3 「幼稚園，小学校，中学校，高等学校及び特別支援学校の学習指導要領等の改善及び必要な方策等について（答申）」（平成28年12月21日　中央教育審議会）には「資質・能力の三つの柱」として，次のものが示されている。（　ア　）にあてはまるものをA群から，（　イ　）にあてはまるものをB群から，（　ウ　）にあてはまるものをC群からそれぞれ１つずつ選べ。　**【秋田県】**

・「何を理解しているか，何ができるか（生きて働く「（　ア　）」の習得」

・「理解していること・できることをどう使うか（（　イ　）にも対応できる「思考力・判断力・表現力等」の育成）」

・「どのように社会・世界と関わり，よりよい人生を送るか（学びを人生や社会に生かそうとする「（　ウ　）」の涵養(かん)）」

A群　①知識・技能　②知識・能力　③基礎・基本

B群　④現代的な諸課題　⑤情報技術の進化　⑥未知の状況

C群　⑦関心・意欲・態度　⑧学びに向かう力・人間性等　⑨社会を生き抜く力・個性等

★★

No. 4 次の①～⑥は，これまでの学習指導要領改訂の要点をまとめたものである。改訂の要点①～⑥を古い順に並べたものはどれか。下の１～５から１つ選びなさい。　**【高知県】**

① 「生きる力」の育成，基礎的・基本的な知識・技能の習得，思考力・判断力・表現力等の育成のバランス（小学校外国語活動の導入）

② 教育内容の一層の向上（教育内容の現代化，算数における集合の導入等）

③ 基礎・基本を確実に身に付けさせ，自ら学び自ら考える力などの「生きる力」の育成（総合的な学習の時間の新設）

④ ゆとりある充実した学校生活の実現＝学習負担の適正化（各教科の目標・内容を中核的事項にしぼる）

⑤ 社会の変化に自ら対応できる心豊かな人間の育成（生活科の新設）

⑥ 教育課程の基準としての性格の明確化（道徳の時間の新設）

1　②→④→⑥→⑤→③→①

2　⑤→②→⑥→④→①→③

3　②→⑥→⑤→④→③→①

4　⑥→④→②→⑤→①→③

5　⑥→②→④→⑤→③→①

実戦問題の解説

No.3の解説　資質・能力の３つの柱　らくらくマスター→P.62

新学習指導要領で育成する資質・能力の３本柱である。

ア① **知識・技能**が入る。各教科等において習得する知識や技能であるが，個別の事実的な知識のみを指すものではなく，それらが相互に関連付けられ，さらに社会の中で生きて働く知識となるものを含む。

イ⑥ **未知の状況**が入る。将来の予測が困難な社会の中でも，未来を切り拓いていくために必要な思考力・判断力・表現力等である。

ウ⑧ **学びに向かう力・人間性等**が入る。人間性等とは「多様性を尊重する態度と互いのよさを生かして協働する力，持続可能な社会づくりに向けた態度，リーダーシップやチームワーク，感性，優しさや思いやりなど」を指す。

No.4の解説　これまでの学習指導要領改訂の要点　らくらくマスター→P.60

① **2008（平成20）年**の改訂内容である。学力低下に対する批判の高まりを受け，ゆとり教育路線が見直され，授業時数の増加が図られた。小学校高学年に外国語活動が導入されたことも特筆点である。

② **1968（昭和43）年**の改訂内容である。時代は高度経済成長期。科学技術力向上に向けた国際競争が高まる中，教育内容の「現代化」が掲げられ，教育内容が増やされた。

③ **1998（平成10）年**の改訂内容である。学校週５日制の完全実施や，小・中学校における教育内容の３割削減など，いわゆる「ゆとり教育」を導入した改訂として知られる。

④ **1977（昭和52）年**の改訂内容である。高度経済成長期の能力主義教育が反省され，「ゆとり」と「精選」という考え方のもと，教育内容および授業時数が削減された。中学校で選択教科，高等学校で習熟度別学級編成が導入されるなど，個に応じた指導も志向されるようになった。

⑤ **1989（平成元）年**の改訂内容である。小学校低学年の社会と理科が統合され「生活科」となった。

⑥ **1958（昭和33）年**の改訂内容である。この年の改訂により，学習指導要領は各学校の教育課程の国家基準となり，法的拘束力を持つことになった。道徳の時間は，現行の学習指導要領では教科となっている。

よって，正答は**5**となる。

正答　No.3　ア−①　イ−⑥　ウ−⑧　　No.4　5

テーマ 6 教育原理

道徳教育

頻出度 A

必修問題

出題データ　群馬県では5年間で2回出題されている。福井県や福岡県では毎年出題されている。

道徳教育についての説明として，正しいものの組合せはどれか。　【群馬県】

ア　道徳教育は，「特別の教科　道徳」（道徳科）が要となるため，諸活動の情報を積極的に公表することや家庭や地域社会との共通理解や連携を図ることまでは求められていない。

イ　道徳教育は，教育基本法及び学校教育法に定められた教育の根本精神に基づき，それぞれの校種で，よりよく生きるための道徳性を養うことを目標としている。

ウ　「特別の教科　道徳」（道徳科）は，子供がいかに成長したかを受け止めて評価するため，数値ではなく記述式で調査書へ記載し，入学者選抜における合否判定等に活用することができる。

エ　「特別の教科　道徳」（道徳科）では，教科用図書に加え，各地域に根ざした地域（郷土）教材や現代的な課題を教材として併用して使用することができる。

オ　学校における道徳教育は，通常の授業の中では行うことができない特性から，学校行事を通じて行うこととなっている。

①　ア　イ　　②　ア　ウ　　③　イ　エ　　④　ウ　オ　　⑤　エ　オ

必修問題の解説

らくらくマスター P.48, 50

2015年の学習指導要領改訂により，道徳が教科となっている。学校の道徳教育は，道徳科を要として，教育活動全体を通じて実施する。他の教科とは違い，数値による評価は実施しない。

ア× 誤り。「道徳科の授業を公開したり，授業の実施や地域教材の開発や活用などに家庭や地域の人々，各分野の専門家等の積極的な参加や協力を得たりするなど，家庭や地域社会との共通理解を深め，相互の連携を図ること」とある（小学校学習指導要領第3章の3）。

イ○ 正しい。**道徳性**とは，「人間としてよりよく生きようとする人格的特性」をいう（小学校学習指導要領解説・特別の教科道徳編）。道徳性は，道徳的判断力，道徳的心情，道徳的実践意欲と態度，という要素からなる。

ウ× 誤り。道徳科の評価は「**調査書に記載せず，入学者選抜の合否判定に活用することのない**ようにする必要がある」とされる（文部科学省「特別の教科・道徳の指導方法・評価等について」2016年）。評価は数値ではなく，記述式で行うという箇所は正しい。「児童生徒がいかに成長したかを積極的に受け止めて認め，励ます**個人内評価**として記述式で行うこと」とある（同上）。

エ○ 正しい。「生命の尊厳，自然，伝統と文化，先人の伝記，スポーツ，情報化への対応等の現代的な課題などを題材とし，児童が問題意識をもって多面的・多角的に考えたり，感動を覚えたりするような充実した教材の開発や活用を行うこと」とある（小学校学習指導要領第3章の3）。

オ× 誤り。学校における道徳教育は，「特別の教科である道徳を要として**学校の教育活動全体**を通じて行うものであり，道徳科はもとより，各教科，外国語活動，総合的な学習の時間及び特別活動のそれぞれの特質に応じて，児童の発達の段階を考慮して，適切な指導を行う」（小学校学習指導要領総則第1の2）。

正答 ③

ここが問われる！出題ポイント

近年，道徳教育が重視されている。道徳教育の目標の空欄補充問題，内容や指導に際しての配慮事項・評価に関する文章の正誤判定問題が多い。学習指導要領の該当箇所の原文を読んでおこう。2015年の学習指導要領一部改正により，道徳は教科となっている。

道徳教育

実戦問題

★
No. 1 次の文章は現行の「小学校学習指導要領解説　特別の教科　道徳編　第2章　道徳教育の目標　第2節　道徳科の目標」である。次の（　　）に当てはまる語句を，下の選択肢から1つ選び，記号で答えなさい。【宮崎県】

（「第3章　特別の教科　道徳」の「第1　目標」）

第1章総則の第1の2に示す道徳教育の目標に基づき，よりよく生きるための基盤となる（　①　）を養うため，道徳的諸価値についての（　②　）を基に，自己を見つめ，物事を（　③　）・多角的に考え，（　④　）についての考えを深める学習を通して，道徳的な判断力，心情，（　⑤　）と態度を育てる。

ア　実践力　　イ　道徳的態度　　ウ　自己の生き方　　エ　自覚　　オ　多面的
カ　道徳性　　キ　実践意欲　　ク　計画的　　ケ　理解
コ　人間としての生き方

★★★
No. 2 次の文は，それぞれ小〈中〉学校学習指導要領（平成29年3月告示）「第3章　特別の教科　道徳　第2　内容」と「第3　指導計画の作成と内容の取扱い」の一部である。文中の［ア］～［カ］に当てはまることばを書きなさい。【福島県】

※中学校は〈　〉内で読み取る。

第2　内容

学校の［ア］全体を通じて行う道徳教育の要である道徳科においては，以下に示す項目について扱う。

A　主として［イ］に関すること
B　主として［ウ］との関わりに関すること
C　主として集団や［エ］との関わりに関すること
D　主として生命や自然，崇高なものとの関わりに関すること

第3　指導計画の作成と内容の取扱い

1　各学校においては，道徳教育の［オ］に基づき，各教科，外国語活動〈記載無し〉，総合的な学習の時間及び［カ］との関連を考慮しながら，道徳科の年間指導計画を作成するものとする。（省略）

実戦問題の解説

No.1の解説　道徳科の目標　らくらくマスター ▶ P.50

道徳科の目標の文章は，しっかり押さえておこう。道徳性，道徳的実践意欲といった言葉の意味にも注意のこと。

①カ **道徳性**とは，「人間としての本来的な在り方やよりよい生き方を目指して行われる道徳的行為を可能にする人格的特性であり，人格の基盤をなすものである。それはまた，人間らしいよさであり，道徳的価値が一人一人の内面において統合されたもの」である（小学校学習指導要領解説）。

②ケ 道徳的価値は，人間としての在り方や生き方の礎となる。

③オ 道徳性を養うには，「児童が多様な価値観の存在を前提にして，他者と対話したり協働したりしながら，物事を**多面的・多角的**に考えることが求められる」（上記資料）。

④ウ 「他者の多様な感じ方や考え方に触れることで身近な集団の中で自分の特徴などを知り，**伸ばしたい自己**を深く見つめられるようにする」（上記資料）。

⑤キ **道徳的実践意欲**は，「道徳的判断力や道徳的心情を基盤とし道徳的価値を実現しようとする意志の働きであり，道徳的態度は，それらに裏付けられた具体的な道徳的行為への身構え」をいう（上記資料）。

No.2の解説　道徳科の内容　らくらくマスター ▶ P.50

選択肢が与えられていない，難易度が高い問題である。

ア **教育活動**が入る。道徳教育は，道徳科の時間だけではなく，学校の教育活動全体を通じて行う。道徳科は，その要に位置する。

イ **自分自身**が入る。「善悪の判断，自律，自由と責任」「正直，誠実」などの項目からなる。

ウ **人**が入る。「親切，思いやり」「感謝」などの項目からなる。

エ **社会**が入る。「規則の尊重」「公正，公平，社会正義」などの項目からなる。

オ **全体計画**が入る。学校の教育活動全体を通じて行う道徳教育の全体計画に基づき，その要の道徳科の年間指導計画を作成する。

カ **特別活動**が入る。小学校の教育課程は，特別の教科・道徳のほか，各教科，外国語活動，総合的な学習の時間，特別活動からなる。

正答	
	No.1　①ーカ　②ーケ　③ーオ　④ーウ　⑤ーキ
	No.2　ア　教育活動　イ　自分自身　ウ　人　エ　社会 オ　全体計画　カ　特別活動

実戦問題

★

No. 3 **次の文章は，平成29年告示の小学校学習指導要領の第１章総則の一部である。（　A　）～（　C　）に入る語句の正しい組合せはどれか。下の１～５のうちから１つ選べ。** **【大分県・改題】**

学校における道徳教育は，特別の教科である道徳（以下「道徳科」という。）を要として学校の教育活動全体を通じて行うものであり，道徳科はもとより，各教科，外国語活動，総合的な学習の時間及び特別活動のそれぞれの特質に応じて，児童の（　A　）を考慮して，適切な指導を行うこと。

道徳教育は，教育基本法及び学校教育法に定められた教育の根本精神に基づき，自己の生き方を考え，（　B　）の下に行動し，（　C　）として他者と共によりよく生きるための基盤となる道徳性を養うことを目標とすること。

	A	B	C
1	個人的特性	集団的な決定	自立した人間
2	個人的特性	集団的な決定	社会の形成者
3	個人的特性	主体的な判断	自立した人間
4	発達の段階	主体的な判断	社会の形成者
5	発達の段階	主体的な判断	自立した人間

★★

No. 4 **次の文章は，平成29年告示の小学校学習指導要領及び中学校学習指導要領，平成30年告示の高等学校学習指導要領の「第１章　総則」の一部である。（　A　）～（　E　）に当てはまる語句の組合せとして正しいものはどれか。** **【岡山県】**

道徳教育を進めるに当たっては，（　A　）の精神と生命に対する畏敬の念を家庭，学校，その他社会における具体的な生活の中に生かし，（　B　）をもち，伝統と文化を尊重し，それらを育んできた我が国と（　C　）を愛し，個性豊かな文化の創造を図るとともに，平和で民主的な国家及び社会の形成者として，（　D　）を尊び，社会及び国家の発展に努め，他国を尊重し，国際社会の平和と発展や環境の保全に貢献し未来を拓く（　E　）のある日本人の育成に資することとなるよう特に留意すること。

	A	B	C	D	E
1	人間尊重	寛容な心	郷土	奉仕の精神	協調性
2	人間尊重	豊かな心	郷土	公共の精神	主体性
3	人間尊重	寛容な心	国民	奉仕の精神	主体性
4	人権尊重	寛容な心	国民	公共の精神	協調性
5	人権尊重	豊かな心	郷土	奉仕の精神	主体性

実戦問題の解説

No.3の解説 道徳教育の目標　らくらくマスター P.48

A 「**発達の段階**」が入る。道徳教育の内容や留意事項は，小学校では2学年ごとに分けられている。たとえばA「主として自分自身に関すること」の「善悪の判断，自律，自由と責任」は，低学年は「よいことと悪いこととの区別をし，よいと思うことを進んで行うこと」だが，高学年は「自由を大切にし，自律的に判断し，責任のある行動をすること」となっている。

B 「**主体的な判断**」が入る。「主体的な判断の下に行動」するとは，「児童が自立的な生き方や社会の形成者としての在り方について自ら考えたことに基づいて，人間としてよりよく生きるための行為を自分の意志や判断に基づいて選択し行うこと」とされる（小学校学習指導要領解説・総則編）。

C 「**自立した人間**」が入る。「自立した人間としての主体的な自己は，同時に他者と共によりよい社会の実現を目指そうとする社会的な存在」でもある（同上）。

No.4の解説 道徳教育の留意事項　らくらくマスター P.48

道徳教育を進めるに際しての留意事項である。言葉の意味も押さえよう。

A **人間尊重**が入る。人間尊重の精神は，「生命の尊重，人格の尊重，基本的人権，思いやりの心などの根底を貫く精神である。」（小学校学習指導要領解説・総則編）。

B **豊かな心**が入る。豊かな心とは，「例えば，困っている人には優しく声を掛ける，ボランティア活動など人の役に立つことを進んで行う，喜びや感動を伴って植物や動物を育てる，自分の成長を感じ生きていることを素直に喜ぶ，美しいものを美しいと感じることができる，他者との共生や異なるものへの寛容さをもつなどの感性及びそれらを大切にする心」をさす（同上）。

C **郷土**が入る。生まれ育った郷土を愛する心は，地方創生ともつながる。

D **公共の精神**が入る。個の尊厳とともに，社会全体の利益を実現しようとする公共の精神も重要となる。

E **主体性**が入る。主体性のある人間とは，「常に前向きな姿勢で未来に夢や希望をもち，自主的に考え，自律的に判断し，決断したことは積極的かつ誠実に実行し，その結果について責任をもつことができる人間」をいう（同上）。

正答 No.3　5　No.4　2

テーマ 7 教育原理

総合的な学習の時間

頻出度 C

必修問題

出題データ　東京都では 5 年間で 4 回出題されている。福岡県と宮崎県では毎年出題されている。

中学校学習指導要領総合的な学習の時間の「指導計画の作成と内容の取扱い」に関する記述として適切なものは，次の 1 ～ 5 のうちのどれか。

【東京都】

1　他教科等及び総合的な学習の時間で身に付けた資質・能力を相互に関連付け，学習や生活において生かし，それらが総合的に働くようにすること。

2　全体計画及び年間指導計画の作成に当たっては，学校における全教育活動との関連の下に，目標及び内容，学習活動，指導方法や指導体制，学習の評価の計画などを示すこと。その際，小学校における総合的な学習の時間の取組を踏まえないこと。

3　各学校における総合的な学習の時間の名称については，「総合的な学習の時間」としなければならない。

4　自然体験や職場体験活動，ボランティア活動などの社会体験，ものづくり，生産活動などの体験活動，観察・実験，発表や討論などの学習活動を積極的に取り入れること。ただし，見学や調査は含まない。

5　グループ学習などの多様な学習形態，地域の人々の協力も得つつ，全教師が一体となって指導に当たるなどの指導体制について工夫を行うこと。ただし，異年齢集団による学習は行わないこと。

必修問題の解説

らくらくマスター ➡ P.54

総合的な学習の時間では，座学一辺倒でなく，多様な形態の学習活動を行う。選択肢の**2**・**4**・**5**が誤りであることは，容易に判断がつくだろう。総合的な学習の時間の名称や内容は，各学校が独自に定める。

1 ○ 適切である。「各教科等で別々に身に付けた資質・能力をつながりのあるものとして**組織化**し直し，改めて現実の生活に関わる学習において活用し，それらが**連動して機能**するようにする」ことを意味する（『中学校学習指導要領解説・総合的な学習の時間編』）。

2 × 小学校における総合的な学習の時間の取組を**踏まえる**こととある。「小学校の全体計画や年間指導計画も踏まえて中学校の指導計画が作成されるよう，指導計画をはじめ生徒の学習状況などについて，**相互に連携**を図ることが求められる」（同上）。

3 × 各学校における総合的な学習の時間の名称については，**各学校において適切に定める**。「地域のシンボルや学校教育目標，保護者や地域の人々の願いに関連した名称など，この時間の趣旨が広く理解され，生徒や保護者，地域の人々に親しんでもらえるように適切な名称を定めればよい」（同上）。

4 × 見学や調査も積極的に取り入れることとされる。実際に事象を見学したり，事実を確かめるために調査したりすることで，学習の深まりが期待できる。

5 × 異年齢集団による学習も行う。「**異年齢集団**で学習を進めることは，上級生のリーダーシップを育み，下級生にとっても各自の資質や能力だけでは経験できないような学習活動を経験できたり，上級生の姿を見て，『自分もこうありたい』，『自分ならこんなことができそうだ』という意欲を高めることができたりするという利点がある」（同上）。

正答 1

ここが問われる！出題ポイント

総合的な学習の時間は，各教科等で身に付けた知や技を総動員して，特定の課題を追求させる領域であり，福岡県では毎年出題されている。指導計画の作成や内容の取扱いに関する文章の正誤判定問題が多い。目標の原文の空欄補充問題も頻出。高等学校では，名称が「総合的な探究の時間」となっていることにも要注意。

実戦問題

★
No. 1 次の文は，小学校学習指導要領（平成29年３月告示）「第５章　総合的な学習の時間」「第１　目標」を抜粋したものである。文中の（　ア　）～（　オ　）に当てはまる語句の正しい組合せを選びなさい。　【福岡県・改題】

探究的な見方・考え方を働かせ，（　ア　）な学習を行うことを通して，よりよく課題を解決し，自己の（　イ　）を考えていくための資質・能力を次のとおり育成することを目指す。

(1)　探究的な学習の過程において，課題の解決に必要な知識及び技能を身に付け，課題に関わる（　ウ　）を形成し，探究的な学習のよさを理解するようにする。

(2)　実社会や実生活の中から（　エ　）を見いだし，自分で課題を立て，情報を集め，整理・分析して，まとめ・表現することができるようにする。

(3)　探究的な学習に（　オ　）に取り組むとともに，互いのよさを生かしながら，積極的に社会に参画しようとする態度を養う。

	ア	イ	ウ	エ	オ
①	問題解決的	生き方	考え	価値	主体的・協働的
②	問題解決的	将来	概念	価値	主体的・対話的
③	横断的・総合的	将来	考え	問い	主体的・対話的
④	横断的・総合的	生き方	概念	問い	主体的・協働的
⑤	横断的・総合的	生き方	概念	価値	主体的・対話的

★
No. 2 次の文章は，高等学校学習指導要領（平成30年告示）の「第４章　総合的な探究の時間」の一部である。文中の［　1　］～［　2　］にあてはまる語を，次の①から⑤までの中から１つずつ選び，記号で答えよ。　【沖縄県・改題】

各学校において定める目標については，各学校における［　1　］を踏まえ，総合的な探究の時間を通して育成を目指す資質・能力を示すこと。

各学校において定める内容については，目標を実現するにふさわしい［　2　］，［　2　］の解決を通して育成を目指す具体的な資質・能力を示すこと。

［　1　］　①　生徒の実態や特性　②　地域の特色や要請　③　学校の伝統
④　保護者・教職員の願い　⑤　教育目標

［　2　］　①　地域や学校の特色に応じた課題　②　横断的・総合的な課題
③　探究課題　④　生徒の興味・関心に基づく課題
⑤　職業や自己の進路に関する課題

実戦問題の解説

No.1の解説　総合的な学習の時間の目標　　らくらくマスター➡P.54

ア　**横断的・総合的**が入る。「横断的・総合的な学習を行うというのは，この時間の学習の対象や領域が，特定の教科等に留まらず，横断的・総合的でなければならないことを表している」（小学校学習指導要領解説，総合的な学習の時間編）。

イ　**生き方**が入る

ウ　**概念**が入る。「総合的な学習の時間では，各教科等で習得した概念を実生活の課題解決に活用することを通して，それらが**統合**され，より一般化されることにより，汎用的に活用できる概念を形成することができる」。

エ　**問い**が入る。まずは素朴な問いを見い出し，課題に高めていく。

オ　**主体的・協働的**が入る。「探究的な学習では，児童が，身近な人々や社会，自然に興味・関心をもち，それらに意欲的に関わろうとする主体的，協働的な態度が欠かせない」。

よって，正答は④である。

No.2の解説　総合的な探究の時間の目標・内容　　らくらくマスター➡P.54

各学校の裁量が大きい。それだけに高度な専門性が要求される。

1⑤　**教育目標**が入る。「各学校における教育目標を踏まえ」とは，「各学校において定める総合的な探究の時間の目標が，この時間の円滑で効果的な実施のみならず，各学校において編成する**教育課程全体**の円滑で効果的な実施に資するものとなるよう配慮するということ」を意味する（『高等学校学習指導要領解説・総合的な探究の時間編』）。総合的な探究の時間の目標は，学校の教育目標と直接的につながるという，他教科等にはない独自な特質を有する。

2③　**探究課題**が入る。目標を実現するにふさわしい探究課題とは，「目標の実現に向けて学校として設定した，生徒が探究に取り組むためのものであり，従来『学習対象』として説明されてきたものに相当する」（『高等学校学習指導要領解説・総合的な探究の時間編』）。探究課題とは，探究的に関わりを深める人・もの・ことを示したものであり，例えば「自然環境とそこに起きているグローバルな環境問題」，「地域の伝統や文化とその継承に取り組む人々や組織」，「文化や流行の創造と表現」，「職業の選択と社会貢献及び自己実現」などである。

正答　No.1　④　　No.2　1　⑤　　2　③

テーマ 8 教育原理

特別活動

頻出度 B

必修問題

出題データ　東京都では5年間で5回出題されている。福岡県と宮崎県でも必出である。

平成29年3月告示の小学校学習指導要領特別活動に関する記述として適切でないものは，次の1～5のうちのどれか。　【東京都・改題】

1　「特別活動の全体計画」や「各活動・学校行事の年間指導計画」を作成するに当たっては，各教科，道徳科，外国語活動及び総合的な学習の時間等の指導との関連を図ることとされている。

2　学級活動では，第1学年から第3学年の3年間で「学級や学校の生活づくり」の内容を取り扱い，第4学年から第6学年までの3年間で「日常生活の学習への適応と自己の成長及び健康安全」の内容を取り扱う。

3　児童会活動では，「児童会活動の計画や運営」，「異年齢集団による交流」，「学校行事への協力」の内容を取り扱う。

4　クラブ活動では，主として第4学年以上の同好の児童をもって組織するクラブにおいて「クラブ活動の計画や運営」，「クラブを楽しむ活動」，「クラブの成果の発表」の内容を取り扱う。

5　学校行事では，全校または学年を単位として，「自然の中での集団宿泊活動」や「文化や芸術に親しんだりするような活動」等の内容を取り扱う。

必修問題の解説

らくらくマスター P.56

集団活動を通して社会性の育成を目指す特別活動は，学級活動，児童会活動，クラブ活動，学校行事の4領域からなる。**2**～**4**では，それぞれの内容の大枠について問われている。小学校学習指導要領の第6章「特別活動」をみておこう。

1 ○ 適切である。具体的には「特別活動の他の内容や各教科等で身に付けた資質・能力などを，学校行事においてよりよく活用できるようにすること」「学校行事で身に付けた資質・能力を各教科等の学習に生かすこと」とされる（小学校学習指導要領解説・特別活動編）。

2 × 適切でない。文中で言われている事項は，**全ての学年**において指導することとされる。

3 ○ 適切である。児童会の役員選挙などは，民主主義の実践を体験させることにもつながる。「児童会の計画や運営は，主として**高学年**の児童が行うこと。その際，学校の全児童が主体的に活動に参加できるものとなるよう配慮すること」とある（小学校学習指導要領）。

4 ○ 適切である。小学校のクラブ活動は，特別活動の範疇に属する授業である。中高の部活動は，教育課程の外の**課外活動**という位置づけで，教員免許状を持たない者でも指導できる。2017年の法改正により，中学校の部活指導を行う部活動指導員が正規の学校職員として位置づけられた。教員免許状を有している必要はない。

5 ○ 適切である。自然の中での集団宿泊活動は「遠足・集団宿泊的行事」，文化や芸術に親しんだりするような活動は「文化的行事」において行われる。学校行事の種類としては，この2つの他に，「儀式的行事」，「健康安全・体育的行事」，「勤労生産・奉仕的行事」がある。この5つを覚えておこう。中高では，遠足・集団宿泊的行事は「旅行・集団宿泊的行事」という。

正答 2

ここが問われる！出題ポイント

特別活動では，集団活動による社会性の獲得が目指される。目標の原文の空欄補充，授業時数に関する文章の正誤判定問題がよく出る。学級活動（ホームルーム活動）以外の授業時数は，各学校で定めることに注意。また，儀式的行事，健康安全・体育的行事など，学校行事の種類についても答えられるようにしておきたい。

特別活動

実戦問題

★
No. 1 次の文は，小学校〈中学校〉学習指導要領（平成29年公示）「第6〈5〉章　特別活動」「第1　目標」の一部を抜粋したものである。文中の（　ア　）～（　エ　）に当てはまる語句の正しい組合せを選びなさい。

【福岡県・福岡市・北九州市】

集団や社会の（　ア　）としての見方・考え方を働かせ，様々な集団活動に自主的，（　イ　）に取り組み，互いのよさや可能性を発揮しながら集団や自己の生活上の課題を解決することを通して，次のとおり資質・能力を育成することを目指す。

(1) （　ウ　）と協働する様々な集団活動の意義や活動を行う上で必要となることについて理解し，行動の仕方を身に付けるようにする。

(2) 集団や自己の生活，人間関係の課題を見いだし，解決するために話し合い，合意形成を図ったり，（　エ　）したりすることができるようにする。

※＿＿の表記は小学校学習指導要領，〈　〉の表記は中学校学習指導要領

	ア	イ	ウ	エ
①	形成者	自治的	身近な他者	意思決定
②	一員	実践的	多様な他者	自己決定
③	一員	自治的	身近な他者	意思決定
④	形成者	実践的	多様な他者	意思決定
⑤	形成者	自治的	多様な他者	自己決定

★★
No. 2 学校における特別活動について述べた内容として適切でないものを，次の1～4のうちから1つ選びなさい。

【宮城県・仙台市】

1　小学校のクラブ活動は，異年齢の児童同士で協力し，共通の興味・関心を追求する集団活動の計画を立てて運営することを重要視している。

2　小学校や中学校等の学級活動において，給食の時間は，望ましい食習慣の形成を図るとともに，食事を通して人間関係をよりよくすることが大切である。

3　小学校や中学校等の学級活動や高等学校のホームルーム活動においては，一人一人のキャリア形成と自己実現を図るため，自主的に学習する場として学校図書館等を活用する場面を設けるとよい。

4　入学式や卒業式などにおいて，その意義を踏まえ，国旗を掲揚するよう指導するが，国歌を斉唱するかどうかの指導については，学校長の判断に委ねられている。

実戦問題の解説

No.1の解説　特別活動の目標

らくらくマスター ➡ P.56

特別活動の目標について定めた，学習指導要領の原文である。本問のような空欄補充問題が多い。

ア **形成者**が入る。社会を自らの手で形成していく能動的な存在になることが期待される。

イ **実践的**が入る。「集団活動の中で，一人一人の児童が，実生活における課題の解決に取り組むことを通して学ぶことが，特別活動における自主的，実践的な学習である」とされる（小学校学習指導要領解説・特別活動編）。

ウ **多様な他者**が入る。「話合いの進め方やよりよい合意形成や意思決定の方法，チームワークの重要性，集団活動における役割分担の方法などについて理解できるようにする」とされる（同上）。日本はこれから多国籍化していくが，多様な他者との協調の術を得ておくのは重要である。

エ **意思決定**が入る。課題解決の過程において必要となる「思考力，判断力，表現力等」に関わることである。

よって，④が正答となる。

No.2の解説　小学校の特別活動

らくらくマスター ➡ P.56

1○ 適切である。クラブ活動は，**第4学年以上**の同好の児童をもって組織される。内容は「クラブの組織づくりとクラブ活動の計画や運営」「クラブを楽しむ活動」「クラブの成果の発表」の3つからなる。

2○ 適切である。学校給食は，特別活動の学級活動の範疇に含まれる。**食育**において重要な役割を果たし，栄養教諭等が専門性を発揮することが期待される。

3○ 適切である。「学ぶことの意義や現在及び将来の学習と自己実現とのつながりを考えたり，自主的に学習する場としての**学校図書館**等を活用したりしながら，学習の見通しを立て，振り返ること」とされる（小学校学習指導要領）。

4× 適切でない。「入学式や卒業式などにおいては，その意義を踏まえ，国旗を掲揚するとともに，国歌を斉唱するよう指導するものとする」と定められている。学校長の判断に委ねるという規定はない。

正答　No.1　④　　No.2　4

実戦問題

★★
No. 3 平成29年3月告示の中学校学習指導要領特別活動に関する記述として適切なものは，次の1～5のうちのどれか。 【東京都・改題】

1　生徒会活動は，異年齢の生徒同士で協力し，学校生活の充実と向上を図るための諸問題の解決に向けて，計画を立て役割を分担し，協力して自主的・実践的に取り組む。

2　部活動においては，年間35週以上にわたって行うように計画し，スポーツや文化及び科学等に親しませ，学習意欲の向上や責任感，連帯感を育成する。

3　総合的な学習の時間における学習活動は，その活動が，特別活動の学校行事に掲げる各行事の実施と同様の成果が期待できる場合であっても，各行事の実施に替えることはできない。

4　学校行事においては，本物の文化や芸術に触れたり鑑賞したりする活動を充実する観点から，「文化的行事」が「学芸的行事」に改められた。

5　学級活動においては，学年ごとに取り扱う内容が定められ，第1学年で「学級や学校の生活づくり」，第2学年で「適応と成長及び健康安全」，第3学年で「学業と進路」について取り扱う。

★
No. 4 次の各文のうち，平成29年3月に文部科学省から示された中学校学習指導要領「特別活動」の各活動・学校行事の目標及び内容の中の，学級活動の内容に関する記述の内容として誤っているものはどれか。1～5から1つ選べ。

【大阪府・大阪市・堺市・豊能地区】

1　社会の一員としての自覚や責任をもち，社会生活を営む上で必要なマナーやルール，働くことや社会に貢献することについて考えて行動すること。

2　生徒会など学級の枠を超えた多様な集団における活動や学校行事を通して学校生活の向上を図るため，学級としての提案や取組を話し合って決めること。

3　自他の個性を理解して尊重し，互いのよさや可能性を発揮しながらよりよい集団生活をつくること。

4　学級生活の充実や向上のため，教師が主導して組織をつくり，生徒の個性に合った役割を分担させて，生徒の協力を促すこと。

5　給食の時間を中心としながら，成長や健康管理を意識するなど，望ましい食習慣の形成を図るとともに，食事を通して人間関係をよりよくすること。

実戦問題の解説

No.3の解説　中学校の特別活動　らくらくマスター➡P.56

1 ○ 正しい。具体的には，「生徒会の組織づくりと生徒会活動の計画や運営」「学校行事への協力」「**ボランティア活動**などの社会参画」を行うこととされている。

2 × 部活動は，教育課程上の位置づけを持った授業ではないので，年間の授業週数は決められていない。

3 × 選択肢でいわれているような効果が期待できる場合，「総合的な学習の時間における学習活動をもって相当する特別活動の**学校行事**に掲げる各行事の実施に替えることができる」（総則第２の３）。

4 × 「文化や芸術に親しんだりするような活動を行う」行事は，**文化的行事**である。

5 × 学級活動の内容は，学年ごとに区分されてはいない。

No.4の解説　学級活動　らくらくマスター➡P.56

学級活動は，特別活動の中でも要の位置を占める。その内容は，①学級や学校における生活づくりへの参画，②日常の生活や学習への適応と自己の成長及び健康安全，③一人一人のキャリア形成と自己実現，という３つの柱からなる。

1 ○ 正しい。上記の③に属する。「勤労観・職業観を育み，集団や社会の形成者として，社会生活におけるルールやマナーについて考え，日常の生活や自己の在り方を主体的に改善しようとしたり，将来を思い描き，自分にふさわしい生き方や職業を主体的に考え，選択しようとしたりすることができるようにするものである」（中学校学習指導要領解説・特別活動編）。

2 ○ 正しい。上記の①に属する。学級での提案を，全体協議の場としての生徒会に持ち込むことは，民主主義の実践を疑似的に体験させることにもなる。

3 ○ 正しい。上記の②に含まれる。「学級・学校内にとどまらず，より広い意味での人間関係の在り方を考え，様々な集団の中での人間関係をよりよく形成していくことができるようにするものである」（同上）。

4 × 誤り。上記の①に属するが，正しくは「**生徒が主体的に組織をつくり**，役割を自覚しながら仕事を分担して，協力し合い実践すること」である。教師が主導するのではない。

5 ○ 正しい。上記の②に含まれる。給食は学級活動に属し，食育において重要な役割を果たす。

正答　No.3　1　　No.4　4

学習指導と評価

頻出度 A

必修問題

出題データ　新潟市での出題のほか，東京都と奈良県では５年間で５回出題，栃木県や大分県では５年間で３回出題されている。

平成31年３月29日に文部科学省が示した「小学校，中学校，高等学校及び特別支援学校等における児童生徒の学習評価及び指導要録の改善等について（通知)」の「４．学習評価の円滑な実施に向けた取組について」において述べられている内容として適切でないものは，次の１～５のうちどれか。　【新潟市】

1　各学校においては，教師の勤務負担軽減を図りながら学習評価の妥当性や信頼性が高められるよう，学校全体としての組織的かつ計画的な取組を行うことが重要であること。

2　学習評価については，日々の授業の中で児童生徒の学習状況を適宜把握して指導の改善に生かすことに重点を置くことが重要であること。

3　観点別学習状況の評価になじまず個人内評価の対象となるものについては，児童生徒が学習したことの意義や価値を実感できるよう，日々の教育活動等の中で児童生徒に伝えることが重要であること。

4　学習評価における観点については，新しい学習指導要領を踏まえ，「関心・意欲・態度」，「思考・判断・表現」，「技能」及び「知識・理解」に整理し，各教科の特性に応じて観点を示しているので，設置者や学校においては，これに基づく適切な観点を設定することが重要であること。

5　学習評価の方針を事前に児童生徒と共有する場面を必要に応じて設けることは，学習評価の妥当性や信頼性を高めるとともに，児童生徒自身に学習の見通しをもたせる上で重要であること。

必修問題の解説

らくらくマスター ➡ P.68

学習評価のあり方について言及した公的資料からの出題である。観点別学習評価の３つの観点を知っておこう。個人内評価，信頼性，妥当性といった用語にも要注意である。

1 ○ たとえば，「評価規準や評価方法を事前に教師同士で検討し明確化することや評価に関する実践事例を蓄積し共有すること」，「評価結果の検討等を通じて評価に関する教師の力量の向上を図ること」，「教務主任や研究主任を中心として学年会や教科等部会等の校内組織を活用すること」という取り組みが考えられる。

2 ○ よって，「観点別学習状況の評価の記録に用いる評価については，毎回の授業ではなく原則として単元や題材など内容や時間のまとまりごとに，それぞれの実現状況を把握できる段階で行うなど，その場面を**精選**することが重要」とされる。

3 ○ とくに「『**学びに向かう力，人間性等**』のうち『感性や思いやり』など児童生徒一人一人のよい点や可能性，進歩の状況などを積極的に評価し児童生徒に伝えることが重要」である。こういう項目は観点別評価にはなじまず，個人内評価の対象となる。以前よりもどれほど伸びたかだ。

4 × 学習評価の観点は，「**知識・技能**」，「**思考・判断・表現**」，「**主体的に学習に取り組む態度**」の３つである。

5 ○ 評価の方針を事前に児童生徒と共有する際は，「児童生徒の発達の段階等を踏まえ，適切な工夫が求められる」。**妥当性**とは評価しようという事項が適切に測られているか，**信頼性**とは誰がやっても同じ結果になるかである。

正答 4

ここが問われる！出題ポイント

学習評価の在り方に言及した，2019年３月の文部科学省報告がよく出題される。まずは学習評価の３つの観点を押さえよう。観点別評価になじまないものについては，個人内評価で見取るとされる。以前に比してどれほど伸びたかだ。また評価の信頼性や妥当性を高めるべく，評価の方針を児童生徒と共有してもいい。

実戦問題

★★
No. 1 「OECD生徒の学習到達度調査（PISA）」に関する記述として適切なものは，次の1～5のうちのどれか。　【東京都】

1　PISA調査は，2000年の調査開始以降，2年ごとに実施されている。

2　PISA調査は，読解力，数学的リテラシー，科学的リテラシーの3分野について継続して調査を実施しており，2018年調査では，科学的リテラシーが中心分野として設定された。

3　2018年調査では，我が国の読解力の平均得点はOECD平均より高得点のグループに位置し，前回調査の平均得点より上昇した。

4　科学的リテラシーは，2006年調査以降の我が国の習熟度レベル別の推移において，OECD平均の割合に対してレベル1以下の低得点層が少なく，レベル5以上の高得点層が多い。

5　2018年調査の生徒質問調査において，我が国の生徒は「読書は，大好きな趣味の一つだ」に対して肯定的に回答した割合がOECD平均より少ない。

★★★
No. 2 「令和4年度　全国学力・学習状況調査の結果」（国立教育政策研究所　令和4年7月）に示された，小学校の調査結果に関する記述として適切なものは，次の1～5のうちのどれか。　【東京都】

1　国語の「書くこと」については，文章の構成や展開について感想や意見を伝え合うことを通して自分の文章のよさを見付けることはできている。

2　国語の「話すこと・聞くこと」については，必要なことを質問して話の中心を捉えることに課題がある。

3　算数の「変化と関係」については，日常生活の場面に即して，数量が変わっても割合は変わらないことを理解することはできている。

4　算数の「データの活用」については，目的に合う円グラフを選び，読み取った情報を答えることに課題がある。

5　理科の「観察，実験などに関する技能」については，実験の過程や得られた結果を適切に記録したものを選ぶことに課題がある。

実戦問題の解説

No.1の解説 国際学力調査PISA

らくらくマスター P.66

2018年調査の結果が出題されているが，最新の2022年調査の結果概要も見ておきたい。

1 × 2年ごとではなく，**3年ごと**である。対象は15歳の生徒である。

2 × 2018年調査では，**読解力**が中心分野として設定された。最新の2022年調査では，数学的リテラシーが中心分野として設定されている。

3 × 読解力は，OECD平均より高得点のグループに位置するものの，前回より平均得点・順位が統計的に有意に**低下**した。全参加国での順位も15位に転落し，「PISAショック」と騒がれた。2022年調査の読解力順位は3位と持ち直している。

4 ○ 適切である。

5 × OECD平均と比較すると，日本は，読書を肯定的にとらえる生徒の割合が多い（日本は45.2％，OECD平均は33.7％）。

No.2の解説 全国学力・学習状況調査

らくらくマスター P.66

難易度が高い問題である。国立教育政策研究所のホームページで公開されている，調査結果の概要を見ておかないと正答は難しい。最新の令和5年度の調査結果も見ておこう。

1 × 文章の構成や展開について感想や意見を伝え合うことを通して自分の文章のよさを見付けることに**課題が見られる**とある。

2 × 必要なことを質問し，話し手が伝えたいことや自分が聞きたいことの中心を捉えることは**できている**とある。課題があるのは，互いの立場や意図を明確にしながら計画的に話し合い，自分の考えをまとめることである。

3 × 割合を用いて問題を解決する場面において，数量（飲み物の量）が変わっても割合（飲み物の濃さ）は変わらないことを理解することに**課題がある**。果汁入りのジュースの量を半分にしたら，果汁の濃度も半分になると誤答した児童が多かった。

4 ○ 適切である。

5 × 実験の過程や得られた結果を適切に記録したものを選ぶことは**できている**。課題があるのは，知識を日常生活に関連付けて理解することである。

正答 No.1 4 No.2 4

実戦問題

★★
No. 3 次の文章は，集団での学習活動を重視した教授方法について説明したものである。A～Eについて，正しいものを全て選び記号を答えよ。【岡山県・改題】

A　ジグソー学習とは，集団を6人程度の小グループに分け，その成員が6分間自由に意見・考えを発表するものである。各人が自由に意見を述べつつ，全員が討議に参加することを特徴とする。

B　ポスターセッションとは，集団を発表する側の子どもと聞く側の子どもの二つに分け，発表する側は，同時にいくつかのグループが発表し，聞く側は，自分の興味に応じて，自由に会場内を動いて発表を聞くことができるものであり，一定の時間を決め，発表する側と聞く側が入れ替わるものである。

C　バズ・セッションとは，学習集団を5，6人の小グループに分け，小グループの人数と同数に分割された教材を一人一人が分担するものである。同じ教材を分担している者同士で新たな小グループを作り学習を進める。その後，元のグループに戻り自分の学習した内容を成員の間で互いに教え合う。

D　討議法とは，教師から子どもへの一方的な講義や説明による指導法ではなく，子ども同士の話し合いによって学習したり問題を解決したりする方法である。

E　ロール・プレイングとは，日常生活における役割を交換するなどして，それぞれの視点・立場から，その状況においてその人物はどのような発言をするか，どのような行為をするかを考えさせて，演技をさせるものである。

★★★
No. 4 次のA～Dの文は教育方法についての説明である。それぞれ教育方法の名称を答えよ。【岡山県・改題】

A　児童生徒を複数の小グループに分けて，その小グループの中でメンバーが相互に自由に意見を述べ，交流し合う活動を取り入れた学習である。

B　複数の教員が協力して，一定の責任分担の下に，同じ児童生徒グループを指導する方法である。

C　学習内容を細分化・明確化して児童生徒に与え，それに対する反応を即座に評価して次の学習内容を与える個別学習の方法である。

D　一人の教師が，多数の児童生徒を対象に，同じ場所で，同じ内容を同時に指導する方法である。

実戦問題の解説

No.3の解説　集団に対する教授法

らくらくマスター P.64

A × ジグソー学習ではなく，**バズ・セッション（学習）**である。フィリップスが考案したもので，別名「6－6討議」とも言われる。バズ（buzz）とは，人々ががやがやと話し合うことを意味する。

B ○ 正しい。聞く側は多様な発表を見て回ることができ，発表する側は多様な意見（助言）をもらうことができる。

C × バズ・セッションではなく，**ジグソー学習**である。アロンソンが提唱したものである。

D ○ 正しい。討議とは，知識，経験，意見などの交換過程を意味する。討議を経ることで各人の意見は止揚され，より高度な認識へと至ることが可能となる。討議の際は，全員が対等の立場で，自由に発言できるような雰囲気をつくることが大切である。

E ○ 正しい。役割演技と訳される。台本のない即興劇を自由に演じさせることで，日常生活では遂行する機会のない役割行為をも含めて，自発的に様々な役割を演じさせる。ロール・プレイングは，心の奥底の葛藤を表現する手段でもあるので，心理療法の場面でもよく利用される。

No.4の解説　教育の方法

らくらくマスター P.64

A **バズ学習**である。成員を6人ずつのグループに分け，6分間討議させた後，各グループの討議の結果を持ちよって，全体の討議を行う。6－6討議とも呼ばれる。

B **ティーム・ティーチング**である。略してTTと言われることが多い。TTは，個に応じた指導を図るための指導方法の工夫の1つとして，注目されている。

C **プログラム学習**である。スキナーが考案した個別学習の方法で，コンピュータが使われる。

D **一斉学習**である。多くの子どもを一度に教育できる方法で，効率性に優れている。モニトリアル・システムが典型例である。

正答　No.3　B，D，E　　No.4　A－バズ学習　B－ティーム・ティーチング　C－プログラム学習　D－一斉学習

テーマ 10 教育原理

生徒指導・教育相談

頻出度 A

必修問題

出題データ　埼玉県，東京都，山梨県，福岡県など９の自治体では毎年出題されている。

次の図は，「生徒指導提要（改訂版）」（令和４年12月　文部科学省）の中の，生徒指導の重層的支援構造を示している。空欄Ａ～Ｄに当てはまる語句の正しい組合せはどれか。１～５から１つ選べ。　【大阪府】

	A	B	C	D
1	発達支持	課題未然防止教育	課題早期発見対応	困難課題対応
2	発達支持	課題早期発見対応	課題指導実践評価	教育支援計画
3	発達段階	課題未然防止教育	課題早期発見対応	困難課題対応
4	発達支持	課題指導実践評価	課題未然防止教育	教育支援計画
5	発達段階	課題早期発見対応	課題指導実践評価	困難課題対応

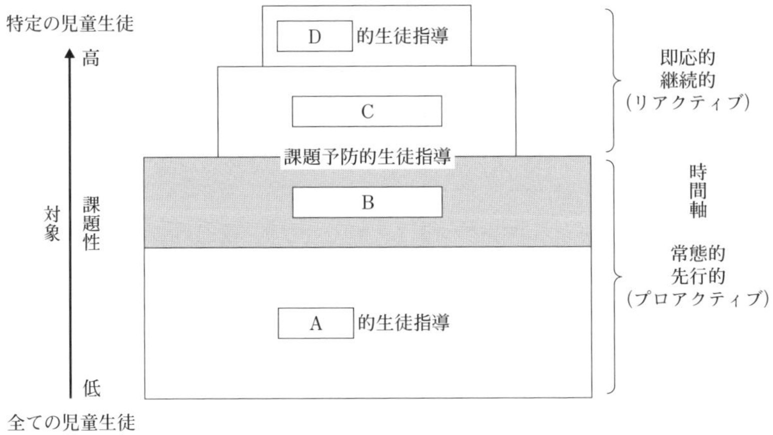

必修問題の解説

らくらくマスター P.70

生徒指導は，問題行動を起こした児童生徒だけを対象とするのではない。日頃から**全児童生徒**を対象とした発達支持的生徒指導（A）や課題未然防止教育（B）を実施する。問題兆候が見え始めた児童生徒には課題早期発見対応（C）をし，問題が深まった児童生徒には困難課題対応的生徒指導（D）を行う。AとBは先手型であるのに対し，CとDは事後対応型であると言える。

A **発達支持**が入る。「発達支持的生徒指導は，特定の課題を意識することなく，**全ての児童生徒**を対象に，学校の教育目標の実現に向けて，教育課程内外の全ての教育活動において進められる生徒指導の基盤となる」（『生徒指導提要』の1.2）。

B **課題未然防止教育**が入る。課題予防的生徒指導の１つである。「**全ての児童生徒**を対象に，生徒指導の諸課題の未然防止をねらいとした，意図的・組織的・系統的な教育プログラムの実施のことをいう」（同上）。具体的には，いじめ防止教育，SOSの出し方教育を含む自殺予防教育，薬物乱用防止教育，情報モラル教育，非行防止教室等である。

C **課題早期発見対応**が入る。Bと同じく，課題予防的生徒指導の１つである。「課題の予兆行動が見られたり，問題行動のリスクが高まったりするなど，気になる**一部の児童生徒**を対象に，深刻な問題に発展しないように，初期の段階で諸課題を発見し，対応する」（同上）。

D **困難課題対応**が入る。深刻な課題を抱えている特定の児童生徒への指導・援助を行う。「困難課題対応的生徒指導においては，学級・ホームルーム担任による個別の支援や学校単独では対応が困難な場合に，生徒指導主事や教育相談コーディネーターを中心にした校内連携型支援チームを編成したり，校外の専門家を有する関係機関と連携・協働した**ネットワーク型支援チーム**を編成したりして対応する」（同上）。

正答 1

ここが問われる！出題ポイント

12年ぶりに『生徒指導提要』が全面改訂された。上記の問題の図でわかるように，生徒指導をいくつかの階層に分けた概念規定がされている。生徒指導の定義や目的の空欄補充問題もよく出る。キーワードは「自己指導力」だ。生徒指導とは，児童生徒の健全な発達を支える支援の営みである。

テーマ 10

生徒指導・教育相談

実戦問題

★★

No. 1 **次の文は，『生徒指導提要』（令和４年12月　文部科学省）に示されている生徒指導の定義と目的である。文中の（　①　）～（　④　）に該当する語句の組み合わせとして正しいものを，下の１～５から１つ選びなさい。　【高知県】**

【生徒指導の定義】

生徒指導とは，児童生徒が，社会の中で（　①　）生きることができる存在へと，自発的・主体的に成長や発達する過程を支える（　②　）のことである。なお，生徒指導上の課題に対応するために，必要に応じて指導や援助を行う。

【生徒指導の目的】

生徒指導は，児童生徒一人一人の（　③　）の発見とよさや可能性の伸長と社会的資質・能力の発達を支えると同時に，自己の（　④　）と社会に受け入れられる自己実現を支えることを目的とする。

1　①　誇らしく　　②　教育相談　　③　個性　　④　課題解決
2　①　自分らしく　②　教育相談　　③　長所　　④　幸福追求
3　①　誇らしく　　②　教育活動　　③　個性　　④　幸福追求
4　①　自分らしく　②　教育活動　　③　個性　　④　幸福追求
5　①　自分らしく　②　教育相談　　③　長所　　④　課題解決

★★

No. 2 **次の文は，文部科学省が令和４年12月に改訂した「生徒指導提要」の一部である。［　①　］～［　③　］に当てはまる語句の組合せとして適切なものは，下の１～５のうちどれか。　【新潟県】**

生徒指導の目的を達成するためには，児童生徒一人一人が［　①　］を身に付けることが重要です。児童生徒が，深い［　②　］に基づき，「何をしたいのか」，「何をするべきか」，主体的に［　③　］を発見し，自己の目標を選択・設定して，この目標の達成のため，自発的，自律的，かつ，他者の主体性を尊重しながら，自らの行動を決断し，実行する力，すなわち，「［　①　］」を獲得することが目指されます。

1　①　自己判断力　　②　自己理解　　③　問題や課題
2　①　自己判断力　　②　自己探究　　③　価値や課題
3　①　自己判断力　　②　自己探究　　③　問題や課題
4　①　自己指導能力　②　自己探究　　③　価値や課題
5　①　自己指導能力　②　自己理解　　③　問題や課題

実戦問題の解説

No.1の解説 生徒指導の定義・目的 らくらくマスター➡P.70

生徒指導とは何か，どの目的はどういうものか。最も基本的な部分である。読んでわかるように，生徒指導とは，児童生徒の発達を支援する営みである。問題行動の取り締まりが主なのではない。

① **自分らしく**が入る。自分が内に秘めているよさや可能性に気付かせることが重要である。

② **教育活動**が入る。「生徒指導は学校の教育目標を達成する上で重要な機能を果たすもので，学習指導と並んで学校教育において重要な意義を持つ」(『生徒指導提要』の本文)。全ての児童生徒を対象とした教育活動と言える。

③ **個性**が入る。児童生徒が自分の個性に気付けるよう，教員は仕向けて行く。

④ **幸福追求**が入る。生徒指導の目的は，児童生徒が「自らの資質・能力を適切に行使して自己実現を果たすべく，自己の幸福と社会の発展を児童生徒自らが追求することを支えるところにある」(同上)。幸福追求権は，憲法でも定められた権利である。

よって**4**が正答となる。

No.2の解説 生徒指導の目的 らくらくマスター➡P.70

生徒指導の目的を達成するために必要となるのは，児童生徒が**自己指導力**を身に付けることである。

① **自己指導力**が入る。最も重要なキーワードだ。生徒指導は，児童生徒の健全な発達を支援する営みである。上からの指導が主ではない。学校から学校への移行，学校から社会への移行においても，主体的な選択・決定を促す自己指導能力が重要となる。

② **自己理解**が入る。自分を深く知ることで，学校では，多様な経験をさせることが重要となる。

③ **問題や課題**が入る。「児童生徒は，学校生活における多様な他者との関わり合いや学び合いの経験を通して，学ぶこと，生きること，働くことなどの価値や課題を見いだしていきます。その過程において，自らの生き方や人生の目標が徐々に明確になります」とある（『生徒指導提要』の本文)。

よって**5**が正答となる。

正答 No.1 4 No.2 5

実戦問題

★
No. 3 「生徒指導提要」(令和4年12月改訂　文部科学省)の第1部　生徒指導の基本的な進め方の「第1章　生徒指導の基礎」には，以下のような記述がある。文中の(　A　)～(　C　)に入る語句の正しい組合せを，下の1～5のうちから1つ選べ。　【大分県・改題】

生徒指導は，児童生徒が自身を(　A　)として認め，(　B　)よさや可能性に自ら気付き，引き出し，伸ばすと同時に，社会生活で必要となる社会的資質・能力を身に付けることを(　C　)(機能)です。

	A	B	C
1	社会的存在	潜在的に有している	指導する働き
2	社会的存在	自己に内在している	支える働き
3	個性的存在	自己に内在している	指導する働き
4	個性的存在	自己に内在している	支える働き
5	個性的存在	潜在的に有している	指導する働き

★
No. 4 次の文は，「児童生徒の教育相談の充実について(通知)」(平成29年2月　文部科学省)の一部である。(　A　)～(　D　)に当てはまる語句の組合せとして正しいものはどれか。　【岡山県】

これまでの教育相談は，どちらかといえば事後の個別事案への対応に重点が置かれていたが，今後は不登校，いじめや暴力行為等問題行動，子供の(　A　)，虐待等については，事案が発生してからのみではなく，(　B　)，早期発見，早期支援・対応，さらには，事案が発生した時点から事案の改善・回復，再発防止まで一貫した支援に重点を置いた体制づくりが重要であること。

学校内の関係者が情報を共有し，教育相談に(　C　)として取り組むため，既存の校内組織を活用するなどして，早期から組織として気になる事例を洗い出し検討するための会議を(　D　)実施し，解決すべき問題又は課題のある事案については，必ず支援・対応策を検討するためのケース会議を実施することが必要であること。

	A	B	C	D
1	疾病	事前対策	チーム	必要に応じて
2	貧困	未然防止	チーム	必要に応じて
3	疾病	未然防止	専門家集団	必要に応じて
4	貧困	未然防止	チーム	定期的に
5	貧困	事前対策	専門家集団	定期的に

実戦問題の解説

No.3の解説　生徒指導の意義　らくらくマスター ➡ P.70

No. 1の問題で見た，生徒指導の定義の補足である。

A **個性的存在**が入る。かけがえのない個性を有する存在として，自己を認知することである。

B **自己に内在している**が入る。自分が内に秘めているよさや可能性には，気付いていないことが多い。

C **支える働き**が入る。『生徒指導提要』では，児童生徒に対して，①特定の課題を想定しない場合は「**支える**」もしくは「支持する」，②特定の課題を想定した指導や援助の場合は「**指導する**」，「援助する」もしくは「指導・援助」，または③上記の①②を包括的に示す場合は「支援する」と表記されている。

No.4の解説　教育相談　らくらくマスター ➡ P.74

生徒指導と教育相談を混同しないようにすること。「生徒指導は**集団**や社会の一員として求められる資質や能力を身に付けるように働きかけるという発想が強く，教育相談は**個人**の資質や能力の伸長を援助するという発想が強い」（『生徒指導提要』）。

A **貧困**が入る。2013年に「子供の貧困対策の推進に関する法律」が制定され，対策にも本腰が入ってきている。テーマ20のNo.5の問題を参照。

B **未然防止**が入る。問題が起きるのを未然に防ぐことである。80ページの必修問題でみたように，生徒指導においても，課題未然防止教育が重要な位置を占めている。

C **チーム**が入る。スクールカウンセラー（SC）やスクールソーシャルワーカー（SSW）との連携も必要になる。「**スクールカウンセラー**は，心理に関する高度な専門的知見を有する者として，**スクールソーシャルワーカー**は，児童生徒の最善の利益を保障するため，ソーシャルワークの価値・知識・技術を基盤とする福祉の専門性を有する者として，校長の指揮監督の下，不登校，いじめや暴力行為等の問題行動，子供の貧困，児童虐待等の未然防止，早期発見，支援・対応等を，教職員と連携して行う」（『生徒指導提要』）。

D **定期的に**が入る。問題を洗い出す会議は定期的に実施する。

正答　No.3　4　　No.4　4

実戦問題

★★
No. 5 **次の文は，「生徒指導提要」（令和４年12月　文部科学省）における，「生徒指導の実践上の視点」の一部（抜粋）である。文中の空欄（　ア　）～（　ウ　）に当てはまる語句の組合せとして，正しいものはどれか。①～⑤のうちから１つ選びなさい。** **【群馬県】**

児童生徒の教育活動の大半は，集団一斉型か小集団型で展開されます。そのため，集団に個が埋没してしまう危険性があります。そうならないようにするには，学校生活のあらゆる場面で，「自分も一人の人間として大切にされている」という（　ア　）を，児童生徒が実感することが大切です。また，ありのままの自分を肯定的に捉える（　イ　）や，他者のために役立った，認められたという（　ウ　）を育むことも極めて重要です。

① ア　自己存在感　　イ　自己有用感　　ウ　自己満足感
② ア　自己効力感　　イ　自己肯定感　　ウ　自己満足感
③ ア　自己存在感　　イ　自己肯定感　　ウ　自己有用感
④ ア　自己効力感　　イ　自己肯定感　　ウ　自己有用感
⑤ ア　自己効力感　　イ　自己有用感　　ウ　自己満足感

★★
No. 6 **文部科学省生徒指導提要の中に示されている「教育相談でも活用できる新たな手法等」の名称とその内容について，正しい組合せはどれか，①～⑤から１つ選んで番号で答えなさい。** **【京都市】**

① アンガーマネジメント　……　自分の身体や心，命を守り，健康に生きるためのトレーニング。
② ライフスキルトレーニング　……　様々な社会的技能をトレーニングにより，育てる方法。
③ アサーショントレーニング　……　自分の中に生じた怒りの対処法を段階的に学ぶ方法。
④ ソーシャルスキルトレーニング　……　「主張訓練」と訳され，対人場面で自分の伝えたいことをしっかりと伝えるためのトレーニング。
⑤ グループエンカウンター　……　人間関係作りや相互理解，協力して問題解決する力などが育成される，集団の持つプラスの力を最大限に引き出す方法。

実戦問題の解説

No.5の解説 生徒指導の視点 らくらくマスター➡P.70

3つの言葉が出てくるが，重要なのは**自己有用感**である。自己有用感は，自己存在感や自己肯定感の裏付けとなる。

ア **自己存在感**が入る。自尊感情とほぼ同義で使われる。

イ **自己肯定感**が入る。これも，自尊感情とほぼ同義で使われる。

ウ **自己有用感**が入る。「自己有用感」は，他人の役に立った，他人に喜んでもらえた等，相手の存在なしには生まれてこない。国立教育政策研究所『自尊感情？ それとも自己有用感？』(2015年) では，次のように言われている。自己有用感は，「最終的には自己評価であるとしても，**他者からの評価やまなざし**を強く感じた上でなされるという点がポイントです。単に『クラスで一番足が速い』という自信ではなく，『クラスで一番足が速いので，クラスの代表に選ばれた。みんなの期待に応えられるよう頑張りたい』という形の自信です。… (中略) …『自己有用感』の獲得が『自尊感情』の獲得につながるであろうことは，容易に想像できます」。

よって③が正答となる。

No.6の解説 教育相談の技法 らくらくマスター➡P.74

教育相談に必要な人間関係を養うのみならず，狭い意味での生徒指導の手法ともいえる。

①× アンガーマネジメントではなく，**ライフスキルトレーニング**である。前者は，自分の中に生じた怒りの対処法を段階的に学ぶ方法である。

②× ライフスキルトレーニングではなく，**ソーシャルスキルトレーニング**である。後者は，発達障害のある児童生徒の社会性獲得にも活用される。

③× アサーショントレーニングではなく，**アンガーマネジメント**である。前者は，対人場面で自分の伝えたいことをしっかり伝えるためのトレーニングで，主張訓練と訳される。

④× ソーシャルスキルトレーニングではなく，**アサーショントレーニング**である。

⑤○ 正しい。グループエンカウンターは，学級作りや保護者会などに活用できる。

正答 No.5 ③ No.6 ⑤

実戦問題

★
No. 7 「児童生徒の教育相談の充実について　～学校の教育力を高める組織的な教育相談体制づくり～（報告）」（平成29年１月　教育相談等に関する調査研究協力者会議）に示されている「学校における教育相談体制の在り方」の内容として，適切なものの組合せを選びなさい。　　【北海道】

① 不登校，いじめ等を認知した場合，関係者に把握している情報を共有し，何を目標に，誰を中心に，誰が何をするのかを明確にした上で，ケース会議を慎重に開催する。

② 児童生徒の課題を少しでも早く発見し，課題が複雑化，深刻化する前に指導・対応できるように，学級担任及びホームルーム担任には児童生徒を観察する力が必要である。

③ 個人情報の共有においては，児童生徒の発達を組織的・計画的・継続的に支援していくために，児童生徒本人や保護者の同意を得る必要はない。

④ 養護教諭は，課題を抱えている児童生徒と関わる機会が多いため，健康相談等を通じ，課題の早期発見及び対応に努めることが重要である。

⑤ SC及びSSWの活用と理解が進むことで，学校の支援に専門性が加わり，教職員の業務負担の軽減が図られると共に，教職員が問題を一人で抱えることの防止につながる。

ア ①②③　　イ ①③⑤　　ウ ①④⑤　　エ ②③④　　オ ②④⑤

★★
No. 8 次の文章は，「生徒指導提要（令和４年12月　文部科学省）」の一部である。空欄［ア］～［エ］に当てはまる語句の組み合わせとして正しいものを，下の①～⑤から１つ選び，番号で答えなさい。　　【熊本県】

生徒指導の目的

生徒指導の目的は，教育課程の内外を問わず，学校が提供する全ての教育活動の中で児童生徒の［ア］が尊重され，個性の発見とよさや［イ］の伸長を児童生徒自らが図りながら，多様な社会的資質・能力を獲得し，自らの資質・能力を適切に行使して［ウ］を果たすべく，［エ］を児童生徒自らが追求することを支えるところに求められます。

①	ア	人格	イ	主体性	ウ	自己実現	エ	世界の平和と人類の福祉
②	ア	人格	イ	可能性	ウ	自己実現	エ	自己の幸福と社会の発展
③	ア	人格	イ	可能性	ウ	社会参画	エ	自己の幸福と社会の発展
④	ア	人権	イ	主体性	ウ	社会参画	エ	世界の平和と人類の福祉
⑤	ア	人権	イ	可能性	ウ	自己実現	エ	自己の幸福と社会の発展

実戦問題の解説

No.7の解説 教育相談体制

らくらくマスター P.74

教育相談はチームで行うものである。相談を受けた教員が一人で抱え込むものではない。

1 × ケース会議は，不登校，いじめ等を認知した場合及びその疑いが生じた際に**速やかに開催する**。その場において，情報の共有や，何を目標に，誰を中心に，誰が何をするのかを明確にした支援策を決定する。

2 ○ 適切である。児童生徒の心理的または発達的な課題は，不登校，いじめ等具体的課題として明確になる場合もあれば，**日常的行動観察**により気付く場合もある。

3 × 「共有する情報は個人情報であることから，情報共有においては，児童生徒本人や保護者の**同意を得ることを原則とする**ことが重要」とある。

4 ○ 適切である。「養護教諭が，学校医，医療機関等の関係機関との連携の必要性の有無について適切な判断を行えるようにするとともに，**校内委員会等学校内組織の一員**として，学級担任，SC，SSW，特別支援教育コーディネーター等学校内の関係者と連携して対応していくこと」が重要となる。

5 ○ 適切である。「SC及びSSWの職務及びその連携について，教職員の理解を図る必要がある。チームが有効に機能するには，SCやSSW，教員の役割を互いに理解し，それぞれの役割が異なるからこそ連携が重要であるという発想を醸成することが重要」とある。

No.8の解説 生徒指導の目的

らくらくマスター P.70

No. 1 の問題で見た，生徒指導の目的の補足である。

ア **人格**が入る。

イ **可能性**が入る。自身が内に秘めている可能性への気付きを支援し，それを伸ばしていく。

ウ **自己実現**が入る。自己を拡大し，機能を分化させ，自律的な存在へと自己を高めていくことをいう（ロジャーズ）。

エ **自己の幸福と社会の発展**が入る。幸福追求権は，日本国憲法第13条でも定められている。

正答 No.7 オ　No.8 ②

テーマ 11 教育原理

問題行動

頻出度 A

必修問題

出題データ　岩手県では5年間で4回出題されている。千葉県，京都府，福岡県などでは必出である。

次の1～5の文で，いじめ防止対策推進法の条文の内容として正しいものには○印を，正しくないものには×印をそれぞれ書きなさい。　【岩手県】

1　この法律において「いじめ」とは，児童等に対して，当該児童等が在籍する学校に在籍している等当該児童等と一定の人的関係にある他の児童等が行う心理的又は物理的な影響を与える行為であって，当該行為の対象となった児童等が心身の苦痛を継続的に感じているものをいう。

2　学校は，当該学校におけるいじめの防止等に関する措置を実効的に行うため，当該学校の複数の教職員により構成されるいじめの防止等の対策のための組織を置くものとする。

3　学校の設置者は，基本理念にのっとり，その設置する学校におけるいじめの防止等のために必要な措置を講ずる責務を有する。

4　保護者は，その保護する児童等がいじめを受けた場合には，適切に当該児童等をいじめから保護するものとする。

5　校長及び教員は，当該学校に在籍する児童等がいじめを行っている場合であって教育上必要があると認めるときは，学校教育法第11条の規定に基づき，適切に，当該児童等に対して懲戒を加えるものとする。

らくらくマスター P.76

必修問題の解説

2013年6月に制定された，いじめ防止対策推進法の条文が出題されている。いじめにはネットいじめも含まれること，学校のいじめ防止対策の組織には，学校外の専門家等も含まれること。こうした知識があるかが問われている。

1 × 正しくない。第2条第1項の条文だが，「心理的又は物理的な影響を与える行為」の後に「**インターネットを通じて行われるものを含む**」というカッコ書きがついている。ネットが普及した現在では，こうした**ネットいじめ**への対策も欠かせない。また「苦痛を継続的に」とあるが，条文では「継続的に」という文言は入っていない。

2 × 正しくない。第22条の条文だが，「いじめの防止等の対策のための組織」は，「当該学校の複数の教職員，**心理，福祉等に関する専門的な知識を有する者その他の関係者**により構成される」とある。外部の専門家等もメンバーに加えるとされる。

3 ○ 正しい。第7条を参照。学校の設置者とは，公立学校の場合，当該学校が立地する自治体の教育委員会である。

4 ○ 正しい。第9条第2項を参照。保護者は，「子の教育について第一義的責任を有するものであって，その保護する児童等が**いじめを行うことのないよう**，当該児童等に対し，規範意識を養うための指導その他の必要な指導を行うよう努めるものとする」という規定も重要（第9条第1項）。

5 ○ 正しい。第25条を参照。学校教育法第11条は，「校長及び教員は，教育上必要があると認めるときは，児童，生徒及び学生に**懲戒を加えることができる。ただし，体罰を加えることはできない**」と定めている。義務教育諸学校では，同法第35条の規定に基づく**出席停止**の措置も考えられる。

正答 1－×　2－×　3－○　4－○　5－○

ここが問われる！出題ポイント

いじめ防止対策推進法の条文がよく出題される（第1条，第8条など）。いじめ，不登校，自殺への対処に関する文章の正誤判定問題も頻出。自治体によっては論述の問題も散見される。出題側が求めているのは，受験者の独り善がりな意見ではなく，公的見解をきちんと踏まえているかである。関連する文部科学省の通知を見ておこう。

実戦問題

★★★
No. 1 次の文は，「いじめの防止等のための基本的な方針」（最終改定　平成29年3月14日文部科学大臣決定）「第1　いじめの防止等のための対策の基本的な方向に関する事項」「7　いじめの防止等に関する基本的考え方」「(1)いじめの防止」を抜粋したものである。文中の下線部ア〜オについて，正しいものの記号を全て答えなさい。　【福岡県・福岡市・北九州市・改題】

いじめは，どの子供にも，どの学校でも起こりうることを踏まえ，より根本的ないじめの問題克服のためには，全ての児童生徒を対象としたいじめの未然防止の観点が重要であり，全ての児童生徒を，いじめに向かわせることなく，ア心の通う対人関係を構築できる社会性のある大人へと育み，いじめを生まない土壌をつくるために，関係者が一体となった継続的な取組が必要である。

このため，学校の教育活動全体を通じ，全ての児童生徒に「いじめは決して許されない」ことの理解を促し，児童生徒の豊かなイ情操や道徳心，自分の存在と他人の存在を等しく認め，お互いの人格を尊重し合える態度など，ア心の通う人間関係を構築するウ感性の素地を養うことが必要である。また，いじめの背景にあるストレス等の要因に着目し，その改善を図り，ストレスに適切に対処できる力を育む観点が必要である。加えて，全ての児童生徒が安心でき，自己有用感やエ充実感を感じられる学校生活づくりも未然防止の観点から重要である。

また，これらに加え，あわせて，いじめの問題への取組の重要性についてオ学校関係者に認識を広め，地域，家庭と一体となって取組を推進するための普及啓発が必要である。

★
No. 2 次の□内の文は，「いじめ防止対策推進法（平成25年法律第71号）」の一部を示そうとしたものである。文中のX，Yの（　）内にあてはまる語句の組合せとして正しいものは，あとの①〜④のうちどれか。１つ選べ。　【香川県】

第８条　学校及び学校の教職員は，基本理念にのっとり，当該学校に在籍する児童等の保護者，地域住民，（　X　）その他の関係者との連携を図りつつ，学校全体でいじめの防止及び（　Y　）に取り組むとともに，当該学校に在籍する児童等がいじめを受けていると思われるときは，適切かつ迅速にこれに対処する責務を有する。

① X―児童相談所　Y―早期発見　② X―児童相談所　Y―早期解決
③ X―福祉事務所　Y―早期発見　④ X―福祉事務所　Y―早期解決

実戦問題の解説

No.1の解説　いじめの防止　らくらくマスター P.76

ア ○ 正しい。全ての児童生徒に，他者の痛みがわかる心を育むことが求められる。いじめの当事者は，被害者と加害者だけではない。周囲でもてはやす観衆や，見て見ぬふりの傍観者も加担している。加害者の人格問題のみならず，**学級集団全体の病理**とみる視点が大事だ。この点は，森田洋司教授の「いじめの四層構造論」で言われている。いじめの解決にあたっては，量的に多い傍観者を，仲裁者や申告者に変えることが重要となる。全ての児童生徒をして，心の通う対人関係を構築できる社会性のある大人へと育むことが求められる所以だ。

イ ○ 正しい。教育基本法第２条では，教育の目標の一つとして，「幅広い知識と教養を身に付け，真理を求める態度を養い，豊かな**情操**と道徳心を培うとともに，健やかな身体を養うこと」と定めている。

ウ × 感性ではなく，**能力**である。最初の段落にて，「心の通う対人関係を構築でできる社会性のある大人」という文言があるのも，手掛かりになるだろう。

エ ○ 正しい。とくに，児童生徒にとって居心地のよい学級経営が肝要である。別の箇所で言われているように，学級活動などで，「児童生徒が自らいじめの問題について考え，議論する活動や，校内でいじめ撲滅や命の大切さを呼びかける活動，相談箱を置くなどして子供同士で悩みを聞き合う活動等，子供自身の主体的な活動を推進する」のもいい。

オ × 学校関係者ではなく，**国民全体**である。いじめは，学校だけでの問題ではない。

No.2の解説　いじめ防止対策推進法第８条　らくらくマスター P.76

① **児童相談所**が入る。18歳未満の子どもに関わる問題の相談に応じる機関で，児童福祉司や保健師等の専門スタッフがいる。児童相談所の業務については，児童福祉法第12条～第12条の６で定められている。

② **早期発見**が入る。些細な兆候でも，いじめではないかとの疑いを持ち，積極的に認知することが求められる。いじめの認知件数が多いのは，悪いことではない。

正答	
	No.1　ア，イ，エ
	No.2　①

実戦問題

★
No. 3 「不登校児童生徒への支援の在り方について（通知）」（元文科初第698号）（令和元年10月　文部科学省）に示されている内容について，誤っているものを，次の選択肢から１つ選び，番号で答えなさい。 【宮崎県】

1　不登校は，学業の遅れや進路選択上の不利益につながるため，「学校に登校する」という結果を最優先に，組織的に支援を計画する。

2　不登校の支援では，児童生徒が自らの進路を主体的に捉えて，社会的に自立することを目指す必要がある。

3　不登校の要因・背景によっては，福祉や医療機関等と連携し，家庭の状況を正確に把握した上で適切な支援や働き掛けを行う必要がある。

4　本人の希望を尊重した上で，場合によっては，教育支援センターや不登校特例校，ICTを活用した学習支援，フリースクール等，様々な関係機関等を活用した支援を行う。

5　個々の児童生徒ごとに不登校になったきっかけや継続理由を的確に把握し，その児童生徒に合った支援策を策定することが重要である。

★
No. 4 「児童生徒の自殺予防について（通知）」（令和３年３月　文部科学省初等中等教育局児童生徒課長）に示されている内容として誤っているものを，次の１～５の中から１つ選べ。 【和歌山県】

1　18歳以下の自殺は，年間を通して，どの月においても均等に発生しており，長期休業明けの時期等，特に増加する時期があるわけではないため，年間を通した積極的な取組が必要である。

2　長期休業の開始前からアンケート調査，教育相談等を実施，悩みを抱える児童生徒の早期発見に努めることが重要である。

3　児童生徒に自殺を企図する兆候がみられた場合には，特定の教職員で抱え込まず，保護者や医療機関等と連携しながら組織的に対応することが求められる。

4　保護者に対しては，長期休業期間中の家庭における児童生徒の見守りを促し，児童生徒の悩みや変化について把握した場合，学校に相談するように学校の相談窓口を周知しておく。

5　ネットパトロールにより，自殺をほのめかす等の児童生徒の書き込みを発見した場合は，即時に警察の連絡・相談するなどし，書き込みを行った児童生徒を特定し，生命または身体の安全を確保する。

実戦問題の解説

No.3の解説 不登校児童生徒への支援

らくらくマスター P.80

1 × 「学校に登校する」という結果を最優先にするのではない。不登校児への支援が目指すのは**社会的自立**だが，それにつながる道は，学校に戻ることだけではない。

2 ○ 正しい。ただし，「不登校の時期が休養や自分を見つめ直す等の積極的な意味を持つことがある一方で，学業の遅れや進路選択上の不利益や社会的自立へのリスクが存在することに留意すること」とある。

3 ○ 正しい。その際，「保護者と課題意識を共有して一緒に取り組むという信頼関係をつくることや，**訪問型支援**による保護者への支援等，保護者が気軽に相談できる体制を整えること」とある。

4 ○ 正しい。一定の条件を満たせば，学校外の諸機関での学習や，自宅でのICT学習を行ったことをもって，**指導要録上の出席扱い**とすることができる。

5 ○ 正しい。支援策の策定に当たっては，「学級担任，養護教諭，スクールカウンセラー，スクールソーシャルワーカー等の学校関係者が中心となり，児童生徒や保護者と話し合うなどして，「**児童生徒理解・支援シート**」をすることが望ましい」。

No.4の解説 児童生徒の自殺予防

らくらくマスター P.82

1 × 18歳以下の自殺は，**長期休業明けの時期**に増加する傾向がある。内閣府の長期統計によると，子どもの自殺は（夏休み明けの）9月1日に最も多く発生している。

2 ○ 正しい。「**24時間子供SOSダイヤル**をはじめとする相談窓口の周知を長期休業の開始前において積極的に行うこと」も求められる。

3 ○ 正しい。チームでの対応が基本であるのは，自殺予防に限られない。

4 ○ 正しい。子どもの異変に気付きやすいのは保護者である。「各家庭における保護者による見守りについては，長期休業の開始前又は長期休業期間中における**保護者会等の機会や学校（学級）通信**を通じて，保護者に促すこと」とある。

5 ○ 正しい。匿名の書き込みであっても，警察の捜査により，迅速に書き込みを行った児童生徒の特定が可能である。

正答 No.3 1 No.4 1

実戦問題

★
No. 5 次の文章は，「いじめの重大事態の調査に関するガイドライン」（平成29年3月　文部科学省）の「第2　重大事態を把握する端緒」の抜粋である。［ 1 ］～［ 3 ］にあてはまる語句として正しいものを，語群①～⑦の中からそれぞれ1つ選びなさい。ただし，文中の「法」とは，「いじめ防止対策推進法」（平成25年6月公布）のことを指す。　【三重県】

（重大事態の定義）

○　法第28条第1項においては，いじめの重大事態の定義は「いじめにより当該学校に在籍する児童等の生命，心身又は［ 1 ］に重大な被害が生じた［ 2 ］があると認めるとき」（同項第一号。以下「生命心身［ 1 ］重大事態」という。），「いじめにより当該学校に在籍する児童等が相当の期間学校を欠席することを余儀なくされている［ 2 ］があると認めるとき」（同項第二号。以下「不登校重大事態」という。）とされている。改めて，重大事態は，［ 3 ］が確定した段階で重大事態としての対応を開始するのではなく，「［ 2 ］」が生じた段階で調査を開始しなければならないことを認識すること。

《語群》 ①事実関係　②尊厳　③疑い　④財産　⑤加害者　⑥行為　⑦家族

★★
No. 6 「誰一人取り残されない学びの保障に向けた不登校対策について（通知）」（4文科初第2817号）（令和5年3月31日　文部科学省）で示されている内容について，誤っているものを，次の選択肢から1つ選び，番号で答えなさい。　【宮崎県】

1　不登校特例校が今後早期に全ての都道府県・政令指定都市に設置され，将来的には分教室型も含め全国300校の設置がなされることを目指す。

2　学校の空き教室等に，校内教育支援センター（スペシャルサポートルーム等）を設置することが望まれること。

3　教育支援センターには，不登校児童生徒本人への支援に留まらず，その保護者が必要とする相談場所や保護者の会等の情報提供といった支援を行うことも期待されること。

4　不登校児童生徒が自宅等においてICT等を活用した学習活動について，一定の要件を満たせば，可能な限り指導要録上出席扱いとすることが望ましいこと。

5　不登校児童生徒への支援の知見や実績を有するNPOやフリースクール等の民間施設が，学校としての設置認可を受けられるよう，各都道府県・政令指定都市が積極的に支援することが期待されること。

実戦問題の解説

No.5の解説 いじめの重大事態　らくらくマスター ➡ P.76

深刻ないじめは，重大事態として扱われる。

1 ④ **財産**が入る。いじめには，金品をたかるといった行為も含まれる。2022年度の生命心身財産重大事態のいじめの発生件数は448件となっている（文科省『児童生徒の問題行動・不登校等生徒指導上の諸課題に関する調査』）。

2 ③ **疑い**が入る。確証がなくとも，疑いが生じた時点で調査を開始する。

3 ① **事実関係**が入る。疑いが生じた段階で，まずは事実関係の調査から入る。

No.6の解説 不登校対策　らくらくマスター ➡ P.80

教室以外の学びの場（校内教育支援センターや，教育支援センター等）を整備していく。

1 ○ 正しい。学校教育法施行規則第56条により，特別の教育課程を組むことを認められた学校である。**学びの多様化学校**と呼ばれる。「不登校特例校の運営にあたっては，不登校児童生徒への支援の知見や実績を有する **NPOやフリースクール**等の民間施設との人事交流等を通して，必要な体制の構築やノウハウの共有を行うとともに，他の学校に対しても，不登校児童生徒への支援に関する助言やノウハウの普及を行うことが望まれる」とある。

2 ○ 正しい。「自分の学級に入りづらい児童生徒については，学校内に，落ち着いた空間の中で自分に合ったペースで学習・生活できる環境があれば，学習の遅れやそれに基づく不安も解消され，早期に学習や進学に関する意欲を回復しやすい効果が期待される」。空き教室等を活用し，こうした空間を設置することが望まれる。

3 ○ 正しい。教育支援センターは個別学習や相談等を行う機関で，各自治体の教育員会が設置する。

4 ○ 正しい。そうした学習を評価し，成績等に反映させることも望まれる。

5 × 現段階では，NPOやフリースクール等の民間施設が，正規の学校としての設置認可を受けることはできない。2016年，フリースクールを法律上の学校として位置づけようという議論があったが，慎重論が多数で見送られた。

正答　No.5　1－④　2－③　3－①　No.6　5

実戦問題

★ **No. 7** 次の文章は，いじめ防止対策推進法第23条（いじめに対する措置）の条文を学校が執るべき措置を中心にして要約したものである。誤っているものを，次の1～5のうちから1つ選べ。　【大分県】

1　学校の教職員は，児童等からいじめに係る相談を受けて，いじめの事実があると思われるときは，その児童等が在籍する学校へ通報するものとする。

2　通報を受けた学校は，当該児童等に係るいじめの事実の有無を速やかに確認するとともに，その結果を当該学校の設置者に報告するものとする。

3　学校は，いじめがあったことが確認された場合には，いじめをやめさせ，その再発を防止するため，スクールカウンセラーなどの協力を得つつ，いじめを受けた児童等またはその保護者に対する支援と，いじめを行った児童等に対する指導またはその保護者に対する助言を継続的に行う。

4　学校は，複数の教職員が同席する下で，いじめを行った児童等を，いじめを受けた児童等に対して直接に謝罪させ，二度といじめないことを誓わせるものとする。

5　学校は，いじめが犯罪行為として取り扱われるべきものであると認めるときは，所轄警察署と連携してこれに対処するものとする。

★ **No. 8** 「生徒指導提要」（令和４年12月改訂　文部科学省）で校則の運用・見直しについての説明として誤りを含むものを，次の１～４のうちから１つ選びなさい。　【宮城県】

1　校則に基づく指導に当たっては，校則を守らせることばかりにこだわらず，何のために設けたきまりであるのか児童生徒が理解できるよう指導することが望まれる。

2　校則に違反した場合には，内省を促すことまではせず，行為を正すことに目的を焦点化して指導することが望まれる。

3　校則の見直しをする場合には，児童生徒や保護者などと確認したり議論したりする機会を設けて進めていくことが望まれる。

4　校則を策定したり，見直したりする場合には，どのような手続きを踏むことになるのか，その過程について示しておくことが望まれる。

実戦問題の解説

No.7の解説 いじめに対する措置 らくらくマスター P.76

1 ○ 正しい。学校の教職員だけでなく，「地方公共団体の職員その他の児童等からの相談に応じる者及び児童等の保護者」も，いじめが起きていると思われる場合は，学校に通報する。

2 ○ 正しい。設置者とは，公立学校の場合，当該校が立地する自治体の教育委員会である。

3 ○ 正しい。必要がある場合は，「いじめを行った児童等についていじめを受けた児童等が使用する**教室以外の場所**において学習を行わせる等いじめを受けた児童等その他の児童等が安心して教育を受けられるようにするために必要な措置を講ずる」(第23条第4項)。

4 × 謝罪をさせる，二度といじめを行わないと誓わせる，という規定はない。文部科学省「いじめの防止等のための基本的な方針」(2017年) においても，「いじめは，単に謝罪をもって安易に解消とすることはできない」と指摘されている。

5 ○ 正しい。2023年2月の文部科学省通知「いじめ問題への的確な対応に向けた警察との連携等の徹底について」では，犯罪行為に該当すると思われる，いじめの具体例が示されている。たとえば，「度胸試しやゲームと称して，無理やり危険な行為や苦痛に感じる行為をさせる」ことは強要罪である。

No.8の解説 校則の運用・見直し らくらくマスター P.70

1 ○ 正しい。児童生徒が自分事としてその意味を理解して自主的に校則を守るように指導していくことが重要である。「校則の内容について，普段から学校内外の関係者が参照できるように**学校のホームページ等に公開**しておくことや，児童生徒がそれぞれのきまりの意義を理解し，主体的に校則を遵守するようになるために，制定した背景等についても示しておくことが適切」とされる。

2 × 誤り。「校則に違反した場合には，行為を正すための指導にとどまるのではなく，違反に至る背景など児童生徒の個別の事情や状況を把握しながら，**内省を促すような指導**となるよう留意」する。

3 ○ 正しい。社会の変化に応じて，校則は絶えず見直されねばならない。

4 ○ 正しい。民主主義での，主権者としての振る舞いを学ばせることにもなる。

正答 No.7 4 No.8 2

テーマ 12 教育原理

特別支援教育

頻出度 A

必修問題

出題データ　長崎県では5年間で4回出題，愛媛県では毎年欠かさず出ている。栃木県，大分県では5年間で4回出題。

次の文は，「障害のある子供の教育支援の手引き　～子供たち一人一人の教育的ニーズを踏まえた学びの充実に向けて～」（令和3年6月　文部科学省）の記述の一部である。［1］～［4］に当てはまる語句を後の①～⑫の中からそれぞれ1つずつ選び，番号で答えよ。　【長崎県・改題】

インクルーシブ教育システムの構築のためには，障害のある子供と障害のない子供が，可能な限り［1］共に学ぶことを目指すべきであり，その際には，それぞれの子供が，授業内容を理解し，学習活動に参加している実感・達成感をもちながら，充実した時間を過ごしつつ，［2］を身に付けていけるかどうかという最も本質的な視点に立つことが重要である。

そのための環境整備として，子供一人一人の自立と社会参加を見据えて，その時点での教育的ニーズに最も的確に応える指導を提供できる，多様で柔軟な仕組みを整備することが重要である。このため，小中学校等における通常の学級，通級による指導，特別支援学級や，特別支援学校といった，［3］のある「多様な学びの場」を用意していくことが必要である。

教育的ニーズとは，子供一人一人の障害の状態や特性及び心身の発達の段階等（以下「障害の状態等」という。）を把握して，具体的にどのような特別な指導内容や［4］を含む支援の内容が必要とされるかということを検討することで整理されるものである。

①教育上の合理的配慮　②発達課題に応じた目標　③連続性
④各教科の場で　⑤同じ場で　⑥柔軟性　⑦特別な機会を設けて
⑧確かな学力　⑨専門性　⑩資質・能力　⑪生きる力　⑫個別の課題

必修問題の解説

らくらくマスター P.108

本問で出題されている手引は，最近の試験において出題頻度が高い。インクルーシブ教育システム，合理的配慮は重要な概念である。

1 ⑤ 「**同じ場で**」が入る。インクルーシブ教育は，「人間の多様性の尊重等の強化，障害者が精神的及び身体的な能力等を可能な最大限度まで発達させ，自由な社会に効果的に参加することを可能とするとの目的の下，障害のある者と障害のない者が**共に学ぶ仕組み**」をいう（文部科学省「共生社会の形成に向けたインクルーシブ教育システム構築のための特別支援教育の推進」2012年）。日本は，障害のある子どもを分離する特別支援教育を廃止するよう，国連から勧告されてもいる。

2 ⑪ 「**生きる力**」が入る。生きる力とは，「基礎・基本を確実に身に付け，いかに社会が変化しようと，自ら課題を見付け，自ら学び，自ら考え，主体的に判断し，行動し，よりよく問題を解決する資質や能力，自らを律しつつ，他人とともに協調し，他人を思いやる心や感動する心などの豊かな人間性，たくましく生きるための健康や体力」をさす（文部科学省）。

3 ③ 「**連続性**」が入る。障害の程度に応じて，「通常学級，通級による指導，特別支援学級，特別支援学校」という，連続性のある学びの場が制度として用意されている。最初の決定は固定的なものではなく，その後の状況に応じて，これらの場は行き来することができる。

4 ① 「**教育上の合理的配慮**」が入る。合理的配慮とは，「障害者が他の者と平等にすべての人権及び基本的自由を享有し，又は行使することを確保するための必要かつ適当な**変更及び調整**であって，特定の場合において必要とされるものであり，かつ，均衡を失した又は過度の負担を課さないもの」をいう（障害者の権利に関する条約第２条）

正答 1－⑤　2－⑪　3－③　4－①

ここが問われる！出題ポイント

障害のある子どもの教育は，以前は特殊教育といっていたが，現在では特別支援教育と称するようになっている。それを推進するための条件整備について問われることが多い。個別の教育支援計画（指導計画），特別支援教育コーディネーター，インクルーシブ教育，合理的配慮といった概念を知っておきたい。

実戦問題

★
No. 1 「障害を理由とする差別の解消の推進に関する法律」（平成25年６月制定）に関する説明として適切なものを，次の１～４から２つ選びなさい。

【宮城県・仙台市・改題】

1　この法律は，障害のある人もない人も，互いにその人らしさを認め合いながら，共に生きる社会をつくることを目指している。

2　学校では，差別の解消を推進するための対応要領を策定しなければならない。

3　この法律で対象となる障害者とは，障害児も含め，身体障害者，知的障害者，精神障害者（発達障害を含む。）その他の心身の機能の障害で障害者手帳を所持している人を指している。

4　不当な差別的取扱いの禁止については，行政機関等及び事業者において一律に法的義務があるが，合理的配慮の提供については，行政機関等は法的義務であり，事業者は努力義務である。

★★
No. 2 次の文は，「新しい時代の特別支援教育の在り方に関する有識者会議　報告」（令和３年１月　文部科学省）の「Ⅲ．特別支援教育を担う教師の専門性の向上　1．全ての教師に求められる特別支援教育に関する専門性」の一部である。文中の（　①　）～（　④　）に該当する語句の組み合わせとして正しいものを，下の１～５から１つ選びなさい。　【高知県】

全ての教師には，障害の特性等に関する理解と（　①　）を工夫できる力や，個別の教育支援計画・個別の指導計画などの特別支援教育に関する基礎的な知識，合理的配慮に対する理解等が必要である。

加えて，障害のある人や子供との（　②　）を通して，障害者が日常生活又社会生活において受ける制限は，障害により起因するものだけではなく，社会における様々な（　③　）と相対することによって生ずるものという考え方，いわゆる「（　④　）」の考え方を踏まえ，障害による学習上又は生活上の困難について本人の立場に立って捉え，それに対する必要な支援の内容を一緒に考え，本人自ら合理的配慮を意思表明できるように促していくような経験や態度の育成が求められる。

1　①指導方法　②交流　③差別　④個人モデル
2　①指導方法　②触れ合い　③障壁　④社会モデル
3　①対応方法　②交流　③障壁　④個人モデル
4　①対応方法　②触れ合い　③差別　④社会モデル
5　①対応方法　②触れ合い　③障壁　④個人モデル

実戦問題の解説

No.1の解説　障害者差別解消法　らくらくマスター➡P.104

1 ○　適切である。「全ての国民が，障害の有無によって分け隔てられることなく，相互に人格と個性を尊重し合いながら共生する社会の実現に資することを目的とする」とある（第1条）。これは，**共生社会**の理念に通じる。

2 ×　適切でない。学校は，対応要領の策定を義務付けられてはいない。**国の行政機関の長及び独立行政法人等**は，対応要領の策定が義務付けられている（第9条第1項）。地方公共団体の機関及び地方独立行政法人は，努力義務である（第10条第1項）。

3 ×　適切でない。本法でいう「障害者」とは，「身体障害，知的障害，精神障害（発達障害を含む。）その他の心身の機能の障害がある者であって，障害及び社会的障壁により継続的に日常生活又は社会生活に相当な制限を受ける状態にあるもの」である（第2条第1項）。障害者手帳を所持している者に限られない。

4 ○　適切である。行政機関等は，「当該障害者の性別，年齢及び障害の状態に応じて，社会的障壁の除去の実施について必要かつ**合理的な配慮**をしなければならない」とある（第7条第2項）。2024年度より，事業者も合理的配慮の提供が義務となっている。（第8条第2項）。

No.2の解説　特別支援教育の専門性　らくらくマスター➡P.98

通常学校に勤務する教員にも，特別支援教育の専門性は求められる。

① **指導方法**が入る。各種の医療器具やICT機器を使った指導に習熟することも求められる。

② **触れ合い**が入る。現在では，通常学校と特別支援学校の**共同・交流学習**も推奨されている。

③ **障壁**が入る。障壁には物理的なものだけでなく，偏見や差別といった，人々の心理的なものもある。

④ **社会モデル**が入る。階段しかない建物が多かったり，各種の標識や案内が不足していたりする場合，生活に支障をきたす障害者が多く生み出されることになる。障害は社会の在り方によって生み出されると考えるのが「**社会モデル**」である。当人の心身の障害により，生活の障害が生まれるとみなす考え方は「**医学モデル**」である。

正答　No.1　1，4　No.2　2

実戦問題

★
No. 3 次の文章は，「新しい時代の特別支援教育の在り方に関する有識者会議報告」（令和3年1月）からの抜粋である。文章中の空欄（ ① ）～（ ④ ）に当てはまる語句を正しく組み合わせているものはどれか，下のア～オから1つ選びなさい。 【京都府】

（我が国の特別支援教育に関する考え方）

○ 特別支援教育は，障害のある子供の自立や（ ① ）に向けた主体的な取組を支援するという視点に立ち，子供一人一人の（ ② ）を把握し，その持てる力を高め，（ ③ ）や学習上の困難を改善又は克服するため，適切な指導及び必要な支援を行うものである。また，特別支援教育は，（ ④ ）のある子供も含めて，障害により特別な支援を必要とする子供が在籍する全ての学校において実施されるものである。

	①	②	③	④
ア	就職	障害の状態	生活	発達遅滞
イ	就職	教育的ニーズ	行動	発達障害
ウ	社会参加	障害の状態	生活	発達障害
エ	社会参加	障害の状態	行動	発達遅滞
オ	社会参加	教育的ニーズ	生活	発達障害

★★★
No. 4 下の①～⑤の出来事を年代の古いものから順に並べたときに，2番目に古い出来事を①～⑤の中から1つ選べ。 【岐阜県】

① 「障害者の権利に関する条約」が国連総会において採択された
② 「障害者の権利宣言」が国連総会において決議された
③ 「児童権利宣言」が国連総会において採択された
④ 「世界人権宣言」が国連総会において採択された
⑤ 「児童の権利に関する条約」が国連総会において採択された

実戦問題の解説

No.3の解説 特別支援教育の考え方　らくらくマスター➡P.98

特別支援教育の概念規定である。

❶ **社会参加**が入る。障害者も社会に参加し，社会を成り立たせていく存在である。障害者雇用促進法という法律もあり，職業リハビリテーションの推進や障害者への差別の禁止が定められ，企業の側は障害者を一定割合で雇用することを義務付けられている。

❷ **教育的ニーズ**が入る。教育的ニーズを整理するには，①障害の状態等，②特別な指導内容，③教育上の合理的配慮を含む必要な支援の内容，という3つの観点を踏まえる。それをもとに，就学先の決定等を行う。

❸ **生活**が入る。生活上の困難を改善・克服するため，特別支援学校では，教育課程に「自立活動」という独自の領域が設けられている。

❹ **発達障害**が入る。発達障害とは「自閉症，アスペルガー症候群その他の広汎性発達障害，学習障害，注意欠陥多動性障害その他これに類する脳機能の障害であってその症状が通常低年齢において発現するもの」をいう（発達障害者支援法第2条第1項）。2022年の全国実態調査によると，公立の小・中学生の8.8％が発達障害の兆候ありと推測されている。

No.4の解説 障害者関連の国際条約　らくらくマスター➡P.102，110，222

難易度が高い問題である。

❶ **2006年12月**に採択された条約である。第24条において「締約国は，教育についての障害者の権利を認める。締約国は，この権利を差別なしに，かつ，機会の均等を基礎として実現するため，障害者を包容するあらゆる段階の教制度及び生涯学習を確保する」と定められている。

❷ **1975年12月**に採択された宣言である。

❸ **1959年11月**に採択された宣言である。

❹ **1948年12月**に採択された宣言である。

❺ **1989年11月**に採択された条約である。日本は1994年の同条約を批准している。差別禁止，最善の利益，生命・生存・発達の権利，意見を聞かれる権利，の4つを原則とする。

「④→③→②→⑤→①」となるので，2番目は③である。

正答 No.3 オ　No.4 ③

実戦問題

★★
No. 5 **「共生社会の形成に向けたインクルーシブ教育システム構築」について説明した次の文のうち，正しいものの組合せはどれか。** **【群馬県】**

ア 「インクルーシブ教育システム」とは，「障害者の権利に関する条約」の中で提唱された，障害のある者と障害のない者が共に学ぶ仕組みである。

イ 「インクルーシブ教育システム」を構築することにより，就学基準に該当する障害のある子どもは，原則，特別支援学校に就学する仕組みに改められた。

ウ 「インクルーシブ教育システム」を推進していくためには，多様な学びの場として，通常の学級，通級による指導，特別支援学級，特別支援学校それぞれの環境整備の充実を図っていくことが必要である。

エ 医療的ケアを必要とする子どもについては，必ず特別支援学校に就学する仕組みになっている。

オ 「インクルーシブ教育システム」の理念の下では，障害のある子どもと障害のない子どもが，できるだけ同じ場で共に学ぶことを目指すため，授業内容を理解することよりも一緒に活動することを優先させた授業づくりが求められる。

① ア イ　② ア ウ　③ イ エ　④ ウ オ　⑤ エ オ

★★
No. 6 **医療的ケア児及びその家族に対する支援に関する法律に示されている基本的理念や施策の内容として適切なものを，次のアからエのうちから１つ選べ。** **【栃木県・改題】**

ア 医療行為を受ける幼児児童生徒及びその家族に対する支援は，幼児児童生徒が18歳に達するまで，又は高等学校等を卒業するまでは，継続的に行う。

イ 医療行為を受ける幼児児童生徒及びその家族に対する支援に係る施策を講じるに当たっては，主治医又は学校医の意思を最大限に尊重する。

ウ 医療行為を受ける幼児児童生徒の感染症予防のため，その他の幼児児童生徒とは日常的に異なる教室で教育を受けられるよう，最大限に配慮しつつ，適切に教育に係る支援を行う。

エ 医療行為を受ける幼児児童生徒が，保護者の付添いがなくても，適切な医療行為や，その他の支援を受けられるようにするため，学校の設置者は，看護師等の配置その他の必要な措置を講じる。

実戦問題の解説

No.5の解説 インクルーシブ教育システム らくらくマスター➡P.100

かつての分離主義は反省され，全ての子どもが**共に学ぶ**制度が目指されている。日本は，障害のある子どもを分離する特別支援教育を廃止するよう，国連から勧告されてもいる。

ア○ 正しい。「インクルーシブ教育システムとは，人間の多様性の尊重等の強化，障害者が精神的及び身体的な能力等を可能な最大限度まで発達させ，自由な社会に効果的に参加することを可能とするとの目的の下，障害のある者と障害のない者が**共に学ぶ**仕組み」をいう（2012年，文部科学省報告）。

イ× 特別支援学校への就学基準は，学校教育法施行令第22条の3において定められているが，この基準に当てはまる者の全てが特別支援学校に就学するのではない。就学先は，保護者や専門家を交え，慎重に決定される。就学時に決定した「学びの場」は**固定したものではなく**，それぞれの児童生徒の発達の程度，適応の状況等を勘案しながら柔軟に転学ができる。

ウ○ 正しい。連続性のある「多様な学びの場」を用意しておくことが必要である。これらの場は，行き来することができる。

エ× 医療的ケアを要する子どもは，必ず特別支援学校に就学する，という規定はない。

オ× ただ形式的に，一緒に活動することを優先させるのではない。

よって正答は②である。

No.6の解説 医療的ケア児支援法 らくらくマスター➡P.106

医療的ケア児支援法は，2021年に制定された法律である。全国の学校には，医療的ケアを要する子どもが1万人ほど在籍している。

ア× 支援は，医療的ケア児が18歳に達し，又は高等学校等を卒業した**後も**実施する（第3条第3項）。

イ× **医療的ケア児及びその保護者**の意思を最大限尊重する（第3条第4項）。

ウ× 「日常的に異なる教室で教育を受けられるよう，…支援を行う」という規定はない。できる限り「同じ場で共に学ぶ」という，インクルーシブ教育の理念にも反する。

エ○ 適切である。第10条第2項による。付き添いをしないといけないことによる，保護者の離職も少なくなることが見込まれる。

正答 No.5 ②　No.6 エ

テーマ13 教育原理

特別支援教育制度

頻出度 A

必修問題

出題データ　岡山県では5年間で3回出題。秋田県，東京都，奈良県，愛媛県では5年間で5回出題である。

次の各文は，学校教育法（昭和22年　法律第26号）の特別支援教育に関わる条文の一部である。（　A　）～（　E　）に当てはまる語句の組合せとして，正しいものはどれか。 【岡山県・岡山市・改題】

第72条　特別支援学校は，視覚障害者，聴覚障害者，知的障害者，（　A　）又は病弱者（身体虚弱者を含む。以下同じ。）に対して，幼稚園，小学校，中学校又は高等学校に準ずる教育を施すとともに，障害による学習上又は（　B　）上の困難を克服し（　C　）を図るために必要な知識技能を授けることを目的とする。

第80条　（　D　）は，その区域内にある学齢児童及び学齢生徒のうち，視覚障害者，聴覚障害者，知的障害者，（　A　）又は病弱者で，その障害が第75条の政令で定める程度のものを就学させるに必要な特別支援学校を設置しなければならない。

第81条　幼稚園，小学校，中学校，高等学校及び中等教育学校においては，次項各号のいずれかに該当する幼児，児童及び生徒その他教育上特別の支援を必要とする幼児，児童及び生徒に対し，文部科学大臣の定めるところにより，障害による学習上又は（　B　）上の困難を克服するための教育を行うものとする。

小学校，中学校，高等学校及び中等教育学校には，次の各号のいずれかに該当する児童及び生徒のために，（　E　）を置くことができる。

一　知的障害者　　二　（　A　）　　三　身体虚弱者

四　弱視者　　五　難聴者

六　その他障害のある者で，（　E　）において教育を行うことが適当なもの

	A	B	C	D	E
1	身体障害者	発達	成長	都道府県	通級指導教室
2	肢体不自由者	発達	自立	市町村	特別支援学級
3	肢体不自由者	生活	自立	都道府県	特別支援学級
4	身体障害者	発達	成長	市町村	通級指導教室

らくらくマスター P.86, 94

必修問題の解説

特別支援学校の目的，対象となる障害の程度，特別支援学級などの制度事項について問われている。いずれも重要な条文であるが，特別支援学校の目的について定めた学校教育法第72条は出題頻度が高い。

A **肢体不自由者**が入る。特別支援学校の対象となる肢体不自由の程度は，①「肢体不自由の状態が補装具の使用によっても歩行，筆記等日常生活における基本的な動作が不可能又は困難な程度のもの」，②「肢体不自由の状態が前号に掲げる程度に達しないもののうち，常時の医学的観察指導を必要とする程度のもの」と定められている（学校教育法施行令第22条の3）。第75条がいう「政令」とは，学校教育法施行令のことである。

B **生活**が入る。発達というと，成人するまでの困難だけに限定されるニュアンスを伴う。そうではなく，生涯の生活全般にわたる困難の克服が意図される。

C **自立**が入る。特別支援学校の教育課程には，**自立活動**という独自の領域が設けられている。詳細は，次テーマを参照。

D **都道府県**が入る。特別支援学校の設置主体は都道府県である。市区町村ではないことに注意。多くの県で，特別支援学校は県内に数校しかないため，「特別支援学校には，**寄宿舎**を設けなければならない」と法定されている（学校教育法第78条）。

E **特別支援学級**が入る。通常の学校に置かれる，教育上特別の支援を必要とする児童生徒の教育を行うための学級である。以前は特殊学級といっていたが，2006年の学校教育法改正に伴い，特別支援学級となった。特別支援学級では，特に必要がある場合は，特別の教育課程によることができ（学校教育法施行規則第138条），その場合，文部科学省の検定を経た教科用図書以外のものを使用することもできる（同施行規則第139条）。

正答 3

ここが問われる！出題ポイント

特別支援教育に関わる法規定が頻出である。特別支援学校の目標を定めた学校教育法第72条，そこでの教育の対象となる障害の程度を定めた同法施行令第22条の3がよく出る。通常学校の特別支援学級や通級による指導の対象となる障害の種類についても，併せて覚えておくこと。

テーマ13 特別支援教育制度

実戦問題

★
No. 1 次の特別支援教育に関する各文のうち，誤っているものを①～⑤から１つ選び，番号で答えなさい。 【熊本県】

① 小学校，中学校，義務教育学校，高等学校及び中等教育学校には，知的障害者，肢体不自由者，身体虚弱者，弱視者，難聴者，その他障害のある者で，特別支援学級において教育を行うことが適当な児童及び生徒のために，特別支援学級を置くことができる。

② 「交流及び共同学習」とは，大部分の授業を小学校，中学校，義務教育学校，高等学校又は中等教育学校の通常の学級で受けながら，一部，障害に応じた特別の指導を特別な場で受ける指導形態のことである。

③ 障害のある児童生徒に対して，通級による指導を行い，特別の教育課程を編成する場合には，特別支援学校小学部・中学部学習指導要領又は特別支援学校高等部学習指導要領に示す自立活動の内容を参考とする。

④ 特別支援学校は，小学校又は中学校等の要請により，障害のある児童若しくは生徒又は当該児童若しくは生徒の教育を担当する教師等に対して必要な助言又は援助を行うなど，地域における特別支援教育のセンターとしての役割を果たすように努めること。

⑤ 各学校の校長は，特別支援教育のコーディネーター的な役割を担う教員を「特別支援教育コーディネーター」に指名し，校務分掌に明確に位置付けること。

★★
No. 2 次の⑴～⑶の各問いの答えとして最も適当なものを，下の①～⑤からそれぞれ１つずつ選び，番号で答えなさい。 【熊本県】

⑴ 通級による指導を規定している法令名は何か。

① 教育基本法　② 学校教育法　③ 学校教育法施行令
④ 学校教育法施行規則　⑤ 障害者基本法

⑵ ⑴の法令は，通級による指導の対象者を，当該条文の各号で示しているが，これに含まれないのはどれか。

① 情緒障害者　② 注意欠陥多動性障害者　③ 自閉症者
④ 学習障害者　⑤ 知的障害者

⑶ 高等学校における通級による指導が制度化（関係法令の施行）されたのはいつか。

① 平成５年　② 平成12年　③ 平成18年　④ 平成28年
⑤ 平成30年

実戦問題の解説

No.1の解説　特別支援教育の場　らくらくマスター P.86, 94, 98

①○ 正しい。学校教育法第81条の規定による。特別の教育課程を組んだり，国の検定教科書以外の教科書を使ったりするなど，教育課程の特例も認められる。

②× 交流及び共同学習ではなく，**通級による指導**である。交流・共同学習は，障害のある子どもとそうでない子どもが，同じ場でともに学ぶ学習活動である。学習指導要領では，通常学校と特別支援学校の交流・共同学習が推奨されている。

③○ 正しい。学習指導要領総則の規定による。

④○ 正しい。学校教育法第74条による。特別支援学校の**センター的機能**である。

⑤○ 正しい。「特別支援教育コーディネーターは，各学校における特別支援教育の推進のため，主に，校内委員会・校内研修の企画・運営，関係諸機関・学校との**連絡・調整**，保護者からの相談窓口などの役割を担う」(2007年，文部科学省通知)。

No.2の解説　通級による指導　らくらくマスター P.94

通級による指導とは，障害のある児童生徒が，ほとんどの授業を通常の学級で受けながら，障害の状態に応じた特別の指導を特別の場で受けることである。現在では，高等学校でも実施できるようになっている。

(1)④ 学校教育法施行規則である。「小学校，中学校，義務教育学校，高等学校又は中等教育学校において，次の各号のいずれかに該当する児童又は生徒(特別支援学級の児童及び生徒を除く。)のうち当該障害に応じた特別の指導を行う必要があるものを教育する場合には，…**特別の教育課程**によることができる」と定められている（第140条)。

(2)⑤ **知的障害者**は，特別支援学級の対象である（学校教育法第81条第２項)。通級による指導の対象は，言語障害者，自閉症者，情緒障害者，弱視者，難聴者，学習障害者，注意欠陥多動性障害者，である（同法施行規則第140条)。

(3)⑤ 2016年の学校教育法施行規則改正により，高等学校でも通級による指導が実施できることになった。改正法は，**2018（平成30）年**から施行されている。通級による指導に係る修得単位数は，年間７単位を超えない範囲で卒業認定単位に含めることができる。

正答　No.1 ②　No.2 (1) ④　(2) ⑤　(3) ⑤

実戦問題

★
No. 3 次の(1)～(4)の文は，学校教育法施行令に示されている特別支援学校就学の対象となる児童生徒の障害の程度について述べたものです。正しいものには○印，正しくないものには×印を書きなさい。 【岩手県】

(1)	肢体不自由者	一　肢体不自由の状態が補装具の使用によつても歩行，筆記等日常生活における基本的な動作が不可能又は困難な程度のもの 二　身体虚弱の状態が継続して生活規制を必要とする程度のもの
(2)	視覚障害者	両眼の視力がおおむね0.1未満のもの又は視力以外の視機能障害が高度のもののうち，拡大鏡等の使用によつても通常の文字，図形等の視覚による認識が不可能又は著しく困難な程度のもの
(3)	知的障害者	一　知的発達の遅滞があり，他人との意思疎通が困難で日常生活を営むのに頻繁に援助を必要とする程度のもの 二　知的発達の遅滞の程度が前号に掲げる程度に達しないもののうち，社会生活への適応が著しく困難なもの
(4)	聴覚障害者	両耳の聴力レベルがおおむね60デシベル以上のもののうち，補聴器等の使用によつても通常の話声を解することが不可能又は著しく困難な程度のもの

★★★
No. 4 次の文章は，「共生社会の形成に向けたインクルーシブ教育システム構築のための特別支援教育の推進（報告）」（平成24年７月23日　中央教育審議会）の一部である。下線部Ａ～Ｅについて正しいものを○，誤っているものを×としたとき，その組合せとして正しいものはどれか。 【岡山県】

就学基準に該当する障害のある子どもは，$_A$特別支援学校に原則就学するという従来の就学先決定の仕組みを改め，障害の状態，本人の教育的ニーズ，本人・保護者の意見，教育学，医学，心理学等専門的見地からの意見，学校や地域の状況等を踏まえた総合的な観点から就学先を決定する仕組みとすることが適当である。

その際，市町村教育委員会が，本人・保護者に対し十分情報提供をしつつ，$_B$本人・保護者の意見を$_C$最大限尊重し，本人・保護者と市町村教育委員会，学校等が教育的ニーズと必要な支援について$_D$必要な調整を行うことを原則とし，最終的には$_E$学校が決定することが適当である。

	A	B	C	D	E
1	×	○	○	○	×
2	○	×	×	×	○
3	×	×	○	×	○
4	○	○	○	×	×
5	×	○	×	○	×

実戦問題の解説

No.3の解説 特別支援学校の対象となる障害の程度 らくらくマスター ➡ P.86

学校教育法施行令第22条の３からの出題である。

(1)× 正しくない。２つの目の事項は，病弱者のものである。肢体不自由者の２つ目の事項は，「肢体不自由の状態が前号に掲げる程度に達しないもののうち，常時の**医学的観察指導**を必要とする程度のもの」となっている。

(2)× 正しくない。両眼の視力は「おおむね**0.3未満**」とされる。

(3)○ 正しい。特別支援学校小学部・中学部・高等部では，**知的障害**のある児童生徒が最も多く在籍している。高等部では，全生徒の６割ほどである。知的障害のある児童生徒を教育する特別支援学校の教育課程は，独自の要素を多く含んでいる。詳細は，次テーマを参照。

(4)○ 正しい。60デシベル（dB）は，静かな車の中の音を聞き取れる聴力に相当する。

No.4の解説 就学指導 らくらくマスター ➡ P.86

就学指導とは，障害のある子どもの就学先を決定することである。

A○ 正しい。特別支援学校への就学基準（学校教育法施行令第22条の３）に該当する子どもの全てが，特別支援学校に就学するのではない。この基準に該当する子どものうち，特別支援学校への就学が適当と認められた者を**認定特別支援学校就学者**という。

B○ 正しい。情報提供の際，「就学先決定についての手続の流れや就学先決定後も柔軟に**転学**できることなどについて，本人・保護者にあらかじめ説明を行うことが必要」とされる。

C○ 正しい。

D× 誤り。正しくは「**合意形成**」である。「教育委員会が，早期からの教育相談・支援による相談機能を高め，合意形成のプロセスを丁寧に行うことにより，十分に話し合い，意見が一致するように努めることが望ましい」とある。

E× 誤り。正しくは「**市町村教育委員会**」である。就学基準に該当する障害のある子どもの就学先は，専門家の意見等をふまえ，市町村教育委員会が決定する。特別支援学校への就学が決まった場合，市町村教育委員会は，その旨を都道府県教育委員会に通知する。特別支援学校は，都道府県が設置することになっている（学校教育法第80条）。

正答 No.3 (1)× (2)× (3)○ (4)○ No.4 4

実戦問題

★★

No. 5 次は，「障害者基本法　第16条」の一部です。文中の ① ～ ③ にあてはまる語句の組合せとして正しいものを，下の１～４の中から１つ選びなさい。

【埼玉県・さいたま市】

国及び地方公共団体は，障害者が，その年齢及び能力に応じ，かつ，その特性を踏まえた十分な教育が受けられるようにするため， ① 障害者である児童及び生徒が障害者でない児童及び生徒と共に教育を受けられるよう配慮しつつ，教育の内容及び方法の改善及び充実を図る等必要な施策を講じなければならない。

2　国及び地方公共団体は，前項の目的を達成するため，障害者である児童及び生徒並びにその保護者に対し十分な情報の提供を行うとともに， ① その意向を尊重しなければならない。

3　国及び地方公共団体は，障害者である児童及び生徒と障害者でない児童及び生徒との交流及び ② を積極的に進めることによつて，その ③ を促進しなければならない。

1　①合理的な範囲で　②協調学習　③相互理解
2　①合理的な範囲で　②共同学習　③成長
3　①可能な限り　②共同学習　③相互理解
4　①可能な限り　②協調学習　③成長

★

No. 6 「交流及び共同学習ガイド」（平成31年３月文部科学省）に書かれている内容として，正しくないものを次の１～４から１つ選び，番号で書きなさい。

【名古屋市】

1　交流及び共同学習は，障害のある子供にとっては，様々な人々と共に助け合って生きていく力となり，積極的な社会参加につながる。

2　交流及び共同学習は，障害のない子供にとっては，障害のある人と共に支え合う意識の醸成につながる。

3　交流及び共同学習は，相互の触れ合いを通じて豊かな人間性を育むことを目的とする交流の側面がある。

4　交流及び共同学習は，障害のある子供と障害のない子供が同じ場所で関わることのみを目的としている。

実戦問題の解説

No.5の解説　障害者基本法　らくらくマスター P.102

障害者基本法は1970年に制定された基本法規である。教育について定めた第16条は，出題頻度が高い。

①　**可能な限り**が入る。障害のある子どもとそうでない子どもが，可能な限り，共に教育を受けられるようにする**インクルージョン**の理念が通底にある。本テーマのNo. 4 の問題でみたように，障害のある子どもの就学先の決定に際しても，当人や保護者の意向が最大限尊重されるようになっている。

②　**共同学習**が入る。通常学校の学習指導要領においても，「障害のある幼児児童生徒との**交流及び共同学習**の機会を設け，共に尊重し合いながら協働して生活していく態度を育むようにすること」と言及されている（総則）。

③　**相互理解**が入る。「障害のある幼児児童生徒との交流及び共同学習は，児童が障害のある幼児児童生徒とその教育に対する正しい理解と認識を深めるための絶好の機会であり，同じ社会に生きる人間として，**お互いを正しく理解し**，共に助け合い，支え合って生きていくことの大切さを学ぶ場でもある」（小学校学習指導要領解説・総則編）。

よって，**3** が正答となる。

No.6の解説　交流及び共同学習ガイド　らくらくマスター P.94

学習指導要領において，交流・共同学習を行うことが推奨されている。

1 ○　正しい。「交流及び共同学習は，学校卒業後においても，障害のある子供にとっては，様々な人々と共に助け合って生きていく力となり，積極的な社会参加につながる」とある。

2 ○　正しい。「障害のない子供にとっては，障害のある人に自然に言葉をかけて手助けをしたり，積極的に支援を行ったりする行動や，人々の多様な在り方を理解し，障害のある人と共に支え合う意識の醸成につながる」とある。

3 ○　正しい。交流及び共同学習は，「相互の触れ合いを通じて豊かな人間性を育むことを目的とする**交流**の側面と，教科等のねらいの達成を目的とする**共同学習**の側面」がある。

4 ×　正しくない。同じ場所で関わることだけが目的ではない。「共に尊重し合いながら協働して生活していく態度を育む」ことを目指す。

正答　No.5　3　　No.6　4

テーマ 14 教育原理

特別支援教育の教育課程

頻出度 B

必修問題

出題データ　宮崎県では5年間で4回出題されている。福島県，愛知県，愛媛県では毎年出題されている。

次の文は，「ア　特別支援学校」「イ　特別支援学級」「ウ　通級による指導」「エ　通常の学級」のいずれかの教育課程の編成に関するものである。正しい組合せはどれか，①～⑤から1つ選んで番号で答えなさい。　【京都市】

a　ここに在籍する障害のある子どもについて，その実態に応じ，指導内容や指導方法を工夫することとされている。

b　障害に基づく種々の困難を改善・克服するために，「自立活動」という特別な指導領域が設けられている。また，子どもの障害の状態等に応じた弾力的な教育課程が編成できるようになっている。

c　障害の状態に応じた特別の指導（自立活動の指導等）を特別の指導の場で行うことから，通常の学級の教育課程に加え，又はその一部に替えた特別の教育課程を編成することができるようになっている。

d　基本的には，小学校・中学校の学習指導要領に沿って教育が行われるが，子どもの実態に応じて，特別支援学校の学習指導要領を参考として特別の教育課程も編成できるようになっている。

① ア－a　イ－c　ウ－b　エ－d
② ア－b　イ－c　ウ－a　エ－d
③ ア－d　イ－b　ウ－c　エ－a
④ ア－d　イ－b　ウ－a　エ－c
⑤ ア－b　イ－d　ウ－c　エ－a

らくらくマスター ➡ P.90

必修問題の解説

特別支援教育は，**連続性のある多様な場**で行われる。本問では，①特別支援学校，②特別支援学級，③通級による指導，④通常の学級，という4つの場における教育課程の編成について問われている。

a **通常の学級**（エ）の教育課程の編成に関するものである。通常の学級にも，障害のある子どもは在籍する。たとえば発達障害のある児童生徒である。「障害のある児童などについては，特別支援学校等の助言又は援助を活用しつつ，個々の児童の障害の状態等に応じた**指導内容や指導方法の工夫**を組織的かつ計画的に行うものとする」とある（小学校学習指導要領総則）。

b **特別支援学校**（ア）の教育課程の編成に関するものである。自立活動の目標は，「個々の児童又は生徒が自立を目指し，障害による学習上又は生活上の困難を主体的に改善・克服するために必要な知識，技能，態度及び習慣を養い，もって心身の調和的発達の基盤を培う」ことである（特別支援学校小・中学部学習指導要領）。

c **通級による指導**（ウ）の教育課程の編成に関するものである。通級による指導を行う際は，**自立活動**の内容を参考とし，「効果的な指導が行われるよう，各教科等と通級による指導との関連を図るなど，教師間の連携に努めるものとする」とある（小学校学習指導要領総則）。

d **特別支援学級**（イ）の教育課程の編成に関するものである。小中学校等の特別支援学級で特別の教育課程を編成する際は，**自立活動**の内容を取り入れ，「児童の障害の程度や学級の実態等を考慮の上，各教科の目標や内容を**下学年**の教科の目標や内容に替えたり，各教科を，知的障害者である児童に対する教育を行う**特別支援学校の各教科**に替えたりするなどして，実態に応じた教育課程を編成する」とある（同上）。

正答 ⑤

ここが問われる！出題ポイント

特別支援学校の学習指導要領は小・中学校等と重なる部分が多いが，固有の内容も含んでいる。とくに，自立活動という独自の領域があることに注意。当該領域の目標の原文空欄補充問題や，6つの内容を答えさせる問題が頻出である。また，通常学校の特別支援学級の教育課程の特例規定についてもよく問われる。

テーマ 14

特別支援教育の教育課程

実戦問題

★

No. 1 次のA～Dの各文について，特別支援学校，特別支援学級における自立活動について述べた文として正しいものを１つ選べ。　【和歌山県・改題】

A　特別支援学級において実施する特別の教育課程については，自立活動を取り入れなければならない。

B　特別支援学校小学部・中学部学習指導要領では，自立活動の内容として，「健康の保持」，「心理的な安定」，「人間関係の形成」，「外界の把握」，「身体の動き」，「コミュニケーション」の６つの区分の下に27項目を設けている。

C　特別支援学校小学部・中学部学習指導要領では，自立活動の内容は，その全てを取り扱わなければならない。と示されている。

D　自立活動の指導に際しては，児童生徒一人一人に個別の教育支援計画を作成する必要がある。

★★

No. 2 個別の教育支援計画や個別の指導計画の作成と活用について，次のア～オのうち正しいものの組合せはどれか。　【群馬県】

ア　障害のある児童又は生徒などの指導や支援を行う際には，家庭，地域及び医療や福祉，保健，労働等の業務を行う関係機関との連携を図り，短期的な視点で教育的支援を行うために，個別の教育支援計画を作成し活用することに努める必要がある。

イ　特別支援学級に在籍する児童又は生徒や通級による指導を受ける児童又は生徒については，必要性を判断して，個別の教育支援計画と個別の指導計画をできるだけ作成する。

ウ　個別の教育支援計画の活用に当たっては，就学（入学）前から就学（在籍）時，そして進学（進路）先まで，切れ目ない支援に生かすことが大切である。

エ　各学校においては，個別の教育支援計画と個別の指導計画を作成する目的や活用の仕方に違いがあることに留意し，２つの計画の位置付けや作成の手続きなどを整理し，共通理解を図ることが必要である。

オ　個別の指導計画の作成は，必ず特別支援教育コーディネーターが行い，管理も特別支援教育コーディネーターが行う。

①　ア　イ　　②　ア　ウ　　③　イ　オ　　④　ウ　エ　　⑤　エ　オ

実戦問題の解説

No.1の解説　自立活動　らくらくマスター ➡ P.90

A ○　正しい。小学校学習指導要領総則第4の2による（中学校にも同種の規定あり）。特別支援学級は，小・中学校等に置かれる。そこでは特別の教育課程を組むことや，検定済教科書以外の教科書を使えるなど，教育課程上の特例が認められている。特別の教育課程を実施する際は，特別支援学校の**自立活動の内容**を参考にする。

B ×　「外界の把握」ではなく，「**環境の把握**」である。

C ×　全てを取り扱う必要はない。学習指導要領に示された「内容の中からそれぞれに必要とする項目を**選定**し，それらを相互に関連付け，具体的に指導内容を設定するものとする」とある（同上）。

D ×　個別の教育支援計画ではなく，**個別の指導計画**である。個別の教育支援計画は，卒業後も含む長期にわたり，外部の諸機関との連携も見据えた，タテ・ヨコの広がりを持った総合的な計画である。

No.2の解説　個別の教育支援計画，個別の指導計画　らくらくマスター ➡ P.90

ア ×　短期的な視点ではなく，**長期的**な視点である。「個別の教育支援計画は，障害のある幼児一人一人に必要とされる教育的ニーズを正確に把握し，長期的な視点で乳幼児期から学校卒業後までを通じて，一貫した的確な支援を行うことを目的に作成する」とある（特別支援学校小・中学部学習指導要領解説）。

イ ×　特別支援学級や通級による指導の対象者については，「個別の教育支援計画や個別の指導計画を作成し，効果的に活用するものとする」（小学校学習指導要領）。**作成は義務である**。通常学級に在籍する，障害のある児童生徒については，２つの計画の**作成に努める**こととされる。

ウ ○　正しい。個別の教育支援計画は，長期にわたる，外部の諸機関とも連携した支援計画である。

エ ○　正しい。２つの計画とも「実施状況を適宜評価し改善を図っていくことも不可欠」とされる。

オ ×　個別の指導計画の作成・管理を，特別支援教育コーディネーターが行うという規定はない。

よって，正答は④となる。

正答　No.1　A　　No.2　④

実戦問題

★★
No. 3 **次のA～Dの文について，特別支援学校，特別支援学級の教育課程について述べた文として正しいものを次のA～Dの中から１つ選べ。** **【和歌山県】**

A　特別支援学級において実施する特別の教育課程については，障害による学習上又は生活上の困難を克服し自立を図るため，特別支援学校小学部・中学部学習指導要領第７章に示す自立活動を取り入れるものとする。

B　知的障害の児童を教育する場合は，日常生活の指導，生活単元学習，遊びの指導，道徳，特別活動並びに自立活動によつて教育課程を編成するものとする。

C　知的障害の生徒を教育する場合は，日常生活の指導，生活単元学習，作業学習，道徳，特別活動並びに自立活動によつて教育課程を編成するものとする。

D　視覚障害の生徒を教育する特別支援学校の中学部の教育課程は，国語，社会，数学，理科，音楽，美術，保健体育，職業・家庭及び外国語の各教科，道徳，総合的な学習の時間，特別活動並びに自立活動によつて編成するものとする。

★★★
No. 4 **次の文章は，「小学校学習指導要領　第１章　総則」の「第３章　第４節　2　特別な配慮を必要とする児童への指導」に関するものである。その内容として，適当でないものを選びなさい。** **【千葉県・千葉市】**

①　障害のある児童などについては，特別支援学校等の助言又は援助を活用しつつ，個々の児童の障害の状態等に応じた指導内容や指導方法の工夫を組織的かつ計画的に行う。

②　特別支援学級において実施する特別の教育課程については，障害による学習上又は生活上の困難を克服し自立を図るため，特別支援学校小学部・中学部学習指導要領第７章に示す自立活動を取り入れて編成する。

③　特別支援学級において実施する特別の教育課程については，児童の障害の程度や学級の実態等を考慮の上，各教科の目標や内容を下学年の教科の目標や内容を替えるなど，実態に応じて編成する。

④　特別支援学級において実施する特別の教育課程については，児童の障害の程度や学級の実態等を考慮の上，各教科を，知的障害者である児童に対する教育を行う特別支援学校の各教科に替えるなど，実態に応じて編成する。

⑤　障害のある児童などについては，家庭，地域及び医療や福祉，保健，労働等の業務を行う関係機関との連携を図り，長期的な視点で児童への教育的支援を行うために，個別の指導計画を作成し活用することに努める。

実戦問題の解説

No.3の解説 特別支援学校，特別支援学級の教育課程 らくらくマスター P.90

A ○ 正しい。小学校学習指導要領総則第4の2を参照。通級による指導では，自立活動の内容を参考とする。

B × 特別支援学校小学部において，「知的障害者である児童を教育する場合は，生活，国語，算数，音楽，図画工作及び体育の各教科，特別の教科である道徳，特別活動並びに自立活動によつて教育課程を編成するものとする」とある（学校教育法施行規則第126条第2項）。知的障害者の場合，教科の中身が異なることに注意。

C × 特別支援学校中学部において，「知的障害者である生徒を教育する場合は，国語，社会，数学，理科，音楽，美術，保健体育及び職業・家庭の各教科，特別の教科である道徳，総合的な学習の時間，特別活動並びに自立活動によつて教育課程を編成するものとする」とある（同施行規則第127条第2項）。

D × 職業・家庭ではなく，**技術・家庭**である。職業・家庭は，知的障害の生徒の教科である。

No.4の解説 小学校における特別支援教育 らくらくマスター P.36，90，94

特別支援学級では，特別の教育課程を編成することができる。

① ○ 正しい。特別支援学校は，通常学校における特別支援教育への助言・援助といった「**センター的機能**」を果たすこととされる。

② ○ 正しい。「児童が自立を目指し，障害による学習上又は生活上の困難を主体的に改善・克服するために必要な知識及び技能，態度及び習慣を養い，もって心身の調和的発達の基盤を培うことをねらいとした，特別支援学校小学部・中学部学習指導要領第7章に示す**自立活動**を取り入れることを規定している」とある（小学校学習指導要領解説・総則編）。

③ ○ 正しい。

④ ○ 正しい。知的障害の児童の教科は，「生活，国語，算数，音楽，図画工作及び体育」である（学校教育法施行規則第126条第2項）。

⑤ × 誤り。個別の指導計画ではなく，**個別の教育支援計画**である。前者は学校内での指導に関する計画であるが，後者は，学校外の諸機関と連携し，かつ学校卒業後までを見越した長期的な支援に関わる計画である。

正答 No.4 A　No.5 ⑤

テーマ **15** 教育原理

発達障害

頻出度 **B**

必修問題

出題データ　岐阜県での出題のほか，名古屋市では５年間で４回出題されている。

下の①～⑤の文章の中から，文部科学省が示す主な発達障害の定義についての記述として，正しくないものを１つ選べ。　**【岐阜県・改題】**

① 自閉症とは，３歳位までに現れ，他人との社会的関係の形成の困難さ，言葉の発達の遅れ，興味や関心が狭く特定のものにこだわることを特徴とする行動の障害であり，中枢神経系に何らかの要因による機能不全があると推定される。

② 高機能自閉症とは，自閉症のうち，知的発達の遅れを伴わないものをいう。
　また，中枢神経系に何らかの要因による機能不全があると推定される。

③ 学習障害とは，基本的には全般的な知的発達に遅れはないが，聞く，話す，読む，書く，計算する又は推論する能力のうち特定のものの習得と使用に著しい困難を示す様々な状態を指すものである。
　学習障害は，その原因として，中枢神経系に何らかの機能障害があると推定されるとともに，視覚障害，聴覚障害，知的障害，情緒障害などの障害や，環境的な要因も直接の原因となるものである。

④ ADHDとは，年齢あるいは発達に不釣り合いな注意力，及び（又は）衝動性，多動性を特徴とする行動の障害で，社会的な活動や学業の機能に支障をきたすものである。
　また，12歳以前に現れ，その状態が継続し，中枢神経系に何らかの要因による機能不全があると推定される。

⑤ アスペルガー症候群とは，知的発達の遅れを伴わず，かつ，自閉症の特徴のうち言葉の発達の遅れを伴わないものである。なお高機能自閉症やアスペルガー症候群は，広汎性発達障害に分類されるものである。

必修問題の解説

らくらくマスター ➡ P.96

通常学校にも，特別の支援を要する子どもがいる。いわゆる発達障害を抱えた児童・生徒たちだ。2022年の文科省調査によると，公立小・中学生の8.8%，1クラスに2～3名いると推測される。

①○ 正しい。「今後の特別支援教育の在り方について（最終報告）」（2003年3月）による。指導に際しては「図形や文字による視覚的情報の理解能力が優れていることを活用する」，「学習環境を本人に分かりやすく整理し提示する等の構造化する」といった配慮が求められる。

②○ 正しい。出典は同上。判断基準は，ア）人への反応やかかわりの乏しさ，社会的関係形成の困難さ，イ）言葉の発達の遅れ，ウ）興味や関心が狭く特定のものにこだわること，とされる。

③× 学習障害は，「視覚障害，聴覚障害，知的障害，情緒障害などの障害や，環境的な要因が直接の**原因となるものではない**」とされる（同上）。学習障害は，英語で「Learning Disabilities」といい，LDと略されることが多い。

④○ 正しい。出典は同上。判断基準は，不注意，多動性，衝動性である。ADHDは，「Attention-Deficit/Hyperactivity Disorder」の略で，和訳では注意欠陥多動性障害という。注意欠如多動性障害ともいう。指導に際しては「叱責よりは，できたことを褒める対応をする」，「行動観察から出現の傾向・共通性・メッセージを読み取る」，「刺激の少ない学習環境（机の位置）を設定する」といった配慮が求められる。

⑤○ 正しい。広汎性発達障害（Pervasive Developmental Disorders）は，社会性やコミュニケーション能力に遅滞がみられる発達障害の総称で，PDDと略される。2013年刊行のDSM－5では，PDDは，自閉症スペクトラム障害（ASD）という用語に変わっている。

正答 ③

ここが問われる！出題ポイント

主な発達障害（LD，ADHD，高機能自閉症等）の定義の空欄補充や，指導に際しての留意点を述べた文章の正誤判定の問題が多い。文部科学省の通知にて，公的な見解がどういうものかを押さえておこう。発達障害者支援法といった法規も要注意である。

実戦問題

★
No. 1 次の文は，発達障害者支援法の条文である。下の⑴，⑵の各問いに答えよ。
【山口県】

発達障害者支援法
第２条　この法律において「発達障害」とは，自閉症，アスペルガー症候群その他の広汎性発達障害，学習障害，注意欠陥多動性障害その他これに類する（　①　）の障害であってその症状が通常（　②　）において発現するものとして政令で定めるものをいう。

⑴（　①　）に入る適切な語句を次の語群から選び，記号で答えよ。
1　言語機能　**2**　脳機能　**3**　神経細胞　**4**　中枢神経

⑵（　②　）に入る適切な語句を次の語群から選び，記号で答えよ。
1　乳児期　**2**　幼児期　**3**　低年齢　**4**　学童年齢

★
No. 2 次の文は，発達障害者支援法の条文の一部である。［①］～［③］に当てはまる語句の組合せとして適切なものは，下の１～５のうちどれか。
【新潟市】

第８条　［①］は，発達障害児（18歳以上の発達障害者であって高等学校，中等教育学校及び特別支援学校並びに専修学校の高等課程に在学する者を含む。以下この頃において同じ。）が，その年齢及び［②］に応じ，かつ，その特性を踏まえた十分な教育を受けられるようにするため，可能な限り発達障害児が発達障害児でない児童と共に教育を受けられるよう配慮しつつ，適切な教育的支援を行うこと，個別の教育支援計画の作成（教育に関する業務を行う関係機関と医療，保健，福祉，労働等に関する業務を行う関係機関及び民間団体との連携の下に行う個別の長期的な支援に関する計画の作成をいう。）及び個別の［③］の作成の推進，いじめの防止等のための対策の推進その他の支援体制の整備を行うことその他必要な措置を講じるものとする。

1　①国及び地方公共団体　②関心　③成長に関する計画
2　①文部科学省　②能力　③成長に関する計画
3　①国及び地方公共団体　②関心　③指導に関する計画
4　①文部科学省　②関心　③指導に関する計画
5　①国及び地方公共団体　②能力　③指導に関する計画

実戦問題の解説

No.1の解説　発達障害の定義　らくらくマスター→P.96

発達障害の法律上の定義である。このうち18歳未満の者を発達障害児という（第2条第2項）。

① **脳機能**が入る。原因は個人に内在し，学習障害は「中枢神経系に何らかの要因による機能不全があると推定されるが，視覚障害，聴覚障害，知的障害，情緒障害などの障害や，環境的な要因が直接的な原因となるものではない」とされる（文科省『障害のある子供の教育支援の手引』2021年）。注意欠陥多動性障害も，中枢神経系に何らかの要因による機能不全があると推定されている。

② **低年齢**が入る。高機能自閉症は3歳くらいまで，注意欠陥多動性障害は12歳くらいまでに現れるという。

No.2の解説　発達障害者支援法　らくらくマスター→P.96

発達障害児の教育について定めた第8条第1項である。

① **国及び地方公共団体**が入る。発達障害児の教育に関する諸々の責務を負うのは，国及び地方公共団体である。地方公共団体が運営する公立学校は，その中心となる。第8条第2項では「大学及び高等専門学校は，個々の発達障害者の特性に応じ，適切な教育上の配慮をするものとする」と定められている。

② **能力**が入る。発達障害児には，特定分野においてズバ抜けた能力（才能）を有する者もいる。それを的確に認知し，伸ばすことも求められる。

③ **指導に関する計画**が入る。個別の指導計画は，一人一人のニーズに応じて，指導目標・内容・方法等を盛り込んだ計画である。学校卒業後や，外部の諸機関との連携も視野に入れた「**個別の教育支援計画**」と混同しないようにすること。この2つの計画の作成については，以下のように定められている。

特別支援学校の対象者	作成・活用は義務
特別支援学級の対象者	
通級による指導の対象者	
その他障害のある者	作成・活用に努める

正答　No.1　(1)　2　(2)　3　　No.2　5

実戦問題

★★

No. 3 次は，「通常の学級に在籍する特別な教育的支援を必要とする児童生徒に関する調査結果（令和４年12月　文部科学省）について説明したものである。文中の（　　）からあてはまるものをそれぞれ１つずつ選べ。　【秋田県】

○　小学校・中学校において，学習面又は行動面で著しい困難を示すとされた児童生徒の割合は（①2.2％　②8.8％）である。

○　学習面，各行動面で著しい困難を示すとされた児童生徒数の割合は，小学校，中学校とも学年が上がるにつれて（③高くなる　④低くなる）傾向にある。

★

No. 4 次の文は，平成28年に改正された「発達障害者支援法」の一部である。（　A　）～（　D　）に入る語句の組合せとして最も適切なものを，下の１～５の中から１つ選びなさい。　【鳥取県】

(基本理念)

第２条の２　発達障害者の支援は，全ての発達障害者が（　A　）の機会が確保されること及びどこで誰と生活するかについての選択の機会が確保され，地域社会において他の人々と（　B　）することを妨げられないことを旨として，行われなければならない。

2　発達障害者の支援は，社会的障壁の除去に資することを旨として，行われなければならない。

3　発達障害者の支援は，個々の発達障害者の性別，年齢，障害の状態及び（　C　）に応じて，かつ，医療，保健，福祉，教育，労働等に関する業務を行う関係機関及び民間団体相互の（　D　）の下に，その意思決定の支援に配慮しつつ，切れ目なく行われなければならない。

	A	B	C	D
1	地域参加	共存	生活の実態	有機的な連携
2	社会参加	共存	生活の実態	緊密な連携
3	地域参加	共生	家庭の実態	有機的な連携
4	社会参加	共生	生活の実態	緊密な連携
5	社会参加	共存	家庭の実態	有機的な連携

実戦問題の解説

No.3の解説 発達障害の実態調査

らくらくマスター P.96

2022年に実施された発達障害児の実態調査である。

■② 最初のカッコには，**8.8%**が入る。公立小・中学校の児童生徒の8.8%が，発達障害の兆候ありと推定される。1クラスに2～3名いる計算になる。通常学校に勤務する教員は，発達障害に関する理解を深めておく必要がある。

■④ 2番目のカッコには，**低くなる**が入る。学習面または行動面で著しい困難を示す児童生徒の割合を学年別に見ると，以下のようになる。

小1	小2	小3	小4	小5	小6	中1	中2	中3
12.0%	12.4%	11.0%	9.8%	8.6%	8.9%	6.2%	6.3%	4.2%

No.4の解説 発達障害者支援の基本理念

らくらくマスター P.96

本問で出題されている第2条の2は，2016年6月の法改正で新設された条文である。空欄にはなっていないが，「**社会的障壁**」という語も重要である。「発達障害がある者にとって日常生活又は社会生活を営む上で障壁となるような社会における事物，制度，慣行，観念その他一切のもの」とされる（第2条第3項）。

A **社会参加**が入る。発達障害者が参加・貢献する場は，自分が住んでいる地域に限られない。

B **共生**が入る。目指すべきは，障害者とそうでない人が共に支え合う**共生社会**である。共生社会とは，「これまで必ずしも十分に社会参加できるような環境になかった障害者等が，積極的に参加・貢献していくことができる社会で，誰もが相互に人格と個性を尊重し支え合い，人々の多様な在り方を相互に認め合える全員参加型の社会」をいう（2012年，文部科学省報告）。

C **生活の実態**が入る。

D **緊密な連携**が入る。発達障害者の支援は，生涯にわたって行われる。文中の諸機関の緊密な連携が求められる。発達障害者支援センターという専門機関もある。

正答 No.3 ②，④　No.4 4

同和問題・人権教育

頻出度 A

必修問題

出題データ　名古屋市では毎年出題されている。大阪府や福岡県などでも必出である。

「人権教育の指導方法等の在り方について［第三次とりまとめ］―指導等の在り方編―（文部科学省　平成20年３月）」では，人権教育を通じて育てたい資質・能力について次の図（一部抜粋）のようにまとめています。図の（　ア　）～（　カ　）に適する言葉を，下の１～12からそれぞれ１つずつ選び，番号で書きなさい。　【名古屋市】

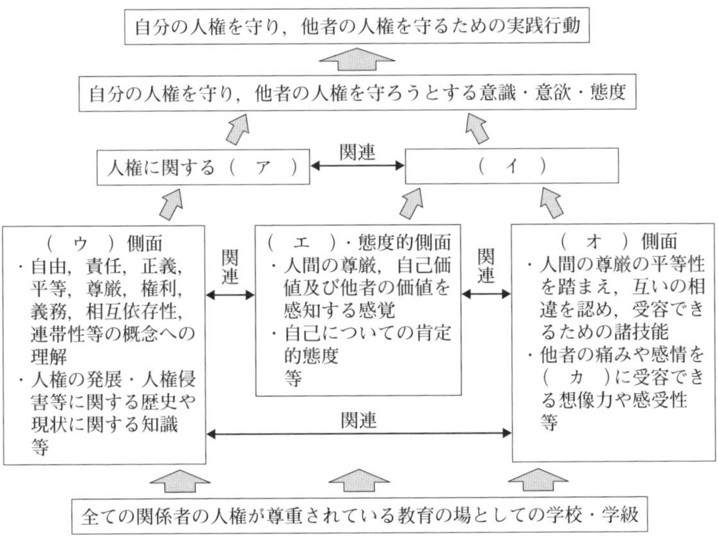

1	人権意識	2	知識的	3	直感的	4	技能的
5	人権感覚	6	実践的	7	絶対的	8	共感的
9	価値的	10	客観的	11	知的理解	12	感情的

らくらくマスター P.114

必修問題の解説

人権教育を通じて育てたい資質・能力を表現した図の空欄補充問題である。ウ～オの3側面がある。

ア 11 人権に関する**知的理解**は，ウの知的側面の能動的学習によって深化される。

イ 5 **人権感覚**とは，「人権の価値やその重要性にかんがみ，人権が擁護され，実現されている状態を感知して，これを望ましいものと感じ，反対に，これが侵害されている状態を感知して，それを許せないとするような，価値志向的な感覚である」とされる。

ウ 2 人権教育を通じて育てたい資質の1つである。**知識的側面**の資質・能力は，人権に関する知的理解に深く関わる。「人権教育により身に付けるべき知識は，自他の人権を尊重したり人権問題を解決したりする上で具体的に役立つ知識でもなければならない」とある。

エ 9 **価値的・態度的側面**の資質・能力は，人権感覚に深く関わる。「人権教育が育成を目指す価値や態度には，人間の尊厳の尊重，自他の人権の尊重，多様性に対する肯定的評価，責任感，正義や自由の実現のために活動しようとする意欲などが含まれる」とされる。

オ 4 **技能的側面**の資質・能力も人権感覚に深くかかわる。「人権教育が育成を目指す技能には，コミュニケーション技能，合理的・分析的に思考する技能や偏見や差別を見きわめる技能，その他相違を認めて受容できるための諸技能，協力的・建設的に問題解決に取り組む技能，責任を負う技能など」がある。

カ 8 「人権に関わる事柄を認知的に捉えるだけではなく，その内容を直感的に感受し，**共感的**」に受け止めることも必要である。

正答 ア－11　イ－5　ウ－2　エ－9　オ－4　カ－8

ここが問われる！出題ポイント

大阪府や福岡県などにおいて，毎年出題されているテーマである。当自治体の受験者は，本腰を入れて学習しておくこと。頻出なのは，上記で出題されている「人権教育の指導方法等の在り方について（第三次とりまとめ）」である。本資料でいわれている，「育てたい資質・能力」の3側面を覚えておこう。同和問題・人権関連の施策を時代順に並べ替えさせる問題も見られる。

実戦問題

★
No. 1 次の条文は，「部落差別の解消の推進に関する法律」（平成28年12月6日法律第109号）における目的である。条文中の（　A　）～（　E　）にあてはまる語句の正しい組合せを，下の1～5の中から1つ選びなさい。　【和歌山県】

第1条　この法律は，現在もなお部落差別が存在するとともに，（　A　）に伴って部落差別に関する状況の変化が生じていることを踏まえ，全ての国民に（　B　）の享有を保障する（　C　）の理念にのっとり，部落差別は許されないものであるとの認識の下にこれを解消することが重要な課題であることに鑑み，部落差別の解消に関し，基本理念を定め，並びに国及び地方公共団体の（　D　）を明らかにするとともに，（　E　）の充実等について定めることにより，部落差別の解消を推進し，もって部落差別のない社会を実現することを目的とする。

	A	B	C	D	E
1	情報化の進展	基本的人権	日本国憲法	責務	相談体制
2	地域社会の変化	基本的人権	日本国憲法	役割	相談体制
3	地域社会の変化	基本的人権	教育基本法	責務	啓発活動
4	地域社会の変化	法の下の平等	教育基本法	役割	啓発活動
5	情報化の進展	法の下の平等	教育基本法	責務	啓発活動

★
No. 2 次の文は，「人権教育・啓発に関する基本計画」（平成23年4月1日閣議決定（変更））の「人権教育・啓発の基本的在り方」に関するものである。①～④のうち，内容として誤っているものを1つ選び，番号で答えよ。　【長崎県】

① 人権教育・啓発は，幼児から高齢者に至る幅広い層を対象とするものであり，その活動を効果的に推進していくためには，人権教育・啓発の対象者の発達段階を踏まえ，地域の実情等に応じて，ねばり強くこれを実施する必要がある。

② 具体的な人権課題に即した個別的な視点からのアプローチによって人権尊重についての理解が深まっていくのであり，「法の下の平等」，「個人の尊重」といった単に人権一般の普遍的な視点からのアプローチになることのないよう留意する必要がある。

③ 子どもを対象とする人権教育・啓発活動の実施に当たっては，子どもが発達途上であることに十分留意することが望まれる。

④ 人権教育・啓発は，国民の一人一人の心の在り方に密接にかかわる問題でもあることから，その自主性を尊重し，押し付けにならないように十分留意する必要がある。

実戦問題の解説

No.1の解説 部落差別解消法 らくらくマスター P.110

2016年に制定された新しい法律である。６つの条文からなる。近畿地方の府県で出題頻度が高い。

A **情報化の進展**が入る。インターネットを使った誹謗中傷やプライバシー晒しなど，新たな形態の人権侵害が出てきている。

B **基本的人権**が入る。基本的人権は，全ての国民に付与された神聖不可侵の権利である。

C **日本国憲法**が入る。憲法第11条では，「国民は，すべての**基本的人権**の享有を妨げられない。この憲法が国民に保障する基本的人権は，侵すことのできない永久の権利として，現在及び将来の国民に与へられる」と定められている。「すべて国民は，法の下に平等であつて，人種，信条，性別，社会的身分又は門地により，政治的，経済的又は社会的関係において，**差別されない**」（第14条第１項）という規定も重要。

D **責務**が入る。役割ではなく，責務という強い語が使われている。

E **相談体制**が入る。第４条において，国や地方公共団体は相談体制の充実を図ることと定められている。

No.2の解説 人権教育・啓発に関する基本計画 らくらくマスター P.110

①○ 正しい。「人格が形成される早い時期から，人権尊重の精神の芽生えが感性としてはぐくまれるように配慮すべきである」とある。

②× 「人権一般の普遍的な視点からのアプローチと，具体的な人権課題に即した個別的な視点からのアプローチとがあり，この**両者があいまって**人権尊重についての理解が深まっていく」とある。個別的な視点からのアプローチだけで，人権尊重の理解が深まるのではない。

③○ 正しい。

④○ 正しい。「人権教育・啓発にかかわる活動を行う場合にも，それが国民に対する**強制となっては本末転倒**であり，真の意味における国民の理解を得ることはできない。国民の間に人権問題や人権教育・啓発の在り方について多種多様な意見があることを踏まえ，異なる意見に対する寛容の精神に立って，自由な意見交換ができる環境づくりに努めることが求められる」。**中立性**が確保されねばならない。

正答 No.1 1 No.2 ②

実戦問題

★★★
No. 3 **次の(ア)～(オ)は部落差別の解消の歴史において重要なものである。それぞれを年代順に並べると，どのような順番になるか，①～④から選び，番号で答えよ。**

【神戸市】

(ア)部落差別の解消の推進に関する法律
(イ)同和問題対策審議会答申
(ウ)全国水平社「水平社宣言」
(エ)解放令（太政官布告）
(オ)地域改善対策特別措置法

① (エ)→(ウ)→(イ)→(オ)→(ア)　② (ア)→(イ)→(オ)→(ウ)→(エ)
③ (ウ)→(エ)→(ア)→(オ)→(イ)　④ (イ)→(ウ)→(エ)→(ア)→(オ)

★
No. 4 **下の文章は，「人権教育及び人権啓発の推進に関する法律」（発令：平成12年12月6日号外法律第147号）の一部である。文中の空欄［ア］～［エ］に当てはまる語句の組合せとして正しいものを①～⑥の中から１つ選べ。**

【岐阜県】

第１条　この法律は，人権の尊重の緊要性に関する認識の高まり，社会的身分，門地，人種，信条又は［ア］による不当な差別の発生等の人権侵害の現状その他人権の擁護に関する内外の情勢にかんがみ，人権教育及び人権啓発に関する施策の推進について，国，地方公共団体及び国民の［イ］を明らかにするとともに，必要な措置を定め，もって人権の擁護に資することを目的とする。

第３条　国及び地方公共団体が行う人権教育及び人権啓発は，学校，地域，家庭，職域その他の様々な場を通じて，国民が，その［ウ］に応じ，人権尊重の理念に対する理解を深め，これを体得することができるよう，多様な機会の提供，効果的な手法の採用，国民の自主性の尊重及び実施機関の［エ］の確保を旨として行われなければならない。

①	ア	思想	イ	立場	ウ	生活環境	エ	専門性
②	ア	思想	イ	責務	ウ	発達段階	エ	秘匿性
③	ア	思想	イ	立場	ウ	生活環境	エ	中立性
④	ア	性別	イ	責務	ウ	発達段階	エ	専門性
⑤	ア	性別	イ	立場	ウ	生活環境	エ	秘匿性
⑥	ア	性別	イ	責務	ウ	発達段階	エ	中立性

実戦問題の解説

No.3の解説　部落差別解消の歴史　らくらくマスター➡P.110

(ウ)と(エ)が戦前期のものであることはわかるだろう。

ア　2016年に制定された法律である。「部落差別の解消を推進し，もって部落差別のない社会を実現すること」を目的とする（第１条）。

イ　1965年に出された答申である。同和問題を，日本社会の歴史的発展の過程において形成された身分階層構造に基づく差別に由来する，深刻な社会問題と定義している。

ウ　1922年に，全国水平社設立大会で採択された宣言である。「人の世に熱あれ，人間に光あれ」という言葉で知られる。

エ　1871年に発布された太政官布告。これにより，身分差別の法的根拠は喪失した。

オ　1982年に公布された５か年の時限立法。同和地区のみを想定していた「同和対策事業」を改め，周辺地域をも考慮した「地域改善対策」と言い換えている。

No.4の解説　人権教育推進法　らくらくマスター➡P.110

ア　**性別**が入る。性役割規範の強い日本では，性差別が根強く存在する。国際的なジェンダーギャップ指数をみても，日本は毎年順位が低い（2023年は，146か国中125位）。

イ　**責務**が入る。国は「人権教育及び人権啓発の基本理念にのっとり，人権教育及び人権啓発に関する施策を策定し，及び実施する」責務を有し（第４条），国民は「人権尊重の精神の涵養に努めるとともに，人権が尊重される社会の実現に寄与するよう努めなければならない」（第６条）。

ウ　**発達段階**が入る。人権教育・人権啓発は，早い段階から発達段階に応じて実施される。

エ　**中立性**が入る。「人権教育・啓発を担当する行政は，特定の団体等から不当な影響を受けることなく，**主体性や中立性**を確保することが厳に求められる。人権教育・啓発にかかわる活動の実施に当たっては，政治運動や社会運動との関係を明確に区別し，それらの運動そのものも教育・啓発であるということがないよう，十分に留意しなければならない」とある（「人権教育・啓発に関する基本計画」2011年）。

正答　No.3　①　　No.4　⑥

実戦問題

★
No. 5 次の文は，「世界人権宣言（外務省訳）」の一部である。文中の（　①　）～（　④　）に該当する語句の組合せとして正しいものを，下の1～5から1つ選びなさい。　【高知県】

第1条　すべての人間は，生れながらにして（　①　）であり，かつ，尊厳と権利とについて（　②　）である。

第2条　すべて人は，人種，（　③　），性，言語，宗教，政治上その他の意見，国民的若しくは社会的出身，財産，門地その他の地位又はこれに類するいかなる事由による差別をも受けることなく，この宣言に掲げるすべての権利と自由とを享有することができる。

第26条　すべて人は，教育を受ける権利を有する。教育は，少なくとも初等の及び基礎的の段階においては，無償でなければならない。初等教育は，（　④　）でなければならない。

1　①平等　②自由　③信条　④義務的
2　①平等　②公正　③皮膚の色　④自由
3　①自由　②公正　③信条　④平等
4　①自由　②平等　③皮膚の色　④義務的
5　①平等　②自由　③信条　④公正

★★
No. 6 次の文は，「人権教育を取り巻く諸情勢について　～人権教育の指導方法等の在り方について〔第三次とりまとめ〕策定以降の補足資料～」（令和3年3月　学校教育における人権教育調査研究協力者会議）の一部である。文中の（　①　）～（　④　）に該当する語句の組合せとして正しいものを，以下の1～5から1つ選びなさい。　【高知県】

人権教育は，学校の（　①　）を通じて推進することが大切であり，そのためには，人権尊重の（　②　）に立つ学校づくりを進め，人権教育の充実を目指した教育（　③　）の編成や，人権尊重の理念に立った生徒指導，人権尊重の視点に立った（　④　）経営等が必要である。

1　①教育活動全体　②精神　③目標　④学級
2　①道徳科の授業　②信念　③目標　④学級
3　①教育活動全体　②信念　③課程　④学校
4　①道徳科の授業　②信念　③課程　④学校
5　①教育活動全体　②精神　③課程　④学級

実戦問題の解説

No.5の解説　世界人権宣言

らくらくマスター ➡ P.110

世界人権宣言は，1948年12月の国連総会で採択された。

① **自由**が入る。日本国憲法でも，基本的人権として自由権が定められている。思想・良心の自由，信仰の自由，学問の自由等である。

② **平等**が入る。日本国憲法では，法の下の平等，両性の平等が定めている。

③ **皮膚の色**が入る。いわゆる人種差別は，根強い問題として残っている。

④ **義務的**が入る。初等教育は，日本の制度でいうと小学校段階に相当する。この段階での教育は，義務かつ無償となっている。第26条第１項では「技術教育及び職業教育は，一般に利用できるものでなければならず，また，高等教育は，能力に応じ，すべての者に等しく開放されていなければならない」と定められている。

No.6の解説　人権教育を取り巻く諸情勢

らくらくマスター ➡ P.114

① **教育活動全体**が入る。「教育課程においては，各教科等の形で『人権教育』が設定されていないため，学校における人権教育は，各教科や「『特別の教科 道徳』，総合的な学習（探究）の時間，特別活動，教科外活動等のそれぞれの特質を踏まえつつ，教育活動全体を通じて行うこととなる」とある。その際は，「**人権教育の目標と各教科等の目標やねらいとの関連を明確にした上で**，人権に関する意識・態度，実践力を養う人権教育の活動と，それぞれの目標・ねらいに基づく各教科等の指導とが，有機的・相乗的に効果を上げられるようにしていくことが重要」とされる。

② **精神**が入る。

③ **課程**が入る。教育課程（カリキュラム）は，国家基準の学習指導要領に準拠しつつ，各学校において編成する。本問の資料では，「教育課程の中で，人権教育を適切に位置付け，普段の授業の中でも人権を意識し，人権教育を進めていくことが必要」と言われている。

④ **学級**が入る。学級は児童生徒の居場所となるが，そこにて人権尊重の雰囲気があることは，児童生徒の人権感覚を養う上での「**隠れたカリキュラム**」として機能する。それは，正規の教育課程に劣らず重要なものである。隠れたカリキュラムとは，学校・学級生活を営む中で自ずと身につく態度や価値観をいう。

正答　No.5　4　　No.6　5

テーマ 17 教育原理

社会教育・生涯学習

頻出度 C

必修問題

出題データ　山形県では5年間で2回，富山県では5年間に3回，大分県では5年間に2回出題されている。

下の表は文部省（当時）の諮問機関である生涯学習審議会の答申に関するものである。これについて，あとの問いに答えなさい。

【静岡県・静岡市・浜松市】

1992年（平成4年）	「今後の社会の動向に対応した生涯学習の振興方策について」 （　A　）教育やボランティア活動が重視された。
1996年（平成8年）	「地域における生涯学習機会の充実方策について」 社会全体の教育力の向上のために学校・家庭・地域が連携する（　B　）融合を訴えた。
1998年（平成10年）	「社会の変化に対応した今後の社会教育の在り方について」
1999年（平成11年）	「学習の成果を幅広く生かす―生涯学習の成果を生かすための方策について―」
2000年（平成12年）	「新しい情報通信技術を活用した生涯学習の推進方策について」 小・中・高等学校で（　C　）を身につけるよう求めた。

問1　下線部「生涯学習」は「生涯教育」の理念を出発点としている。1965年パリで開かれた，ユネスコの「成人教育推進国際委員会」でこの理念を提唱したのはだれか。次の中から選び，記号で答えなさい。

ア　コンドルセ　　イ　ドモラン　　ウ　ニール　　エ　ラングラン

問2　空欄（　A　）には，1973年にOECD（経済協力開発機構）が提唱した概念で，社会人になった後も必要に応じていつでも学校教育を受けられることを意味する語が入る。その語をカタカナで答えなさい。

問3　空欄（　B　）に適する語を漢字2字で答えなさい。

問4　空欄（　C　）には，情報を幅広く上手に取扱い，適切に読み解く能力を総称する語が入る。その語を7文字で答えなさい。

らくらくマスター P.116

必修問題の解説

生涯学習審議会の答申の表題を通して，生涯教育・生涯学習の重要概念を答えさせる問題である。**問4**はやや難しいが，それ以外は，必ず知っておくべきキーワードを問うたものである。

（問１）

エ **ラングラン**は，フランスの教育思想家で，ユネスコの成人教育部長を務めた人物である。コンドルセは，フランス革命期に公教育の原理を提唱した人物である。ドモランは，19世紀の末期に，新教育の実践（ロッシュの学校）を行った人物である。ニールは，「世界でいちばん自由な学校」といわれたサマーヒル学園を創設した人物である。

（問２）「**リカレント**」が入る。リカレント（recurrent）とは還流という意味であり，教育と仕事の間を還流することから，還流教育ともいわれる。各国の経済開発に寄与するOECDがこの概念を提唱したのは，各国の経済発展の見地からも，人々が教育と仕事の間を行き来して，生涯にわたって学習を続けることの重要性を認識していたためといわれる。

（問３）「**学社**」が入る。学校教育の「学」と社会教育の「社」である。「学校教育と社会教育がそれぞれの役割分担を前提とした上で，そこから一歩進んで，学習の場や活動など両者の要素を部分的に重ね合わせながら，一体となって子供たちの教育に取り組んでいこうという考え方」（1996年４月，生涯学習審議会答申）と定義される。

（問４）「**情報リテラシー**」である。なお，「情報リテラシーを身につける際には，情報機器の操作だけではなく，主体的な情報収集・選択・活用能力，情報発信能力，情報社会における規範や自己責任能力，危機管理能力，社会の中での実体験とのバランスの取り方などを身につけることが必要」と指摘されている。

正答　（問１）エ　（問２）リカレント　（問３）学社　（問４）情報リテラシー

ここが問われる！出題ポイント

教育は，学校の中だけで行われるものではない。また，人生の初期にのみ限定される営みでもない。社会教育・生涯学習の概念や政策史について押さえておこう。また，社会教育を行う場（施設）やそれを担う職員に関する知識も得ておこう。

実戦問題

★
No. 1 **次は，社会教育法の条文の一部である。文中の（　ア　）～（　ウ　）にあてはまる語句の正しい組合せを下の①～⑥から１つ選べ。**　**【秋田県】**

第９条の７　（　ア　）は，地域学校協働活動の円滑かつ効果的な実施を図るため，社会的信望があり，かつ，地域学校協働活動の推進に熱意と識見を有する者のうちから，（　イ　）を委嘱することができる。

２　（　イ　）は，地域学校協働活動に関する事項につき，（　ア　）の施策に協力して，（　ウ　）と学校との間の情報の共有を図るとともに，地域学校協働活動を行う（　ウ　）に対する助言その他の援助を行う。

①　ア　学校　イ　地域学校協働活動推進員　ウ　家庭等
②　ア　学校　イ　社会教育委員　ウ　地域住民等
③　ア　教育委員会　イ　地域コーディネーター　ウ　家庭等
④　ア　教育委員会　イ　地域学校協働活動推進員　ウ　地域住民等
⑤　ア　地方公共団体　イ　社会教育委員　ウ　家庭等
⑥　ア　地方公共団体　イ　地域コーディネーター　ウ　地域住民等

★
No. 2 **次の文は，社会教育法の条文の一部である。［　①　］～［　③　］に当てはまる語句の組合せとして適切なものは，下の１～５のうちどれか。**　**【新潟県】**

第１条　この法律は，［　①　］（平成18年法律第120号）の精神に則り，社会教育に関する国及び地方公共団体の任務を明らかにすることを目的とする。

第２条　この法律において「社会教育」とは，［　②　］（昭和22年法律第26号）又は就学前の子どもに関する教育，保育等の総合的な提供の推進に関する法律（平成18年法律第77号）に基づき，学校の教育課程として行われる教育活動を除き，主として［　③　］に対して行われる組織的な教育活動（体育及びレクリエーションの活動を含む。）をいう。

1　①教育基本法　②学校教育法　③青少年及び成人
2　①教育基本法　②学校教育法　③児童生徒
3　①学校教育法　②教育基本法　③青少年及び成人
4　①学校教育法　②教育基本法　③児童生徒
5　①学校教育法　②教育基本法　③児童生徒及び成人

実戦問題の解説

No.1の解説 地域学校協働活動推進員 らくらくマスター ➡ P.116

2017年の社会教育法改正により，地域学校協働活動推進員に関する条文が新設された。本問で出題されている第9条の7である。

ア **教育委員会**が入る。地域学校協働活動推進員を委嘱するのは，自治体の教育委員会である。想定される対象者は「地域コーディネーター／統括コーディネーター やその経験者，PTA関係者・経験者，退職教職員，自治会・青年会等関係者，公民館等社会教育施設関係者」等である（文部科学省）。

イ **地域学校協働活動推進員**が入る。地域学校協働活動とは，協働活動，放課後等の学習活動，体験活動からなる。地域学校協働活動推進員は，これらの活動を推進すべく，地域と学校をつなぐコーディネーターの役割を果たす。

ウ **地域住民等**が入る。地域学校協働活動は，個々の家庭ではなく地域住民が主体となる。

よって，正答は④となる。

No.2の解説 社会教育法 らくらくマスター ➡ P.116，184，186

① **教育基本法**が入る。1947年に制定された基本法規であるが，2006（平成18）年に全面改正された。改正法では，生涯学習の理念（第3条），社会教育（第12条）の条文が盛られている。少子高齢化が進み，かつ社会変化の速まりにより，成人層をも対象とした社会教育・生涯学習の重要性が増しているためである。

② **学校教育法**が入る。学校に関する基本法規で，本法に依拠して行われる学校教育を除いた，組織的な教育活動が社会教育である。

③ **青少年及び成人**が入る。社会教育の対象には，青少年だけではなく成人も含まれる。近い将来，人口9割が成人となる。また社会の変化の速まりにより，人生の初期（子ども期）に学校で学んだ知識や技術は直ちに陳腐化する。こうした状況の中，成人層をも対象とした社会教育・生涯学習の重要性が高まっている。大学等の高等教育機関も，やせ細る18歳人口だけを顧客にしていては生き残れない。成人層の学び直しやリスキリング（再訓練）の要請にも応えていかねばならない。

正答 No.1 ④ No.2 1

実戦問題

★★
No. 3 生涯学習の推進に関連する次の1～4の文を，時代の古いものから順に並べたとき，2番目にくるものはどれか。次の1～4から1つ選べ。【奈良県・改題】

1 臨時教育審議会答申において，教育改革の基本的視点として「生涯学習体系への移行」が打ち出された。

2 エドガー・フォールを委員長とするユネスコ教育開発国際委員会は，報告書「Learning to be」をまとめた。

3 中央教育審議会答申「生涯学習の基盤整備について」を受けて「生涯学習の振興のための施策の推進体制等の整備に関する法律」が成立した。

4 ユネスコ成人教育推進国際委員会でポール・ラングランは，生涯教育の考え方を提唱した。

★
No. 4 次は，社会教育法の条文の一部である。文中の（　ア　）～（　ウ　）にあてはまる語句の正しい組合せを下の①～⑥から1つ選べ。【秋田県】

第9条の3　社会教育主事は，社会教育を行う者に（　ア　）技術的な助言と指導を与える。ただし，命令及び監督をしてはならない。

2　社会教育主事は，学校が社会教育関係団体，地域住民その他の関係者の協力を得て教育活動を行う場合には，その（　イ　）に応じて，必要な助言を行うことができる。

3　社会教育主事補は，社会教育主事の職務を助ける。

第9条の4　次の各号のいずれかに該当するものは，社会教育主事となる資格を有する。

一　(略)

二　教育職員の普通免許状を有し，かつ，（　ウ　）以上文部科学大臣の指定する教育に関する職にあつた者で，次条の規定による社会教育主事の講習を修了したもの

三　(略)

四　(略)

①	ア	実践的	イ	実態	ウ	3年
②	ア	社会的	イ	求め	ウ	5年
③	ア	専門的	イ	実態	ウ	10年
④	ア	実践的	イ	求め	ウ	10年
⑤	ア	専門的	イ	求め	ウ	5年
⑥	ア	社会的	イ	実態	ウ	3年

実戦問題の解説

No.3の解説 生涯学習の推進

らくらくマスター P.116

1 臨時教育審議会は，1984年から1987年にかけて開催された。同審議会最終答申において，今後の教育改革の方向として，1）個性重視の原則，2）生涯学習体系への移行，3）変化への対応（国際社会への貢献，情報化への対応），という3つの原則が打ち出された。**1987年**のことである。

2 フォール報告は，エドガー・フォール（元フランス首相）を委員長とするユネスコの教育国際開発委員会が**1972年**に発表した生涯教育・学習社会を提唱した報告（『Learning To Be』，邦訳は『未来の学習』）である。

3 「生涯学習の振興のための施策の推進体制等の整備に関する法律」は，通称，生涯学習振興法と呼ばれる。**1990年**に制定されたこの法律は，生涯学習振興のための都道府県の事業等について規定したものである。

4 生涯教育という概念は，**1965年**，ユネスコ成人教育推進国際委員会において，ポール・ラングランが提唱したものである。なお，この概念を日本に紹介したのは波多野完治である。

4→2→1→3の順であるから，**2**が正答となる。

No.4の解説 社会教育法

らくらくマスター P.116

社会教育主事は，各自治体の教育委員会に置かれる専門職である。外部の有識者に委嘱される社会教育委員と，混同しないようにすること。

ア **専門的**が入る。社会教育主事は，地域の社会教育計画の立案や，関係者への指導・助言など，高度な専門性を有する専門職である。なお教育委員会には**社会教育委員**も置かれ，「教育委員会の諮問に応じ，これに対して，意見を述べる」「社会教育関係団体，社会教育指導者その他関係者に対し，助言と指導を与える」ことなどを職務とする（第17条第1項）。社会教育委員は，外部の有識者等に委嘱する非常勤職である。

イ **求め**が入る。学校でも社会教育は行われる。社会教育とは「学校の教育課程として行われる教育活動を除き，主として青少年及び成人に対して行われる組織的な教育活動」（第2条）であり，青少年も対象となる。学校と社会教育の連携を，**学社連携**という。

ウ **5年**が入る。専門職としての社会教育主事には，相応の資格が求められる。「社会教育主事の講習は，文部科学大臣の委嘱を受けた大学その他の教育機関が行う」とされる（第9条の5第1項）。

正答 No.3 2　No.4 ⑤

キャリア教育

頻出度 C

必修問題

出題データ　群馬県では5年間で2回出題されている。福岡県では毎年出題されている。

キャリア教育についての説明として，正しいものの組合せはどれか。

【群馬県】

ア　キャリア教育を通して育成することが期待される基礎的・汎用的能力の1つである「キャリアプランニング能力」とは，仕事をする上での様々な課題を発見・分析し，適切な計画を立ててその課題を処理し，解決することができる能力のことである。

イ　キャリア教育の視点から小・中・高等学校のつながりを明確にするため，小・中学校の学級活動，高等学校のホームルーム活動において，「一人一人のキャリア形成と自己実現」が新たに小学校学習指導要領・中学校学習指導要領（平成29年3月告示），高等学校学習指導要領（平成30年3月告示）に示された。

ウ　キャリア教育は，教育活動全体の中で基礎的・汎用的能力を育むものであることから，職業調べや職場体験活動，進学・就職に向けた指導などの固定的な活動に限定することが大切である。

エ　発達段階に応じた系統的なキャリア教育を充実させるために，ポートフォリオ的な教材等を活用して，小・中・高等学校の各段階における学習や生活を振り返って蓄積していくことが大切である。

①　ア　イ　②　ア　ウ　③　イ　ウ　④　イ　エ　⑤　ウ　エ

らくらくマスター P.122

必修問題の解説

キャリア教育で育成する基礎的・汎用的能力，学校の教育課程におけるキャリア教育の位置付けなどについて問われている。キャリア教育は，早い段階から体系的に実施される点も重要である。

ア× キャリアプランニング能力ではなく，**課題対応能力**の説明である。キャリアプランニング能力とは，「働くことの意義を理解し，自らが果たすべき様々な立場や役割との関連を踏まえて「働くこと」を位置付け，多様な生き方に関する様々な情報を適切に取捨選択・活用しながら，自ら主体的に判断してキャリアを形成していく力」をさす。中教審答申「今後の学校におけるキャリア教育・職業教育の在り方について」(2011年）による。**基礎的・汎用的能力**は４つからなり，残りの２つは「人間関係形成・社会形成能力」と「自己理解・自己管理能力」である。具体的な要素は，本テーマのNo.２の問題を参照。

イ○ 正しい。**小学校段階から**キャリア教育の視点がとられている。キャリア教育は中学校や高校から始まるのではなく，幼児期から体系的に実施されるものである。

ウ× キャリア教育は「特定の活動や指導方法に限定されるものではなく，様々な教育活動を通して実践されるもの」とされる（上記の中教審答申)。文中で言われているような固定的な活動に限定してはいけない。

エ○ 正しい。『小学校学習指導要領解説・特別活動編』による。ポートフォリオとは，学習の過程で作成したメモ，資料，教師とのやり取りの記録，自己評価，テストなどをファイルさせたものである。生徒の活動や思考の変化をたどり，学習のプロセスを評価するのに使える。

正答 ④

ここが問われる！出題ポイント

学校卒業者の無業問題が深刻化している状況もあってか，出題頻度が高いテーマである。キャリア教育の概念，各発達段階における指導の留意点，および基礎的・汎用的能力の4要素などについて問われる可能性が高い。出題される資料は，2011年の中教審答申「今後の学校におけるキャリア教育・職業教育の在り方について」と決まっているので，今述べた箇所を中心に原文を読み込んでおこう。

実戦問題

★

No. 1 次の文章は，「『キャリア・パスポート』の様式例と指導上の留意事項」（平成31年3月　文部科学省）の「キャリア・パスポート」の定義について書かれたものである。文章中の（　a　）～（　c　）にあてはまる語句の組合せとして，最も適当なものを選びなさい。　【千葉県・千葉市】

「キャリア・パスポート」とは，児童生徒が，小学校から（　a　）までのキャリア教育に関わる諸活動について，特別活動の（　b　）を中心として，各教科等と往還し，自らの学習状況やキャリア形成を見通したり振り返ったりしながら，自身の変容や成長を自己評価できるよう工夫されたポートフォリオのことである。

なお，その記述や自己評価の指導にあたっては，教師が（　c　）に関わり，児童生徒一人一人の目標修正などの改善を支援し，個性を伸ばす指導へとつなげながら，学校，家庭及び地域における学びを自己のキャリア形成に生かそうとする態度を養うよう努めなければならない。

① a 中学校　b 児童会活動及び生徒会活動　c 対話的
② a 中学校　b 学級活動及びホームルーム活動　c 総合的
③ a 高等学校　b 学級活動及びホームルーム活動　c 対話的
④ a 高等学校　b 学級活動及びホームルーム活動　c 協働的
⑤ a 高等学校　b 児童会活動及び生徒会活動　c 総合的

★★

No. 2 キャリア教育に関する次の記述ア～エのうち，正しいものを選んだ組合せとして適切なものは，下の1～5のうちのどれか。　【東京都】

ア　キャリア教育は，一定または特定の職業に従事するために必要な知識，技能，能力や態度を育てる教育である。

イ　キャリア教育は，特定の活動や指導方法に限定されるものではなく，様々な教育活動を通して実践されるものである。

ウ　キャリア教育で育成すべき「基礎的・汎用的能力」は，「人間関係形成・社会形成能力」，「自己理解・自己管理能力」，「課題対応能力」，「キャリアプランニング能力」の4つで構成されている。

エ　生涯にわたる多様なキャリア形成に共通して必要な能力や態度を，義務教育を修了するまでに，身に付けさせることを目標とすることが必要であるとされている。

1 ア・イ　**2** ア・ウ　**3** イ・ウ　**4** イ・エ　**5** ウ・エ

実戦問題の解説

No.1の解説 キャリア・パスポート

らくらくマスター P.122

キャリア・パスポートとは，学びを記録し，自身の変容や成長を自覚するためのポートフォリオである。**ポートフォリオ**とは，学習の過程で作成したメモ，資料，教師とのやり取りの記録，自己評価，テストなどをファイルしたもので，画家がメモや作品をしまい込む折りカバン（ポートフォリオ）に似ていることから，このように呼ばれる。

a **高等学校**が入る。後期中等教育を修了するまでに，キャリア形成に必要な能力や態度を身に付けさせるとある（中央教育審議会答申「今後の学校におけるキャリア教育・職業教育の在り方について」2011年）。

b **学級活動及びホームルーム活動**が入る。学級活動・ホームルーム活動の内容に，「一人一人のキャリア形成と自己実現」というものが含まれている。小・中学校の学級活動は，高等学校ではホームルーム活動という。

c **対話的**が入る。双方向の対話を通して，児童生徒のキャリア形成を支援する。

No.2の解説 キャリア教育

らくらくマスター P.122

中央教育審議会答申「今後の学校におけるキャリア教育・職業教育の在り方について」(2011年）からの出題である。

ア× キャリア教育ではなく，**職業教育**の説明である。キャリア教育は，「一人一人の社会的・職業的自立に向け，必要な基盤となる能力や態度を育てることを通して，キャリア発達を促す教育」をいう。特定の職業への準備という職業教育よりも，広義の概念である。

イ○ 正しい。座学だけでなく，職場体験活動など，体験的な学習活動の機会が設けられる。

ウ○ 正しい。基礎的・汎用的能力とは，「分野や職種にかかわらず，社会的・職業的自立に向けて必要な基盤となる能力」である。それは，選択肢で言われている4つの要素からなる。

エ× 高校等の後期中等教育機関への進学率がほぼ100％となっていることにかんがみ，「義務教育において自立的に生きる基礎を培った上で，**後期中等教育を修了するまでに**，生涯にわたる多様なキャリア形成に共通して必要な能力や態度を身に付けさせる」とある。

正答 No.1 ③ No.2 3

テーマ 19 教育原理

情報教育

頻出度 A

必修問題

出題データ　千葉県では5年間で4回出題されている。三重県や岡山県なども5年間で4回。福岡県では毎年出題されている。

「教育の情報化に関する手引」（令和元年12月　文部科学省）に関する内容として，適当でないものを選びなさい。　【千葉県・千葉市】

① 「教育の情報化」とは，情報通信技術の，時間的・空間的制約を超える，双方向性を有する，カスタマイズを容易にするといった特長を生かして，教育の質の向上を目指すものである。

② 「教育の情報化」は，情報教育，教科指導におけるICT活用，校務の情報化の3つの側面から構成されている。

③ 今回改訂された学習指導要領においては，前回同様「情報活用能力」を学習の基盤となる資質・能力と位置付け，教科等横断的にその育成を図ることとした。

④ 「情報活用能力」は，世の中の様々な事象を情報とその結び付きとして捉え，情報及び情報技術を適切かつ効果的に活用して，問題を発見・解決したり自分の考えを形成したりしていくために必要な資質・能力である。

⑤ 小学校及び特別支援学校小学部の学習指導要領においてICTの基本的な操作を習得するための学習活動及びプログラミング教育を各教科の特質に応じて計画的に実施することとされた。

必修問題の解説

らくらくマスター P.130

教育の情報化の３本柱，情報活用能力の概念，プログラミング教育といった重要事項についてバランスよく問われている。

①○ 情報通信技術を使った教育は，教師と生徒が同じ時間・同じ場所に居合わせて行う必要はないし，双方向のやり取りもできる。学習者でペースを調整するというカスタマイズも可能である。こうした特長は，教育の質の向上に寄与する。

②○ 校務の情報化とは「教職員がICTを活用した情報共有によりきめ細やかな指導を行うことや，校務の負担軽減等」をさす。庶務連絡をインターネット経由ですれば教員の負担が軽減されるが，日本はこの面が遅れている。

毎日，学校のサイトの報せをチェックする（%）

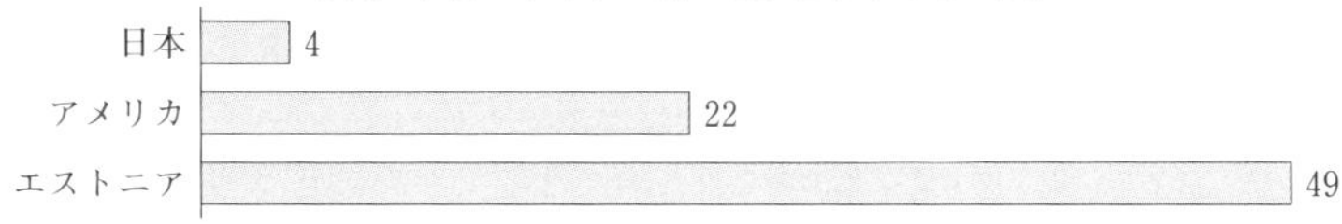

＊15歳生徒の回答。OECD「PISA 2018」より作成。

③× 前回同様という箇所は誤り。情報活用能力を学習の基盤となる資質・能力と位置づけ，教科等横断的にその育成を図ることにしたのは，2017年（2018年）告示の学習指導要領においてである。

④○ 具体的には「学習活動において必要に応じて**コンピュータ等の情報手段**を適切に用いて情報を得たり，情報を整理・比較したり，得られた情報を分かりやすく発信・伝達したり，必要に応じて保存・共有したりといったことができる力」をいう。

⑤○ 小学校において，プログラミング教育が必修化されたが，その目的は言語や技能の習得といった技術的なものではないことにも注意。

正答 ③

ここが問われる！出題ポイント

「教育の情報化に関する手引」に記載されている，①教育の情報化の３本柱，②情報教育で身につけさせる３つの資質・能力，について詳しく知っておきたい。小学校で必修となったプログラミング教育やデジタル教科書の出題も予想される。一人一台端末のGIGAスクール構想も要注意である。

実戦問題

★★

No. 1 次の文章は，「教育の情報化に関する手引（追補版）」（令和２年６月　文部科学省）の一部である。文章中の［(1)］から［(4)］にあてはまる語句の組合せとして最も適切なものを，下のアからエのうちから１つ選べ。【栃木県】

「情報活用能力」は，世の中の様々な事象を情報とその結び付きとして捉え，情報及び情報技術を適切かつ効果的に活用して，問題を発見・解決したり［(1)］を形成したりしていくために必要な資質・能力である。より具体的に捉えれば，学習活動において必要に応じてコンピュータ等の情報手段を適切に用いて情報を得たり，情報を整理・比較したり，得られた情報を分かりやすく発信・伝達したり，必要に応じて保存・共有したりといったことができる力であり，さらに，このような学習活動を遂行する上で必要となる情報手段の基本的な操作の習得や，［(2)］的思考，［(3)］等に関する資質・能力等も含むものである。このような情報活用能力を育成することは，将来の予測が難しい社会において，情報を主体的に捉えながら，何が重要かを主体的に考え，見いだした情報を活用しながら［(4)］し，新たな価値の創造に挑んでいくために重要である。

ア	(1)未来の社会	(2)プログラミング	(3)情報セキュリティ	(4)世界に発信
イ	(1)自分の考え	(2)論理	(3)情報セキュリティ	(4)他者と協働
ウ	(1)未来の社会	(2)論理	(3)情報モラル	(4)世界に発信
エ	(1)自分の考え	(2)プログラミング	(3)情報モラル	(4)他者と協働

★

No. 2 次の文は，文部科学省の「GIGAスクール構想」についての説明の一部である。文中の（　A　）～（　C　）にあてはまる語句の正しい組合せを，下の１～５の中から１つ選べ。【和歌山県】

１人１台端末と，高速大容量の通信ネットワークを一体的に整備することで，（　A　）を含め，多様な子供たちを誰一人取り残すことなく，公正に（　B　）され，資質・能力が一層確実に育成できる教育（　C　）環境を実現する。

	A	B	C
1	障害のある子供	個別最適化	ICT
2	特別な支援を必要とする子供	個別最適化	ICT
3	不登校の子供	教育的ニーズが保証	AI
4	特別な支援を必要とする子供	個別最適化	AI
5	障害のある子供	教育的ニーズが保証	ICT

実戦問題の解説

No.1の解説 情報活用能力 らくらくマスター P.130

児童生徒に身に付けさせる情報活用能力について，深く知っておこう。

ア(1) **自分の考え**が入る。自分の考えを形成するには各種の情報を収集し，時には発信し，他者からフィードバックを得るなどの過程を経るが，ICTなどの情報技術（機器）は，それを著しく容易にしてくれる。

イ(2) **プログラミング**が入る。プログラミング的思考の定義については，本テーマのNo. 6の問題を参照のこと。小学校では，プログラミング教育が必修となっている。

ウ(3) **情報モラル**が入る。情報モラルとは，「情報社会で適正な活動を行うための基になる考え方と態度」のことで，具体的には「他者への影響を考え，人権，知的財産権など自他の権利を尊重し情報社会での行動に責任をもつことや，犯罪被害を含む危険の回避など情報を正しく安全に利用できること，コンピュータなどの情報機器の使用による健康との関わりを理解することなど」をさす（小学校学習指導要領解説・総則編）。インターネット上での誹謗中傷や悪ふざけ投稿などが問題化しているが，こういう態度面の資質の涵養も欠かせない。

エ(4) **他者と協働**が入る。情報通信ネットワークにより，世界中の他者と瞬時につながることが容易になっている。

No.2の解説 GIGAスクール構想 らくらくマスター P.130

1人1台端末を掲げた「GIGAスクール構想」は，近年の目玉政策だ。

A **特別な支援を必要とする子供**が入る。動画や音声などが組み込まれたICT機器は，障害のある児童生徒など，特別な支援を要する子供の学びに寄与する。現在では，教育課程の全部においてデジタル教科書を使うこともできる。

B **個別最適化**が入る。個別最適な学びは，令和時代の教育のキーワードである。感染症対策で自宅学習が増え，かつ児童生徒の背景が多様化している中，従前の集団一律の学習だけでなく，個々人に即した個別最適な学びが求められる。ICT機器は，そのために欠かせないツールとなる。

C **ICT**が入る。ICTとは，「Information and Communication Technology（情報通信技術）」の略である。

正答 No.1 エ　No.2 2

実戦問題

★★★
No. 3 次の文は，「教育の情報化に関する手引」（令和元年12月　文部科学省）で示される情報教育の目標の３観点について述べたものである。下線部A～Eについて，正しいものを○，誤っているものを×としたとき，その組合せとして正しいものはどれか。 【岡山県】

「情報活用の実践力」とは，課題や目的に応じて情報手段を適切に活用することを含めて，必要な情報を主体的に収集・判断・表現・処理・創造し，A社会の状況などを踏まえて発信・伝達できる能力のことである。

「情報の科学的な理解」とは，情報活用の基礎となるB情報手段の特性の理解と，情報を適切に扱ったり，自らの情報活用を評価・改善するための基礎的な理論や方法の理解のことである。

「情報社会に参画する態度」とは，C社会生活の中で情報や情報技術が果たしている役割や及ぼしているD影響を理解し，E社会常識の必要性や情報に対する責任について考え，望ましい情報社会の創造に参画しようとする態度のことである。

	A	B	C	D	E
1	○	×	×	×	○
2	×	○	○	○	×
3	○	○	×	○	×
4	×	×	○	×	○
5	○	×	×	×	×

★★
No. 4 「学習者用デジタル教科書の効果的な活用の在り方等に関するガイドライン」（文部科学省　令和３年３月改訂）で示されている学習者用デジタル教科書を使用した指導上の留意点の内容として適切でないものを，次のア～エから１つ選びなさい。 【兵庫県】

ア　全児童生徒に一人一台の学習者用コンピュータが整備されていない場合には，クラス間における利用調整等を行い，当該授業において一人一台の学習者用コンピュータを用意すること。

イ　紙の教科書に代えて学習者用デジタル教科書を使用できるのは，各学年における各教科等の授業時数の２分の１未満であること。ただし，特別な配慮を必要とする児童生徒等については，この限りではないこと。

ウ　学習者用デジタル教科書や学習者用デジタル教材を単に視聴させるだけではなく「主体的・対話的で深い学び」の視点からの授業改善に資するよう活用すること。

エ　漢字や計算等に関する繰り返し学習や学習内容をまとめる等で書くことが大事な場面では，ノートの使用を基本とすること。

実戦問題の解説

No.3の解説　教育の情報化に関する手引　らくらくマスター P.130

A × **受け手**である。情報を発信する先には，受け手がいる。

B ○ 正しい。学校現場での，パソコンやタブレット等の端末が普及してきている。文部科学省の「GIGAスクール構想」では，2023年度までに「1人1台端末」を実現するとされる。情報手段は学習の幅を格段に広げ，人とのつながりを容易にする。

C ○ 正しい。情報化社会では，情報や情報技術は，社会生活の中で不可欠の役割を果たしている。情報はインターネットから得て，やり取りはメールやSNS等でなされ，公的文書も電子化されていることがほとんどである。

D ○ 正しい。情報や情報技術は生活の利便性を上げてくれたが，負の影響ももたらしている。

E × **情報モラル**である。情報モラルとは，情報社会で適正な活動を行うための基になる考え方と態度をさす。

よって，**2**が正答となる。

No.4の解説　デジタル教科書　らくらくマスター P.130

デジタル教科書は，紙の教科書と同一の内容がデジタル化された教材であり，教科書発行者が作成するものである。

ア ○ 正しい。「学習者用デジタル教科書の故障や不具合等が生じる場合に備え，可能な限り**予備用**学習者用コンピュータを準備しておくとともに，常に紙の教科書を使用できるようにしておくこと」という規定もある。

イ × 総授業時数の2分の1未満という規定はない。学習者用デジタル教科書は，各教科等の授業時数の**制限なく使用できる**こととなっている。

ウ ○ 正しい。デジタル教科書は，あくまで学びの手段である。「児童生徒が自分の考えを発表する際に，必要に応じて具体的なものなどを用いたり，黒板に書いたりするなど，学習者用デジタル教科書の使用に**固執しないこと**」とも言われている。

エ ○ 正しい。「学習者用デジタル教科書の使用により，文字を手書きすることや実験・実習等の体験的な学習活動が疎かになることは避けること」とある。なお，読み・書き等に困難のある児童生徒等については，ICT 機器の使用を許可するなど合理的配慮に留意する。

正答　No.3　2　　No.4　イ

実戦問題

★★
No. 5 次の文は，「学校教育の情報化の推進に関する法律」（令和元年法律第47号）の一部である。（　A　）～（　D　）に当てはまる語句の組合せとして正しいものはどれか。 **【岡山市】**

第３条　学校教育の情報化の推進は，情報通信技術の特性を生かして，個々の児童生徒の能力，特性等に応じた教育，（　A　）のある教育（[省略]）等が学校の教員による適切な指導を通じて行われることにより，各教科等の指導等において，情報及び情報手段を主体的に選択し，及びこれを活用する能力の体系的な育成その他の知識及び技能の習得等（[省略]）が効果的に図られるよう行われなければならない。

2　[省略]

3　学校教育の情報化の推進は，全ての児童生徒が，その家庭の経済的な状況，居住する地域，障害の有無等にかかわらず，等しく，学校教育の情報化の恵沢を享受し，もって教育の（　B　）が図られるよう行われなければならない。

4　[省略]

5　学校教育の情報化の推進は，児童生徒等の（　C　）の適正な取扱い及びサイバーセキュリティ（[省略]）の確保を図りつつ行われなければならない。

6　学校教育の情報化の推進は，児童生徒による情報通信技術の利用が児童生徒の（　D　），生活等に及ぼす影響に十分配慮して行われなければならない。

	A	B	C	D
1	主体性・対話性	環境整備	個人情報	安全
2	双方向性	機会均等	個人情報	健康
3	双方向性	環境整備	指導要録	安全
4	主体性・対話性	機会均等	指導要録	安全
5	双方向性	環境整備	個人情報	健康

実戦問題の解説

No.5の解説　学校教育情報化推進法

らくらくマスター P.130

2019年６月に，学校教育の情報化の推進に関する法律が制定された。試験では，基本理念について定めた第３条がよく出題される。

A **双方向性**が入る。情報機器を使った教育は，従来は動画に収録された教員の話を生徒が聴く，という一方的なものが多かったが，現在では双方向のやり取りが可能になっている。新型コロナウイルスがまん延した2020年では，全国の学校が休校となったが，その際はICT機器を使った授業が行われた。

B **機会均等**が入る。情報機器を使えば，どこにおいても授業を受けることができる。へき地に住んでいる子や，病気で入院している子などが，教育の機会を享受することに寄与している。だが機器を揃えるのには費用がかかり，2020年度の新型コロナウイルス対策での休校の際，「家庭学習でのICT活用に際して，家庭のPC・タブレット等の端末が不足していたことが課題となった」と答えた学校が多かった（下図）。

休校の際，ICT活用に際して，家庭での端末の不足が課題となったか？

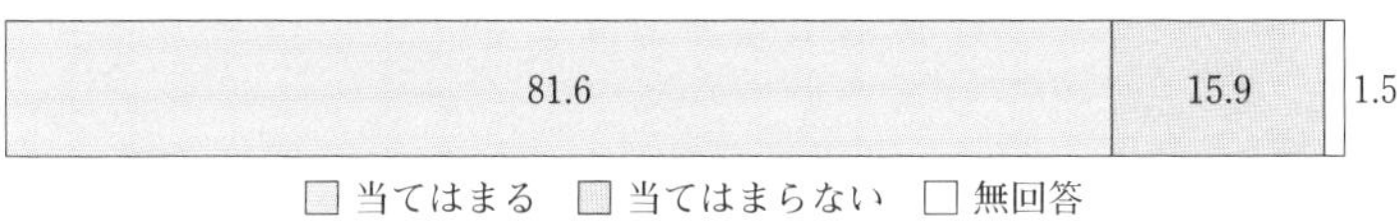

＊公立小学校の回答分布。文科省「全国学力・学習状況調査」（2021年度）より作成

困窮家庭の場合，端末購入の費用の補助なども求められる。経済的な状況にかかわらず，学校教育の情報化の恵沢を享受できるようにするためである（本問の条文の第３項）。

C **個人情報**が入る。学校の端末に児童生徒の個人情報をストックすることになるので，その管理には注意を払う必要がある。

D **健康**が入る。文科省のガイドラインでは，「目と画面を30cm以上離す」「就寝１時間前からはICT機器の利用を控える」などの留意事項が示されている（「GIGAスクール構想の下で整備された学校における１人１台端末等のICT環境の活用に関する方針」2022年３月）。

よって，正答は**2**である。

正答　No.5　2

安全・健康・保健

頻出度 A

必修問題

出題データ　長野県では5年間で2回出題。静岡県，山口県，宮崎県では毎年出題されている。

次は，『「生きる力」をはぐくむ学校での安全教育』（平成31年3月　文部科学省）第1章　総説　第2節　学校安全の考え方　の一部である。（　）に入る正しい言葉の組み合わせを選びなさい。　【長野県】

○　学校安全のねらいは，児童生徒等が自ら安全に行動し，他の人や社会の安全に貢献できる資質・能力を育成するとともに，児童生徒等の安全を確保するための（　ア　）を整えることである。

○　学校安全の領域は，「生活安全」「交通安全」「災害安全」などがあるが，従来想定されなかった新たな危機事象の出現などにも柔軟に対応し，学校保健や（　イ　）など様々な関連領域と連携して取り組むことが重要である。

○　学校安全の活動は，安全教育，安全管理から構成されており，相互に関連付けて組織的に行うことが必要である。

○　学校における安全教育は，主に学習指導要領を踏まえ，学校の（　ウ　）全体を通じて実施する。

○　学校における安全管理・組織活動は，主に（　エ　）に基づいて実施する。

○　学校安全の推進に関する施策の方向性と具体的な方策は，（　オ　）ごとに策定する学校安全の推進に関する計画に定められている。

① ア　環境　イ　生徒指導　ウ　教育活動　エ　学校保健安全法　オ　5年
② ア　生活　イ　生活指導　ウ　特別活動　エ　学校安全法　オ　10年
③ ア　生活　イ　生徒指導　ウ　教育活動　エ　学校安全法　オ　5年
④ ア　環境　イ　生徒指導　ウ　特別活動　エ　学校安全法　オ　10年
⑤ ア　環境　イ　生活指導　ウ　教育活動　エ　学校保健安全法　オ　5年

必修問題の解説

らくらくマスター P.124

学校安全と安全教育を混同しないようにすること。後者は，前者の活動の１つである。

ア **環境**が入る。「学校を取り巻く危機事象は，時代や社会の変化に伴って変わっていくものであり，従来想定されなかった新たな危機事象の出現などに応じて，学校安全の在り方を柔軟に見直していくことが必要」とある。

イ **生徒指導**が入る。課題によっては，生徒指導，情報モラルの育成など様々な分野との連携も必要となる。事故等を防ぐとともに，発生時の被害を最小限にするためには，必要に応じて学校保健や生徒指導等の関連領域と連携する。

ウ **教育活動**が入る。学校における安全教育は，「児童生徒等自身に，日常生活全般における安全確保のために必要な事項を実践的に理解し，自他の生命尊重を基盤として，生涯を通じて安全な生活を送る基礎を培うとともに，進んで安全で安心な社会づくりに参加し貢献できるような資質・能力を育成することを目指して行われるもの」で，特定の教科に限定してではなく，学校の**教育活動全体**を通じて行う。

エ **学校保健安全法**が入る。学校安全計画や危険等発生時対処要領等の作成について定めた法律である。

オ **5年**が入る。2022年３月に，第３次・学校安全の推進に関する計画が策定されている。「全ての児童生徒等が，自ら適切に判断し，主体的に行動できるよう，安全に関する資質・能力を身に付けること」，「学校管理下における児童生徒等の死亡事故の発生件数について限りなくゼロにすること」，「学校管理下における児童生徒等の負傷・疾病の発生率について，障害や重度の負傷を伴う事故を中心に減少させること」を目指すとある。

正答 ①

ここが問われる！出題ポイント

2011年の東日本大震災や子どもが被害者となる犯罪の続発を受けて，「学校安全の推進に関する計画」や「学校での安全教育」等の文書が公表されている。これらの内容に関する正誤判定問題が多い。また，子どもの貧困対策や食育の基本事項についてもよく問われる。

実戦問題

★
No. 1 次の文は，令和４年３月25日に策定された「第３次学校安全の推進に関する計画」の一部である。［①］～［③］に当てはまる語句の組合せとして適切なものは，下の１～５のうちどれか。【新潟県】

学校における安全教育の目標は，日常生活全般における安全確保のために必要な事項を［①］に理解し，自他の［②］を基盤として，生涯を通じて安全な生活を送る基礎を培うとともに，進んで安全で安心な社会づくりに参加し貢献できるような資質・能力を育成することを目指すものである。

各学校では，新学習指導要領において重視している［③］の考え方を生かしながら，児童生徒等や学校，地域の実態及び児童生徒等の発達の段階を考慮して，学校の特色を生かした安全教育の目標や指導の重点を設定し，教育課程を編成・実施していくことが重要であり，各学校において管理職や教職員の共通理解を図りながら，安全教育を積極的に推進するべきである。

1　①実践的　②生命尊重　③カリキュラム・マネジメント
2　①実践的　②人権尊重　③社会に開かれた教育課程
3　①実践的　②生命尊重　③社会に開かれた教育課程
4　①計画的　②人権尊重　③カリキュラム・マネジメント
5　①計画的　②生命尊重　③カリキュラム・マネジメント

★
No. 2 「ヤングケアラー」について述べた次の①～④の文のうち，誤っているものを１つ選び，番号で答えよ。【長崎県】

① 「ヤングケアラー」とは，本来大人が担うと想定されている家事や家族の世話などを日常的に行っている18歳未満の子どもをいう。
② 「ヤングケアラー」には，年齢や成長の度合いに見合わない重い責任や負担を負うことで，本人の育ちや教育に影響があるといった課題がある。
③ 「ヤングケアラー」の背景には，少子高齢化や核家族化の進展，共働き世帯の増加，家庭の経済状況の変化といった要因がある。
④ 国の「ヤングケアラーの実態に関する調査研究」（令和３年３月）によると，世話をしている家族が「いる」と回答したものは，中学２年生で３割以上となっている。

実戦問題の解説

No.1の解説　安全教育の目標
らくらくマスター ➡ P.124

安全教育は安全管理と並んで，学校安全を構成する活動の１つである。

❶ **実践的**が入る。机上の知識の習得だけでなく，実践的な理解を目指す。そのために，ロール・プレイング等の活動も行う。

❷ **生命尊重**が入る。まずは命を守ることだ。

❸ **カリキュラム・マネジメント**が入る。「学校教育に関わる様々な取組を，教育課程を中心に据えながら組織的かつ計画的に実施し，教育活動の質の向上につなげていくこと」をいう（『小学校学習指導要領解説・総則編』）。

No.2の解説　ヤングケアラー
らくらくマスター ➡ P.146

家族のケアで，子どもらしい暮らしや勉学の時間を奪われている「**ヤングケアラー**」の存在が注目されている。

❶ ○ 正しい。

❷ ○ 正しい。2020年の実態調査によると，世話をしている家族がいる生徒は中学校２年生で5.7％，高校２年生で4.1％という結果で，そのうちの約半数が世話をほぼ毎日しており，１割が１日７時間以上世話しているという。明らかに，育ちや教育に影響が出るレベルである。中学校２年生のデータを図解すると，次のようになる。

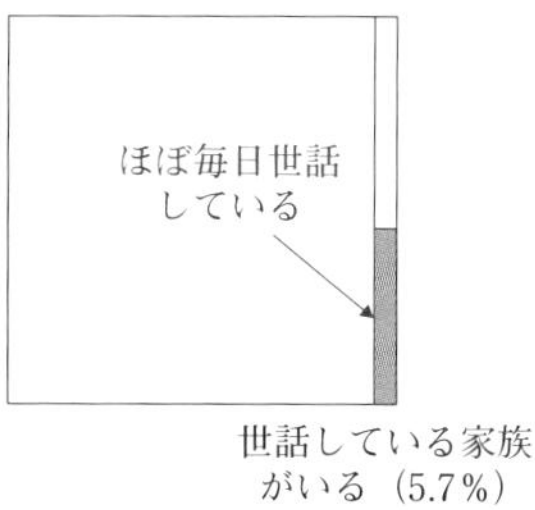

❸ ○ 正しい。共働き世帯の増加で，両親不在の間，幼い弟妹の世話をする子が増えているとみられる。晩産化の影響で，祖父母の介護をしている子も多くなっていると思われる。

❹ × 選択肢②の解説で見たように，中学校２年生では5.7％という結果である。

正答　No.1　1　　No.2　④

実戦問題

★★
No. 3 「生徒指導提要」（令和４年12月　文部科学省）「第12章　12.4 『性的マイノリティ』に関する課題と対応」で示されている内容について，誤っているものを，次の選択肢から１つ選び，番号で答えなさい。 【宮崎県】

1　いわゆる「性的マイノリティ」は，LGBTの４つのカテゴリーに限定されるものではなく，身体的性，性的志向，性自認等の様々な次元の要素の組み合わせによって，多様な性的指向・性自認をもつ人々が存在する。
2　生物学的な性と性別に関する自己意識を指す性自認と，恋愛対象が誰であるかを示す性的指向は異なる概念であり，対応に当たって混同しないことが必要である。
3　「性的マイノリティ」とされる児童生徒が有する違和感は，成長に従い減ずることも含めて，変動があり得るものとされる。
4　「性的マイノリティ」とされる児童生徒には，自身のそうした状態を秘匿しておきたい場合があることから，支援に当たっては学校内の教職員のみで「支援チーム」をつくることを原則とし，プライバシーの保護に努めることが大切である。
5　学校においては，「性的マイノリティ」とされる児童生徒への配慮と，他の児童生徒への配慮との均衡を取りながら，支援を進めることが重要である。

★★
No. 4 学校給食法第２条には学校給食の目標が示されている。その条文の記述として誤っているものはどれか。１～６から１つ選べ。 【奈良県】

1　適切な栄養の摂取による健康の保持増進を図ること。
2　日常生活における食事について正しい理解を深め，健全な食生活を営むことができる判断力を培い，及び望ましい食習慣を養うこと。
3　学校生活を豊かにし，明るい社交性及び協同の精神を養うこと。
4　食生活が食にかかわる人々の様々な活動に支えられていることについての理解を深め，勤労を重んずる態度を養うこと。
5　我が国と地域の食文化に接することで，我が国と地域を愛する心を育てること。
6　食料の生産，流通及び消費について，正しい理解に導くこと。

実戦問題の解説

No.3の解説 性的マイノリティ

らくらくマスター➡P.134

1 ○ 正しい。LGBTとは，レズビアン（Lesbian女性同性愛者），ゲイ（Gay男性同性愛者），バイセクシュアル（Bisexual両性愛者），トランスジェンダー（Transgender身体的性別と性自認が一致しない人）の頭文字をとったものである。4つの性的なマイノリティの頭文字をとった総称で，性の多様性を表す言葉として使われる。このうちのTは，誰が好きというような性的指向を表す頭文字ではない。性的指向と性自認は別個の概念である。

2 ○ 正しい。生物学的性と性自認が異なることは，性同一性障害と言われる。

3 ○ 正しい。「学校として，先入観をもたず，その時々の児童生徒の状況などに応じた支援を行うことが必要」とある。

4 × **学校内外の連携**に基づいて「支援チーム」をつくる。教職員のみでチームをつくるのではない。プライバシーの保護に留意しつつ，「学校として効果的な対応を進めるためには，教職員間で**情報共有し組織で対応**することは欠かせないことから，当事者である児童生徒やその保護者に対し，情報を共有する意図を十分に説明・相談し理解を得る働きかけ」も求められる。

5 ○ 正しい。更衣室やトイレ等の配慮も要るが，他の児童生徒への配慮との均衡に留意が要る。

No.4の解説 学校給食の目標

らくらくマスター➡P.128

給食はお腹を満たすだけでなく，食育の面でも重要な役割を果たす。

1 ○ 正しい。給食は，栄養バランスに配慮されている。全ての子どもに栄養のある食事を，という観点から，給食の**無償化**を求める声も多い。

2 ○ 正しい。給食は，**食育**の場にもなる。

3 ○ 正しい。給食は栄養摂取のみならず，マナーや社交を実践する場にもなる。

4 ○ 正しい。地域の食材を使うことも推奨されている，

5 × 正しくは，「我が国や各地域の優れた伝統的な**食文化についての理解を深めること**」である（第2条第6項）。

6 ○ 正しい。社会科の学習と関連付けてもいい。

正答 No.3 4 No.4 5

実戦問題

★
No. 5 「子どもの貧困対策の推進に関する法律」（令和元年改正）の「第２条」の「基本理念」に関する内容として，適当でないものを選びなさい。

【千葉県・千葉市】

① 子どもの貧困対策は，子どもの貧困の背景に様々な社会的な要因があることを踏まえ，推進されなければならない。

② 子どもの貧困対策は，社会のあらゆる分野において，子どもの年齢及び発達の程度に応じて，その意見が尊重され，その最善の利益が優先して考慮され，子どもが心身ともに健やかに育成されることを旨として，推進されなければならない。

③ 子どもの貧困対策は，子ども等に対する教育の支援，生活の安定に資するための支援，職業生活の安定と向上に資するための就労の支援，経済的支援等の施策を，子どもの現在及び将来がその生まれ育った環境によって左右されることのない社会を実現することを旨として，子ども等の生活及び取り巻く環境の状況に応じて包括的かつ早期に講ずることにより，推進されなければならない。

④ 子どもの貧困対策は，子どもが人生を切り拓いていく力をつけることを目標に，子どもへの教育に特化して推進されなければならない。

⑤ 子どもの貧困対策は，国及び地方公共団体の関係機関相互の密接な連携の下に，関連分野における総合的な取組として行われなければならない。

★★
No. 6 「第３次学校安全の推進に関する計画の策定について（答申）」（中央教育審議会　令和４年）の中で，第３次学校安全の推進に関する計画において取り組むべき施策の基本的な方向性として誤っているものを，次のア～エから１つ選びなさい。

【兵庫県】

ア　学校安全計画・危機管理マニュアルを見直すサイクルを構築し，学校安全の実効性を高める。

イ　地域の災害リスクを踏まえた実践的な防災教育・訓練を実施する。

ウ　地域の多様な主体と密接に連携・協働し，教職員の視点を加えた安全対策を推進する。

エ　事故情報や学校の取組状況などデータを活用し学校安全を「見える化」する。

実戦問題の解説

No.5の解説 子どもの貧困対策推進法

らくらくマスター ➡ P.146

子どもの貧困が深刻化していることを受け，2013年に制定された法律である（2019年改正）。

①○ 正しい。第２条第３項による。親年代の所得減少，非正規雇用の増加，また福祉政策の貧困等が考えられる。

②○ 正しい。第２条第１項による。子どもの意見表明権は，子どもの権利条約において規定されている。「締約国は，自己の意見を形成する能力のある児童がその児童に影響を及ぼすすべての事項について**自由に自己の意見を表明する権利**を確保する」（子どもの権利条約第12条）。

③○ 正しい。第２条第２項による。自己責任の風潮が強い日本では，保護者の就労支援ばかりが強調されがちだが，他の３つの面の支援強化も求められる。教育の支援として，現在では低所得世帯の大学の学費減免や，返済義務のない給付奨学金の制度が導入されている。

④× 本肢で言われているような規定はない。子どもの貧困対策は，教育だけに特化してなされるものではない。

⑤○ 正しい。第２条第４項による。子どもの貧困の要因は多岐にわたり，幅広い分野の機関が相互に連携した取組が求められる。

No.6の解説 第３次学校安全推進計画

らくらくマスター ➡ P.124

2022年３月に策定された，最新の計画である（計画期間は，2022年度から26年度までの５年間）。取り組むべき施策の方向性として６つ掲げられている。

ア○ 正しい。「第３次計画期間においては，セーフティプロモーションスクールの考え方を取り入れ，学校医等の積極的な参画を得ながら，学校種や児童生徒等の発達段階に応じた学校安全計画自体の見直しを含む**PDCAサイクル**の確立を目指す」とある。

イ○ 正しい。

ウ× 第３次計画の方策には含まれていない。

エ○ 正しい。「学校安全計画の策定状況」「各学校の学校安全計画の見直しに対する学校設置者による定期的な点検・指導の状況」等の指標により，学校安全の進展具合を「**見える化**」する。

正答 No.5 ④　No.6 ウ

実戦問題

★

No. 7 **下の文は，「第３次学校安全の推進に関する計画」（令和４年３月25日　閣議決定）の一部である。文中の（　a　）と（　b　）に当てはまる語句の正しい組合せはどれか。１～６から１つ選べ。【奈良県】**

学校安全の活動は，「（　a　）」，「交通安全」「災害安全」の各領域を通じて，自ら安全に行動したり，他の人や社会の安全のために貢献したりできるようにすることを目指す「安全教育」，児童生徒等を取り巻く環境を安全に整えることを目指す「安全管理」，これらの活動を円滑に進めるための「（　b　）」という３つの主要な活動から構成されている。

1　a―校内安全　b―連携活動　**2**　a―校内安全　b―組織活動
3　a―生活安全　b―連携活動　**4**　a―生活安全　b―組織活動
5　a―地域安全　b―組織活動　**6**　a―地域安全　b―連携活動

★

No. 8 **次の文章は，「学校安全資料『生きる力』をはぐくむ学校での安全教育」（文部科学省　平成31年３月）の第１章　総説　第４節　危機管理マニュアル　ポイント　です。空欄（　a　）～（　c　）にあてはまる言葉は何ですか。下の①～⑤の中から，正しい組合せを１つ選び，その記号を答えなさい。【広島県】**

○　危機管理マニュアルは，（　a　）で危険等が発生した際，教職員が円滑かつ的確な対応を図ることを目的とするもので，教職員の役割等を明確にし，児童生徒等の安全を確保する体制を確立するために必要な事項を全教職員が共通に理解することが必要である。

○　危機管理マニュアルを作成する際には，各学校の実情に応じて想定される危険を明確にし，事前・発生時・事後の三段階の危機管理を想定して，児童生徒等の（　b　）や身体を守る方策について検討する。併せて，全ての教職員，保護者や関係機関・関係団体等の参画や周知が重要である。

○　作成後も，全国各地において発生する様々な事故等・自校を取り巻く安全上の課題やその対策について，訓練，評価，（　c　）を繰り返し行っていくことが必要である。

①　a：学校管理下　b：健康　c：検証
②　a：学校管理下　b：生命　c：改善
③　a：学校管理下　b：健康　c：改善
④　a：学校の施設内　b：生命　c：検証
⑤　a：学校の施設内　b：健康　c：改善

実戦問題の解説

No.7の解説 第3次学校安全推進計画 らくらくマスター P.124

学校安全を構成する，3つの活動について問われている。①安全教育，②安全管理，これらを円滑に進める③組織活動である。最初の安全教育の目標については，No. 1の問題を参照。

a **生活安全**が入る。「学校・家庭など日常生活で起こる事件・事故を取り扱う。誘拐や傷害などの犯罪被害防止も含まれる」とある。交通安全には，様々な交通場面における危険と安全，事故防止が含まれる。最後の災害安全は防災と同義である」。

b **組織活動**が入る。組織活動については，「安全教育と安全管理を相互に関連付けるものであるとともに，校内体制の構築のみならず，学校安全に関わる活動の担い手となりうる学校外の多様な主体との連携が求められる」。

No.8の解説 危機管理マニュアル らくらくマスター P.126

学校保健安全法第29条にて，学校では**危険等発生時対処要領**を作成することと定められている。これが危機管理マニュアルである。危機管理を具体的に実行するための必要事項や手順等を示したものであり，学校管理下で危険等が発生した際，教職員が円滑かつ的確な対応を図るために作成する。

a **学校管理下**が入る。学校管理下とは，以下の場合をさす（日本スポーツ振興センター法施行令第5条第2項）。

①児童生徒等が，法令の規定により学校が編成した教育課程に基づく**授業を受けている場合**。

②児童生徒等が学校の教育計画に基づいて行われる**課外指導を受けている場合**。

③前2号に掲げる場合のほか，児童生徒等が休憩時間中に**学校にある場合**その他校長の指示又は承認に基づいて学校にある場合。

④児童生徒等が通常の経路及び方法により**通学する**場合。

b **生命**が入る。「各学校の実情に応じて想定される危険を明確にし，危険等発生時に児童生徒等の**生命や身体**を守るための具体的な対応について検討する」とある。発生時や事後のみならず，**事前**の危機管理も想定する。

c **改善**が入る。一度作成した後も**PDCAサイクル**の中で，訓練，評価，改善を繰り返し行っていく。

正答 No.7 4　No.8 ②

テーマ 教育原理

21 教育政策

頻出度 A

必修問題

出題データ　大分県では毎年出題。千葉県，三重県，宮崎県などでも必出である。

次の文は，中央教育審議会「『令和の日本型学校教育』の構築を目指して～全ての子供たちの可能性を引き出す，個別最適な学びと，協働的な学びの実現～（答申）」（令和３年１月26日）のうち，子供の学びについての記述である。文中の（　A　）～（　D　）に入る語句の正しい組合せを，下の１～５のうちから１つ選べ。なお，同じ記号には同じ語句が入るものとする。

【大分県】

全ての子供に基礎的・基本的な知識・技能を確実に習得させ，思考力・判断力・表現力等や，自ら学習を調整しながら粘り強く学習に取り組む（　A　）等を育成するためには，教師が支援の必要な子供により重点的な指導を行うことなどで効果的な指導を実現することや，子供一人一人の特性や学習進度，学習到達度等に応じ，指導方法・教材や学習時間等の柔軟な提供・設定を行うことなどの「指導の（　B　）」が必要である。

基礎的・基本的な知識・技能等や，（　C　）能力，情報活用能力，問題発見・解決能力等の学習の基盤となる資質・能力等を土台として，幼児期からの様々な場を通じての体験活動から得た子供の興味・関心・キャリア形成の方向性等に応じ，探究において課題の設定，情報の収集，整理・分析，まとめ・表現を行う等，教師が子供一人一人に応じた学習活動や学習課題に取り組む機会を提供することで，子供自身が学習が最適となるよう調整する「学習の（　D　）」も必要である。

以上の「指導の（　B　）」と「学習の（　D　）」を教師視点から整理した概念が「個に応じた指導」であり，この「個に応じた指導」を学習者視点から整理した概念が「個別最適な学び」である。

	A	B	C	D
1	態度	個別化	言語	個性化
2	習慣	適性化	コミュニケーション	最適化
3	習慣	個別化	コミュニケーション	個性化
4	態度	適性化	コミュニケーション	最適化
5	習慣	適性化	言語	最適化

必修問題の解説

らくらくマスター P.148

令和の学校教育の在り方を構想した，2021年1月の中央教育審議会答申は出題頻度が高い。本問で出題されているのは，その中でも重要な「個別最適な学び」について述べた箇所である。児童生徒の背景が多様化し，かつ感染症対策で自宅学習が増えている。個別最適な学習がどういうものか，しっかり押さえておこう。

A **態度**が入る。学習指導要領では，①知識・技能，②思考力・判断力・表現力，③学びに向かう力・人間性等の3つを育成するが，最後の態度面の資質と関連する。

B **個別化**が入る。「指導の個別化により個々の児童生徒の特性や学習進度等を丁寧に見取り，その状況に応じた指導方法の工夫や教材の提供等を行うことで，全ての児童生徒の資質・能力を確実に育成する」とある。感染症対策で自宅学習も増えている中，指導の個別化の必要性は増してきている。

C **言語**が入る。「具体的には，言語能力については，まず，教科学習の主たる教材である教科書を含む多様なテキスト及びグラフや図表等の各種資料を適切に読み取る力を，各教科等を通じて育成することが重要」とされる。

D **個性化**が入る。「修得主義の考え方と一定の期間の中で多様な成長を許容する**履修主義**の考え方を組み合わせ，「学習の個性化」により児童生徒の興味・関心等を生かした探究的な学習等を充実する」とされる。履修主義は，所定の教育課程を一定年限の間に履修させる方式で，課程の内容の修得状況を厳格に問う修得主義とは異なる。

正答 1

ここが問われる！出題ポイント

教育政策の文書が矢継ぎ早に出ているが，試験で問われるものは大体決まっている。2021年の中央教育審議会答申「『令和の日本型学校教育』の構築を目指して」，教育振興基本計画，学校における働き方改革の指針，そしてわいせつ教員対策法などだ。最初の答申の「個別最適な学び」の部分は，空欄補充問題がよく出題される。しっかり読み込んでおくこと。教員の過重労働が問題化している中，学校の働き方改革も目指されている。公的な指針で示された労働時間の上限などを知っておこう。教員の学びの姿も重要。教育振興基本計画については，「ウェルビーイング」がキーワードだ。概念の空欄補充問題がよく出る。

テーマ21

教育政策

実戦問題

★★★

No. 1 次のA～Eの文章は，「公立学校の教育職員の業務量の適切な管理その他教育職員の服務を監督する教育委員会が教育職員の健康及び福祉の確保を図るために講ずべき措置に関する指針」（令和2年1月文部科学省告示，令和2年7月一部改正）について説明したものである。A～Dについて，正しいものを全て選べ。 **【岡山県・改題】**

A　この指針は，教育職員の業務が長時間に及ぶ深刻な実態が明らかになり，持続可能な学校教育の中で効果的な教育活動を行うためには，学校における働き方改革が急務であることから定められている。

B　この指針では，教育職員が学校教育活動に関する業務を行っている時間として外形的に把握することができる時間が「在校等時間」として管理の対象となっている。なお，正規の勤務時間外に校内において自らの判断に基づいて自らの力量を高めるために行う自己研鑽の時間は「在校等時間」に必ず含めることとされている。

C　校外においても，職務として行う研修への参加や児童生徒等の引率等の職務に従事している時間として服務を監督する教育委員会が外形的に把握する時間は「在校等時間」に加えることとされている。

D　上限時間の原則は，時間外在校等時間が1か月では80時間，1年間では360時間を超えないようにするとされている。

★★

No. 2 中央教育審議会答申「『令和の日本型学校教育』を担う教師の養成・採用・研修等の在り方について　～「新たな教師の学びの姿」の実現と，多様な専門性を有する質の高い教職員集団の形成～」（令和4年12月）では，「新たな教師の学びの姿」が示されている。そこで示されている「学びの姿」の内容として誤っているものを，次の1～5の中から1つ選べ。 **【和歌山県・改題】**

1　変化を前向きに受け止め，探究心を持ちつつ自律的に学ぶという「主体的な姿勢」

2　子供の主体的な学びを支援する「伴走者としての姿勢」

3　求められる知識技能が変わっていくことを意識した「継続的な学び」

4　新たな領域の専門性を身に付けるなど強みを伸ばすための，一人一人の教師の個性に即した「個別最適な学び」

5　他者との対話や振り返りの機会を確保した「協働的な学び」

実戦問題の解説

No.1の解説　学校における働き方改革　らくらくマスター➡P.140

A○　正しい。日本の小中学校教員の週間勤務時間は56.0時間で，OECD加盟国で最も長い（OECD「TALIS 2018」）。内訳をみると，半分以上が授業以外の業務である（下図）。

中学校教員の週の平均仕事時間（H）

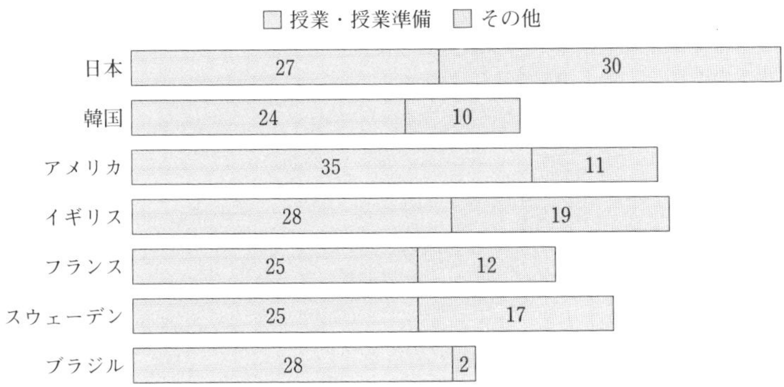

B×　正規の勤務時間外に自らの判断に基づいて自らの力量を高めるために行う自己研鑽の時間は，**在校等時間には含まれない**。在校等時間は，在校している時間に，校外において職務として行う研修や児童生徒の引率等の職務に従事している時間と，各地方公共団体で定めるテレワークの時間を加えたものである。

C○　正しい。

D×　１か月の上限は**45時間**である。時間外在校等時間とは，１日の在校等時間から所定の勤務時間を除いた時間をいう。

No.2の解説　教師の学びの姿　らくらくマスター➡P.138

1○　正しい。

2×　2021年１月の中央教育審議会答申で言われている，教職員の姿の記述である。自身の学びの姿とは異なる。No. 3の問題を参照のこと。

3○　正しい。社会の変化にキャッチアップしていく必要がある。

4○　正しい。

5○　正しい。

正答　No.1　A，C　　No.2　2

実戦問題

★
No. 3 次の文章は，「『令和の日本型学校教育』の構築を目指して　～全ての子供たちの可能性を引き出す，個別最適な学びと，協働的な学びの実現～（答申）」（令和３年１月26日中央教育審議会）の「３．2020年代を通じて実現すべき『令和の日本型学校教育』の姿」「⑵教職員の姿」の一部である。［１］～［３］にあてはまる語句を，語群①～⑨の中からそれぞれ１つ選びなさい。【三重県】

○　教師が技術の発達や新たなニーズなど学校教育を取り巻く環境の変化を前向きに受け止め，教職生涯を通じて［１］を持ちつつ自律的かつ継続的に新しい知識・技能を学び続け，子供一人一人の学びを最大限に引き出す教師としての役割を果たしている。その際，子供の［２］な学びを支援する［３］としての能力も備えている。

《語群》

①教育的愛情　②主体的　③伴走者　④指導者　⑤探究心　⑥自尊心
⑦創造的　⑧協力者　⑨発展的

★
No. 4 「令和の日本型学校教育の構築を目指して　～全ての子供たちの可能性を引き出す，個別最適な学びと協働的な学びの実現～（答申）」（中央教育審議会　令和３年１月）の中で，令和の日本型学校教育の構築に向けた今後の方向性として適切でないものを，次のア～エから１つ選びなさい。【兵庫県】

ア　憲法第14条及び第26条，教育基本法第４条の規定に基づく学問の自由等を真の意味で実現していく必要がある。

イ　修得主義の考え方と一定の期間の中で多様な成長を許容する履修主義の考え方を組み合わせ，「学習の個性化」により児童生徒の興味・関心等を生かした探究的な学習等を充実すること。

ウ　今般の新型コロナウイルス感染症の発生のような危機的な状況を乗り越えるためには，特に保護者や地域と協働し，学校運営や教育行政を推し進めることが必要である。

エ　校長を中心に学校組織のマネジメント力の強化を図るとともに，学校内，あるいは学校外との関係で，「連携と分担」による学校マネジメントを実現することが重要となる。

実戦問題の解説

No.3の解説 教職員の姿

らくらくマスター P.138

令和の学校教育の姿を構想した中央教育審議会答申では，教職員のあるべき姿についても示されている。

1 ⑤ **探究心**が入る。社会の変化が加速化する中，教員も絶えず，探究心をもち，自律的・継続的に学び続けないといけない。大学院での学びも選択肢の一つだが，日本の教員の大学院卒の割合は低い。小学校教員の大学院卒率をみると，日本は５％であるのに対し，アメリカは49％，フィンランドは93％だ（IEA「TIMSS 2019」）。

2 ② **主体的**が入る。現行の学習指導要領では，主体的・対話的で深い学びが重視されているが，こうした学びを支援するに際しては高度な専門性が求められる。従来流の注入主義で，知識を（上から）ただ教えればよいというのではない。

3 ③ **伴走者**が入る。指導者ではなく，子どもの学びに寄り添い，支援を続ける伴走者という表現が使われている。

No.4の解説 令和の学校教育の方向性

らくらくマスター P.148

「令和の日本型学校教育」の構築に向けた今後の方向性（６つ）のうち，４つが出題されている。

ア × 学問の自由等ではなく，**教育の機会均等**である。憲法第26条第１項は「すべて国民は，法律の定めるところにより，その能力に応じて，ひとしく教育を受ける権利を有する」と定めており，教育基本法第４条は，この規定をさらに具体化している。格差社会化が進む中，教育の機会均等原則の重要性は，どれほど強調しても足りない。

イ ○ 正しい。**履修主義**は，所定の教育課程を一定年限の間に履修させる方式で，学習の進度等に幅を持たせることができる。海外では修得主義を重視している国が多く，義務教育段階でも落第（原級留置）の措置がなされる。

ウ ○ 正しい。感染拡大防止のため，学校の臨時休業のような事態も出てくるが，それゆえに，保護者や地域と協働することが重要になる。

エ ○ 正しい。「子供たちの教育は，学校・家庭・地域がそれぞれの役割と責任を果たすとともに，相互に**連携・協働**してこそ効果が上がる」。

正答 No.3 1－⑤ 2－② 3－③ No.4 ア

実戦問題

★★
No. 5 「義務教育の段階における普通教育に相当する教育の機会の確保等に関する法律」（平成28年法律第105号）第3条について，次の文の記号に当てはまる語句の組合せを，下の選択肢から1つ選び，番号で答えなさい。【宮崎県】

教育機会の確保等に関する施策は，次に掲げる事項を基本理念として行われなければならない。

一　全ての児童生徒が豊かな（　ア　）を送り，安心して教育を受けられるよう，学校における（　イ　）の確保が図られるようにすること。

二　不登校児童生徒が行う多様な学習活動の実情を踏まえ，個々の不登校児童生徒の状況に応じた必要な支援が行われるようにすること。

三　不登校児童生徒が安心して教育を十分に受けられるよう，学校における（　イ　）の整備が図られるようにすること。

四　義務教育の段階における（　ウ　）に相当する教育を十分に受けていない者の意思を十分に尊重しつつ，その年齢又は国籍その他の置かれている事情にかかわりなく，その能力に応じた教育を受ける機会が確保されるようにするとともに，その者が，その教育を通じて，社会において（　エ　）に生きる基礎を培い，豊かな人生を送ることができるよう，その教育水準の維持向上が図られるようにすること。

五　国，地方公共団体，教育機会の確保等に関する活動を行う民間の団体その他の関係者の相互の密接な（　オ　）の下に行われるようにすること。

1　ア：学校生活　イ：環境　ウ：初等教育　エ：協力的　オ：コミュニケーション
2　ア：学習生活　イ：ICT　ウ：中等教育　エ：協力的　オ：コミュニケーション
3　ア：学校生活　イ：ICT　ウ：普通教育　エ：自立的　オ：連携
4　ア：学校生活　イ：環境　ウ：普通教育　エ：自立的　オ：連携
5　ア：学習生活　イ：環境　ウ：初等教育　エ：協力的　オ：連携

実戦問題の解説

No.5の解説 教育機会確保法

らくらくマスター→P.144

2016年に制定された法律である。不登校の児童生徒や，義務教育を終えていない高齢者等の教育機会の確保を意図している。

ア **学校生活**が入る。学校生活への不安もあるためか，不登校の児童生徒が増えている。下のグラフは，小・中学校の不登校児童生徒数の推移だが，最近では30万人近くに達している。

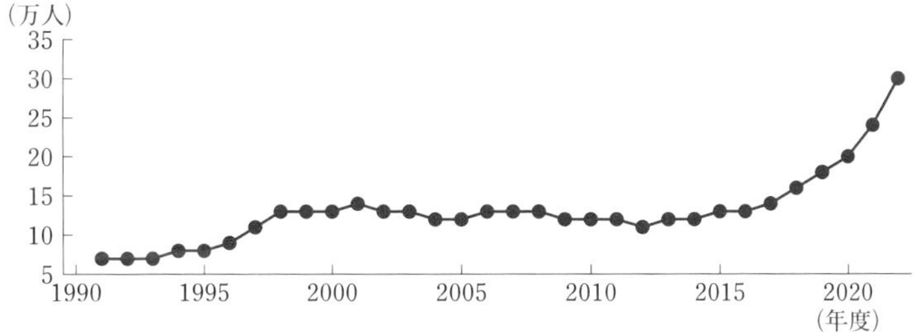

＊学校嫌い等の理由で，年間30日以上休んだ児童生徒の数

イ **環境**が入る。別室（保健室）登校の場を設けるなども考えられる。

ウ **普通教育**が入る。普通教育は，どこででも通用する一般性・普遍性を追求するもので，初等教育や中等教育を包摂する上位の概念である。教育機会確保法は，義務教育を終えていない人に対する教育機会の確保を目指している。子ども期に学校に通えなかった高齢者や外国人等のみならず，義務教育段階の学校に通えていない，不登校の学齢児童生徒も対象として想定されている。現在，**夜間中学校**の設置も進んでおり，各都道府県・指定都市に１校は設置されるよう促されている。

エ **自立的**が入る。人口減少により，外国人の受け入れが不可避になっているが，日本語指導等の機会を充実させ，自立的に豊かな人生を送れるよう支援することも求められる。

オ **連携**が入る。フリースクール等との連携も必要になる。不登校児童生徒やその保護者に対しては，「学校以外の場において行う多様で適切な学習活動」に関する情報提供を行うこととされている（第13条）。解決の術は，学校に来させることだけではない。

よって，正答は**4**である。

正答 No.5 4

実戦問題

★★★
No. 6 次の文は，「教育職員等による児童生徒性暴力等の防止等に関する法律」に関する記述である。適切でないものを①～④から選び，番号で答えよ。

【神戸市】

① 教育職員等による児童生徒性暴力等は児童生徒等に対し生涯にわたって回復し難い心理的外傷その他の心身に対する重大な影響を与えるものである。

② 教育職員等による児童生徒性暴力等の防止等に関する施策は，児童生徒等が安心して学習その他の活動に取り組むことができるよう，学校内において教育職員等による児童生徒性暴力等を根絶することを旨として行われなければならない。

③ 教育職員等による児童生徒性暴力等が児童生徒等の権利を著しく侵害するものである。

④ 教育職員等は，基本理念にのっとり，児童生徒性暴力等を行うことがないよう教育職員等としての倫理の保持を図る責務を有する。

★★
No. 7 次の文章は「次期教育振興基本計画」（令和5年3月8日　中央教育審議会）の一部抜粋である。後の問に答えよ。　【鹿児島県】

○ 誰一人取り残さず，相互に多様性を認め，高め合い，他者の（　①　）を思いやることができる教育環境を個々の状況に合わせて整備することで，つらい様子の子供が笑顔になり，その結果として自分の目標を持って学習等に取り組むことができる場面を１つでも多く作り出すことが求められる。

○ その際，支援を必要とする子供やマイノリティの子供の他の子供との差異を「弱み」として捉え，そこに着目して支えるという視点だけではなく，そうした子供たちが持っている「長所・強み」に着目し，可能性を引き出して発揮させていく視点（(　②　)）を取り入れることも大切である。

問１　①に入る語句として正しいものを，次のア～エから１つ選び，記号で答えよ。

ア　アントレプレナーシップ　　**イ**　エイジフリー　　**ウ**　ウェルビーイング
エ　アセスメント

問２　②に入る語句として正しいものを，次のア～エから１つ選び，記号で答えよ。

ア　エンパワメント　　**イ**　イノベーション　　**ウ**　プッシュ型支援
エ　デジタライゼーション

実戦問題の解説

No.6の解説 わいせつ教員対策法 らくらくマスター P.152

教員のわいせつ行為が問題化していることを受け，2021年に制定された法律である。通称は，わいせつ教員対策法だ。

①○ 適切である。第14条による。これにかんがみ，「児童生徒等に対して，教育職員等による児童生徒性暴力等により自己の身体を侵害されることはあってはならないこと及び被害を受けた児童生徒等に対して保護及び支援が行われること等について周知徹底を図らなければならない」とある。

②× 学校内においてではなく，**学校の内外を問わず**である（第4条第2項）。教員の性暴力は，学校外でも起きている。

③○ 適切である。第14条による。被害を受けた児童生徒が登校できなくなるなど，教育を受ける権利も侵害されることになる。

④○ 適切である。第10条による。勤務する学校に在籍する児童生徒等が教育職員等による児童生徒性暴力等を受けたと**思われる**ときは，適切かつ迅速にこれに対処する責務も有する。確証がなくとも，迅速に対処することとなっている。被害を受けた児童生徒を迅速に保護するためだ。第4条第3項では，「教育職員等による児童生徒性暴力等の防止等に関する施策は，被害を受けた児童生徒等を**適切かつ迅速に保護**することを旨として行われなければならない」と定められている。

No.7の解説 教育振興基本計画 らくらくマスター P.136

2023年度より，第4期・教育振興基本計画が実施されている。施策の基本的な方針の1つである「誰一人取り残されず，全ての人の可能性を引き出す共生社会の実現に向けた教育の推進」についてである。

（問1）

ウ **ウェルビーング**が入る。重要なキーワードだ。この言葉の意味については，No. 8の問題を参照のこと。

（問2）

ア **エンパワメント**が入る。この視点により，「マイノリティの子供の尊厳を守るとともに，周りの子供や大人が多様性を尊重することを学び，誰もが違いを乗り越え共に生きる共生社会の実現に向けたマジョリティの変容にもつなげていくこと」が重要とされる。

正答 No.6 ② No.7 （問1）ウ （問2）ア

実戦問題

★★
No. 8 次の文章は，「次期教育振興基本計画について（答申）」（令和5年3月8日 中央教育審議会）のⅡ　今後の教育政策に関する基本的な方針（総括的な基本方針・コンセプト）の「(2）日本社会に根差したウェルビーイングの向上」の一部である。文中の（　A　）～（　D　）に入る語句の正しい組合せを，下の1～5のうちから1つ選べ。なお，同じ記号には同じ語句が入るものとする。【大分県】

○　ウェルビーイングとは身体的・精神的・社会的に（　A　）状態にあることをいい，短期的な幸福のみならず，（　B　）や人生の意義など将来にわたる持続的な幸福を含むものである。また，個人のみならず，個人を取り巻く場や地域，社会が持続的に（　A　）状態であることを含む包括的な概念である。

○　ウェルビーイングの捉え方は国や地域の文化的・社会的背景により異なり得るものであり，一人一人の置かれた状況によっても多様なウェルビーイングの求め方があり得る。

○　すなわち，ウェルビーイングの実現とは，多様な個人それぞれが幸せや（　B　）を感じるとともに，地域や社会が幸せや（　C　）を感じられるものとなることであり，教育を通じて日本社会に根差したウェルビーイングの（　D　）を図っていくことが求められる。

	A	B	C	D
1	満たされた	安心安全	豊かさ	形成
2	良い	生きがい	豊かさ	向上
3	満たされた	生きがい	一体感	形成
4	良い	安心安全	一体感	向上
5	良い	生きがい	一体感	形成

★★
No. 9 「学校部活動及び新たな地域クラブ活動の在り方等に関する総合的なガイドライン（令和4年12月　スポーツ庁　文化庁）」に示された「学校部活動の適切な休養日等の設定」の内容として，適当でないものを次の①～④から全て選べ。
【秋田県】

①　学期中は，週当たり1日以上の休養日を設ける。
②　1日の活動時間は，長くとも平日では2時間程度とする。
③　土曜日及び日曜日に大会参加等で活動した場合は，休養日を必ず月曜日に振り替える。
④　学校部活動以外にも多様な活動を行うことができるよう，ある程度長期の休養期間（オフシーズン）を設ける。

実戦問題の解説

No.8の解説 ウェルビーイングという概念 らくらくマスター➡P.136

第４期・教育振興基本計画では，２つのコンセプトが掲げられている。そのうちの１つは「日本社会に根差した**ウェルビーイング**の向上」である。

A **良い**が入る。Wellの意味そのものである。

B **生きがい**が入る。文中にあるように，持続的な幸福の要素となる。

C **豊かさ**が入る。本文にあるように，ウェルビーイングとは「個人のみならず，**個人を取り巻く場や地域，社会**が持続的に良い状態であることを含む包括的な概念」であることに注意。

D **向上**が入る。日本社会に根差したウェルビーイングの要素としては，「幸福感（現在と将来，自分と周りの他者）」，「学校や地域でのつながり」，「協働性」，「利他性」，「多様性への理解」，「サポートを受けられる環境」，「社会貢献意識」，「自己肯定感」，「自己実現（達成感，キャリア意識など）」，「心身の健康」，「安全・安心な環境」などが挙げられる。教育を通じて，これらを向上させていく。

No.9の解説 部活動改革 らくらくマスター➡P.142

部活指導は，教員の過重労働の大きな原因となっている。本問では学校部活動の休養日について問われているが，部活動は段階的に地域に移行させていくことになっている。

①× 学期中は，週当たり**２日以上**の休養日を設ける。平日は少なくとも１日，土曜日及び日曜日（週末）は少なくとも１日以上を休養日とする。週末に大会参加等で活動した場合は，休養日を他の日に振り替える。

②○ 適当である。「１日の活動時間は，長くとも平日では**２時間程度**，学校の休業日（学期中の週末を含む）は**３時間程度**とし，できるだけ短時間に，合理的でかつ効率的・効果的な活動を行う」とある。

③× 土曜日及び日曜日（週末）に大会参加等で活動した場合は，休養日を**他の日**に振り替える。月曜日に振り替えるという規定はない。

④○ 適当である。「長期休業中の休養日の設定は，学期中に準じた扱いを行う。また，生徒が十分な休養を取ることができるとともに，学校部活動以外にも多様な活動を行うことができるよう，ある程度長期の休養期間（**オフシーズン**）を設ける」とされる。

正答 No.8 2　No.9 ①，③

Column

学力と知的好奇心

子どもの学力の国際調査として「PISA」や「TIMSS」が知られているが，大人の学力調査もある。OECDの国際成人力調査「PIAAC」だ。2012年に実施された調査では，日本の平均点が対象国の中で最も高く，「大人の学力世界一」という見出しが新聞に踊り，ちょっとしたお祭り騒ぎになった。

しかし，別の観点も加えてみると問題が見えてくる。下に掲げるのは，横軸に数学的思考力の平均点，縦軸に知的好奇心をとった座標上に，調査対象の30か国を配置したグラフだ。

成人の学力と知的好奇心

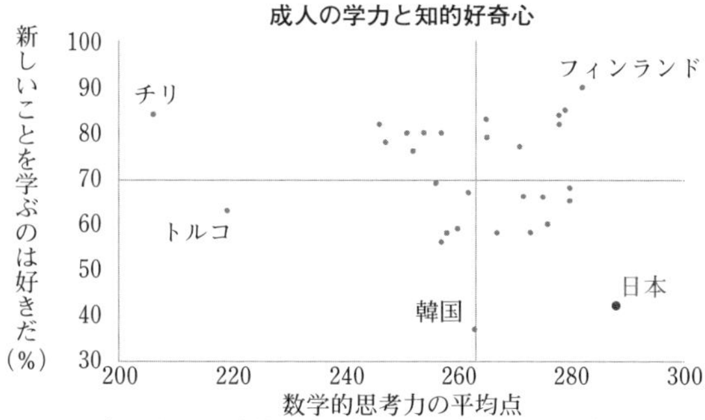

＊16～65歳のデータ，点線は平均値。OECD「PIAAC 2012」より作成。

日本の成人は，数学の平均点はトップだが（横軸），「新しいことを学ぶのは好きだ」と答えた人は4割程度で，韓国に次いで低い（縦軸）。**学力は高いものの，知的好奇心に乏しい**。お隣の韓国も同じタイプだ。子ども期の熾烈な受験競争により，机上の学力は鍛えられるもの，「勉強は苦行だ」という刷り込みがなされるのかもしれない。北欧のフィンランドは，学力が高く，かつ知的好奇心もみなぎっているという理想型になっている。

変動の激しい時代では，子ども期に学んだ知識や技能は直ちに陳腐化し，時代遅れのものとなる。次から次へと新しいテクノロジーが生まれ，生活様式も刷新される。新しいことを絶えず学び続け，時代の変化にキャッチアップしていかないといけない。そう，現代は**生涯学習**の時代だ。

21世紀の学校において身につけさせるべきは，新しいことを積極的に学ぼうという態度だ。社会生活に必要な知識や技能を習得させることも不可欠だが，湯水のごとくそれを注入するあまり，勉強嫌いの子どもを増やすようではいけない。

Section
2
教育史

テーマ 1 教育史

西洋教育史

頻出度 A

必修問題

出題データ　埼玉県では5年間で4回出題されている。山梨県や愛知県などでは必出である。

次のア～エで述べられている人物の組合せとして正しいものを，下の(1)～(4)の中から1つ選びなさい。　**【埼玉県・さいたま市】**

ア　著書『児童の世紀』の中で，「20世紀こそは児童の世紀として，子どもがしあわせに育つことのできる平和な社会を築くべき時代である」と主張した。「教育の最大の秘訣は教育しないことである」と考え，消極教育を徹底した。

イ　『学校と社会』『民主主義と教育』を著し，「教育は生活の必然から生じる人間の再構成，再組織である」として，児童中心の教育理論を唱えた。また，日常生活の中で具体的に問題を解決していく過程を重視し，問題解決学習を提唱した。

ウ　『人間の教育』を著し，幼稚園教育に大きな影響を与えるとともに，幼稚園の教員養成も積極的に行った。「遊技は，幼児の発達の，この時期の人間の発達の最高段階である」と述べ，教育的玩具である恩物を考案した。

エ　著書『教育の目的』の中で，子どもの経験を重視し，自己発展の助成に教育の目的があるとした。「あまりに多くのことを教えるなかれ，しかし，教えるべきことは徹底的に教えるべし」の言葉は，中教審の答申に引用された。

	ア	イ	ウ	エ
(1)	ルソー	ヘルバルト	モンテッソーリ	デューイ
(2)	モンテッソーリ	ルソー	ホワイトヘッド	ペスタロッチ
(3)	フレーベル	ペスタロッチ	エレン・ケイ	ヘルバルト
(4)	エレン・ケイ	デューイ	フレーベル	ホワイトヘッド

必修問題の解説

らくらくマスター ➡ P.164, 166

著名な思想家に関する文章と人名を結びつけさせる典型問題である。それぞれの文章の中に，どの人物のものかを判別するキーワードが含まれている。

ア **エレン・ケイ**に関する記述である。『**児童の世紀**』という著作が判別ポイント。スウェーデンの女性思想家であり，1900年に『児童の世紀』を発表し，20世紀は児童の世紀であると説いた。文中の「消極教育」の思想は，ルソーの影響を受けている。

イ **デューイ**に関する記述である。『学校と社会』『民主主義と教育』という著作，問題解決学習の提唱という箇所に注目。アメリカの教育学者であり，20世紀初頭のアメリカにおける進歩主義教育運動の先駆者として名高い。問題解決学習の支柱となっているのは，「なすことによって学ぶ」という**経験主義**の思想である。

ウ **フレーベル**に関する記述である。ドイツの教育家であり，1826年に主著の『人間の教育』を公刊した。文中でいわれているように，幼稚園教育に多大な影響を与えた人物である。フレーベルが1837年に創設した「一般ドイツ幼稚園」は世界で最初の幼稚園であり，**幼稚園の創始者**として知られる。教育的玩具の「恩物」という名称には，神からの子どもたちへの贈り物という意味が込められている。

エ **ホワイトヘッド**に関する記述である。イギリスの哲学者・数学者であり，「あまりに多くのことを教えるなかれ。しかし，教えるべきことは徹底的に教えるべし」という言葉は，「**生きる力**」の育成を提言した，1996年の中教審答申「21世紀を展望した我が国の教育の在り方について」において引用されている。

正答 (4)

ここが問われる！出題ポイント

近代以降の西洋の教育思想家についてよく問われる。ルソー，ペスタロッチ，デューイなど，頻出人物はだいたい決まっている。これらの人物の著作や思想上のキーワードをしっかり覚えておくこと。ルソーなら著書として『エミール』，思想のキーワードは「消極教育」「子どもの発見」などである。人名と著作名（キーワード）を対応させる問題が主であるので，この手の学習で十分である。本書と連動している要点整理集の『教職教養らくらくマスター』の教育史のページにある思想家一覧表を活用するとよいだろう。

実戦問題

★★
No. 1 次のA～Eの文の内容が正しいものを○，誤っているものを×としたとき，正しい組合せを，下の1～5の中から1つ選べ。　【和歌山県】

A　アリストテレスはリュケイオンで学んだが，後に数学的・思弁的な学風のリュケイオンに対抗して，生物学的・実証主義的な学風を中心とするアカデメイアを創設した。

B　ペスタロッチは，聖職者，政治家，農業家など，進路に苦悩するが，ノイホーフに貧民学校を計画し，貧困児童に作業を教え，経済的自立をはかった。

C　オウエンは自ら経営した紡績工場内に性格形成学院を開校し，博愛精神に富んだ知的で合理的な環境で，労働者やその子供たちの性格形成を図ろうとした。

D　リーツは，都会から離れた田園で，子供たちが共同生活することを通じて，教養，自主性，性格，能力を養成することを目的としたサマーヒル学園を設立した。

E　シュタイナーは人間の心と体の質的な変容を的確に把握し，教育を芸術として再構成したことを特色とする人智学を確立し，それに基づいてヴァルドルフ学校を創設した。

	A	B	C	D	E
1	○	×	○	○	×
2	×	○	×	○	○
3	○	○	○	×	×
4	×	○	○	×	○
5	○	×	×	○	○

★
No. 2 西洋教育史に関する記述として適切なものは，次のうちのどれか。【東京都・改題】

1　ソクラテスは，よい生き方の問題に関心を強く抱き，問答法によって人々の思想を徹底的に吟味し，彼らに自己の無知を自覚させることで，普遍的真理と徳の探究に導いた。

2　アリストテレスは，哲学を修めたものが国家を治めることが理想であるとし，優れた国家を実現するための人材を養成することを目指したアカデメイアを建てて，学問研究に取り組ませた。

3　プラトンは，リュケイオンを設立し，教育の目的は自由市民の育成であり，教育の方法は習慣による教育から道理による教育へ，教育的配慮の対象は身体から魂へ，欲情から理知へと進むべきであるとし，教育に関して系統的な考察を行った。

4　カントは，子供には直観力があることを認識し，直観力の教育が文字や言語による教育よりも子供にとって有用であるとし，直観教授法を生み出した。

5　ペスタロッチは，人間は教育されなければならない唯一の被造物であり，教育によってはじめて人間になることができるとし，教育の目的を人間性の完成と説いた。

実戦問題の解説

No.1の解説 教育思想家　らくらくマスター P.162, 164, 166

1 × リュケイオンと**アカデメイア**が反対である。アカデメイアは，プラトンが創設した学校である。

2 ○ 正しい。「玉座の高きにあっても，木の葉の屋根の陰に住まっても同じ人間」（『隠者の夕暮れ』）という言葉に，貧民教育への思いが表れている。

3 ○ 正しい。オウエンは，1816年に，ニューラナークで自ら経営する工場内に性格形成学院という学校を設置し，幼児や青少年を教育した。児童労働の禁止を盛り込んだ工場法の制定を要求したことでも知られる。

4 × サマーヒル学園は，**ニイル**が創設した自由主義の学校である。他の部分は正しい。リーツは，ドイツの田園教育舎運動の創始者である。

5 ○ 正しい。ヴァルドルフ学校は，シュタイナー学校とも言われ，「オイリュトミー」や「フォルメン」という独自の教科を課していた。

よって，正答は**4**である。

No.2の解説 西洋教育史　らくらくマスター P.162, 164

1 ○ 正しい。キーワードは「**問答法**」である。アテナイの広場で青年や知識人との対話を行い，相手の考えに疑問を投げかける問答法により，自分は何も知らないという「無知の知」を自覚させようとした。

2 × アリストテレスではなく，プラトンに関する記述である。判別のポイントは「**アカデメイア**」である。この学校は，弟子たちの教育とともに，学問研究も行っていたことから，今日でいう高等教育の原型をなすともいわれている。

3 × プラトンではなく，アリストテレスに関する記述である。**リュケイオン**という校名は，この地の守護神アポロン・リュケイオスの名にちなんでいる。この学校で学んだ弟子たちは，ペリパトス学派とも呼ばれる。

4 × カントではなくペスタロッチに関する記述である。判別のポイントは「**直観教授法**」である。ペスタロッチは，感覚的直観を重視した直観教授を提唱し，直観から認識へと至る筋道を体系的に説いた。

5 × ペスタロッチではなくカントに関する記述である。『教育学講義』という著作の中の「**人間は教育されなくてはならない唯一の被造物である**」とは，この人物の有名な言葉である。

正答 No.1 4　No.2 1

実戦問題

★
No. 3 次の表は，教育の発展に携わってきた人物名，著書名及び名言を組み合わせたものである。表中の「人物名」と「著書名」,「名言」の組合せとして，適当でないものを選びなさい。 【千葉県・千葉市】

	人物名	著書名	名言
①	コンドルセ	『公教育の本質と目的』	「国民教育は，公権力の当然の義務である」
②	ロック	『教育学講義』	「人は教育によってのみ人間となる」
③	ラングラン	『生涯教育入門』	「教育は学校教育だけに終わらず，生涯を通じて行われる創造的なものでなければならない」
④	デューイ	『学校と社会』	「教育は生活の必然から生じる人間の経験の再構成である」
⑤	ペスタロッチ	『白鳥の歌』	「生活が陶冶する」

★
No. 4 次のA～Eの文について，正しいものを○，誤っているものを×としたとき，最も適当な組合せはどれか。 【岡山県・岡山市】

A 『教育に関する考察』を著したロックは，親を教育の主体とし，子どもへの理性的対処を求める家庭教育論を展開した。

B 『シュタンツ便り』を著したペスタロッチは，シュタンツの孤児・貧児収容施設で民衆救済のための教育の方法を教育実践しつつ求めようとした。

C 『教育の過程』を著したデューイは，どの教科でも知的性格をそのまま保って，どの発達段階のどの子どもにも効率的に教えることができると述べた。

D 『人間の教育』を著したヘルバルトは，子どものもつ本能的・内発的自発活動が教育活動の源泉であり，これを年齢の時期に応じて拡充することが大切であるとした。

E 『学校と社会』を著したブルーナーは，学校教育は子どもの生活を中心に組織されなければならないと主張した。

	A	B	C	D	E
1	×	○	×	○	×
2	○	○	×	×	×
3	×	○	○	×	○
4	○	×	○	○	○
5	○	×	×	○	×

実戦問題の解説

No.3の解説 西洋の教育思想家 らくらくマスター➡P.162, 164, 166

①○ 正しい。コンドルセは，**公教育の父**といわれる。「国民教育は，公権力の当然の義務である」という言は，①教育の機会均等や②全公立学校の無償制という原理と関連するものであり，公権力による教育への介入を容認するものではない。

②× ロックではなく**カント**である。ロックの主著は『教育論』や『人間悟性論』であり，人間をして，生得観念を持たない「白紙（タブラ・ラサ）」の存在とみなしたことが有名である。

③○ 正しい。ラングランは，1965年の第3回ユネスコ国際成人教育推進会議において，**生涯教育**の概念を提唱した人物として知られる。

④○ 正しい。キーワードは「経験」である。デューイの**経験主義**の教育思想は，後の問題解決学習の理論的支柱となった。この人物の主著としては，『学校と社会』のほか，『民主主義と教育』，『思考と方法』，『経験と教育』などがある。

⑤○ 正しい。陶冶とは「とうや」と読む。ドイツ語のBildungの訳語であり，知識・技能の形成という意味である。

No.4の解説 西洋の教育思想家 らくらくマスター➡P.162, 164, 166

A○ 正しい。この人物の主著『教育に関する考察（教育論）』では，厳しいしつけや鍛錬を重視した，紳士教育論が展開されている。

B○ 正しい。ペスタロッチの民衆教育への思いは，「玉座の高きにあっても，木の葉の屋根の陰に住まっても同じ人間」（『隠者の夕暮れ』）という言葉に示されている。

C× デューイではなく**ブルーナー**である。ブルーナーは，学習者の発達段階に応じて，同じ内容を繰り返し学習させる「螺旋形カリキュラム」の考え方を提唱した。

D× ヘルバルトではなく**フレーベル**である。ヘルバルトは『一般教育学』の著者であり，明瞭，連合，系統，そして方法の4つの段階からなる教育段階説を唱えたことで知られる。

E× ブルーナーではなく**デューイ**である。デューイの経験主義では，生活の中での経験が重視される。

以上から，**2**が正答である。

正答 No.3 ② No.4 2

実戦問題

★
No. 5 **次のア～エの著書とそれらの著者の組合せがすべて正しいものを，下の(1)～(4)の中から１つ選びなさい。** **【埼玉県・さいたま市】**

ア 『人間不平等起源論』『社会契約論』

イ 『大教授学』『世界図絵』

ウ 『学校と社会』『民主主義と教育』

エ 『隠者の夕暮』『リーンハルトとゲルトルート』

	ア	イ	ウ	エ
(1)	ルソー	コメニウス	デューイ	ペスタロッチ
(2)	ペスタロッチ	デューイ	コメニウス	ルソー
(3)	ルソー	デューイ	コメニウス	ペスタロッチ
(4)	ペスタロッチ	コメニウス	デューイ	ルソー

★
No. 6 **次の(1)～(5)は，ある人物について説明したものである。その人物名を下のA～Jから１つずつ選び，その記号を書け。** **【愛媛県】**

(1) イギリスの哲学者・政治思想家（1632～1704）。彼の政治思想は，名誉革命を代弁し，フランス革命やアメリカの独立に大きな影響を与え，西欧民主主義の根本思想となった。主な著書に『人間知性論』『統治二論』などがある。

(2) フランス革命に大きな影響を及ぼした思想家（1712～1778）。「人間不平等起源論」「社会契約論」などで，民主主義理論を唱えた。ロマン主義の父と呼ばれる。主な著書に『エミール』『告白』などがある。

(3) ドイツの哲学者・教育学者（1776～1841）。教育の目的を倫理学に，方法を心理学に求め，体系的教育学を樹立した。教授段階論を説く。主な著書に『一般教育学』『教育学講義綱要』などがある。

(4) アメリカの哲学者・教育学者（1859～1952）。プラグマティズムの立場から論理学，倫理学，社会心理学，美学など多方面にわたる業績があり，「道具主義」を唱えた。主な著書に『民主主義と教育』『哲学の改造』などがある。

(5) スイスの教育家（1746～1827）。孤児教育，民衆教育に生涯を捧げた。人間性の覚醒と天賦の才能の調和的発達を教育の目的とし，近代西欧教育史に大きな足跡を残した。主な著書に『リーンハルトとゲルトルート』『クリストフとエルゼ』などがある。

A ルソー　B カント　C ペスタロッチ　D ヘルバルト
E コメニウス　F ジョン・ロック　G コンドルセ
H キルパトリック　I デューイ　J フレーベル

実戦問題の解説

No.5の解説 西洋教育史の著書 らくらくマスター➡P.164, 166

ア ルソーの著書である。双方とも，フランス革命以後の近代社会の建設に大きな影響を与えた書物である。なお，教育小説『エミール』も有名である。この本の中でルソーは，年齢に先んじた余計な教育によってこれが悪へと変貌することを避ける「消極教育」を提唱した。

イ コメニウスの著書である。『大教授学』は近代教授学の金字塔とされる。『世界図絵』は，史上初の絵入り教科書として知られる。

ウ デューイの著書である。『学校と社会』では，学校は，子どもが社会生活を営む小社会でなければならないとした。これは，生活の中での経験を重視する彼の経験主義思想に通じている。

エ ペスタロッチの著書である。『隠者の夕暮れ』の「玉座の高きにあっても，木の葉の屋根の陰に住まっても同じ人間」という言葉は，孤児院での貧民教育に取り組んだこの人物の思いを表現している。『リーンハルトとゲルトルート』は，1781年に発表された教育小説である。

No.6の解説 西洋教育史の人物 らくらくマスター➡P.162, 164, 166

(1) F **ロック**に関する記述である。イギリスという国籍，『人間知性論』『統治二論』という著作名が判別ポイントとなるだろう。前者の著作においては，人間とは，生得観念を一切持たない「**白紙**（タブラ・ラサ）」であるとされた。

(2) A **ルソー**に関する記述である。『人間不平等起源論』『社会契約論』などは，中学校の社会科でも取り上げられる著名な著作である。文中で挙げられている『エミール』は教育小説である。

(3) D **ヘルバルト**に関する記述である。ヘルバルトは4段階の教授論（明瞭，連合，系統，方法）を説き，弟子のラインは5段階の教授論（予備，提示，比較，総括，応用）を打ち立てた。

(4) I **デューイ**に関する記述である。**プラグマティズム**は，実用性を重視するアメリカ的な哲学であり，知性は，問題解決の道具でなければならないとする。デューイの問題解決学習は，この考え方をベースとしている。

(5) C **ペスタロッチ**に関する記述である。孤児教育，『リーンハルトとゲルトルート』という著作が判別ポイントである。

正答 No.5 (1)　No.6 (1)−F (2)−A (3)−D (4)−I (5)−C

テーマ 教育史

2 日本教育史

頻出度 B

必修問題

出題データ　長崎県では毎年出題されている。山梨県，愛知県などでも必出である。東京都では5年間で4回の出題である。

次の各問いに答えよ。【長崎県・改題】

問1　平安時代に綜芸種智院を創設し，庶民に対しても教育の門戸をひらいた人物を，次の中から1つ選び，記号で答えよ。

ア　最澄　　イ　藤原冬嗣　　ウ　石上宅嗣　　エ　空海

問2　鎌倉時代に盛んになった，朝廷や公家社会の儀式・礼儀・年中行事・官職などについて研究する学問を何というか，次の中から1つ選び，記号で答えよ。

ア　国学　　イ　古今伝授　　ウ　有職故実　　エ　古学

問3　16世紀に日本に創設されたキリスト教の神学校について述べた文として誤っているものを，次の中から1つ選び，記号で答えよ。

ア　施設の名称はセミナリオである。　　イ　島原半島にも創設された。

ウ　フランシスコ･ザビエルにより創設された。　　エ　ローマ字が教授された。

問4　江戸時代に岡山藩主池田光政により藩士の子弟を教育するために設立され，最古の藩校（藩学）とされるものを，次の中から1つ選び，記号で答えよ。

ア　花畠教場　　イ　昌平坂学問所　　ウ　松下村塾　　エ　懐徳堂

問5　明治時代の教育制度について述べた次の各文を古い順に並び替えた場合，3番目にくるものを1つ選び，記号で答えよ。

ア　小学校の設立経営を町村の自由裁量とする教育令が公布された。

イ　森有礼文部大臣のもとで，帝国大学を頂点とする学校体系が整備された。

ウ　フランスの学校制度にならった統一的な学制が公布された。

エ　尋常小学校6年間が義務教育とされた。

必修問題の解説

らくらくマスター ➡ P.168，172

古代から近代にかけての著名事項を問うた問題である。**問2**と**問3**はやや難易度が高い。**問5**のような時代配列の問題も出るので，年表も見ておく必要がある。

（問1）

エ 真言宗の開祖の**空海**が，828年に開設した庶民教育機関である。綜芸という言葉に示されるがごとく，多くの学芸を総合的に学習する学校であった。

（問2）

ウ 「ゆうそくこじつ」と読む。儀式に参加することの多い貴族や武士の子弟にとって，必須の学習内容であったとされる。

（問3）

ウ キリスト教の神学校を創設したのは，神父の**ヴァリニャーノ**である。フランシスコ・ザビエルは，わが国にキリスト教を初めて伝えた人物である。

（問4）

ア 1641年に設立された藩校である。儒者の**熊沢蕃山**を招き，藩士の子弟を教育した。

（問5）

ア **1879年**に，「学制」下の集権的・画一的な教育制度の改革を図るために公布された。

イ **1886年**の諸学校令による。小学校令，中学校令，師範学校令，帝国大学令の4つであり，これに伴い，近代的な学校体系が打ち立てられることとなった。

ウ **1872年**に公布された法令。これにより，わが国に近代学校制度が誕生した。序文において，「必ず邑（むら）に不学の戸なく家に不学の人なからしめん事を期す」と述べ，国民皆就学を要請している。

エ **1907年**に，6年間の無償義務教育制度が生まれた。日本の近代教育史上における，画期的な出来事である。

正答 （問1）エ （問2）ウ （問3）ウ （問4）ア （問5）イ

ここが問われる！出題ポイント

江戸期から明治期の著名な教育思想家・実践家について問う問題が頻出。西洋教育史と同様，各人物の著作名と業績のキーワードを押さえておこう。日本教育史の場合，歴史上の著名な出来事を時代順に並べ替えさせる問題も見られる。

実戦問題

★
No. 1 次の各文は，日本の近代教育制度の歴史に関する説明である。下線部が誤っているものはどれか。1～5から選びなさい。 【滋賀県】

1 1871年（明治4年）の廃藩置県により，幕藩体制を一掃して統一国家体制が創出され，同年に文部省が設置された。

2 1872年（明治5年）に太政官布告が発せられ，「学制」が公布された。学校制度は，学区制に基づき大学校・中学校・小学校の三種から成るとされた。

3 1885年（明治18年）に内閣制度が発足し，その最初の内閣において文部大臣に井上毅が起用された。

4 1890年（明治23年）に，天皇への「忠」と親への「孝」を基本とする教育勅語が発布され，国民の道徳や価値観の統一に大きな影響を与えた。

5 1947年（昭和22年）に教育基本法とともに制定された学校教育法により，学校制度の改革が実行され，六・三・三・四の学校制度が成立した。

★★
No. 2 近世の教育に関する次の文中の下線部①～⑤の語句が正しいものの組合せを，下の1～5から1つ選びなさい。 【高知県】

・江戸時代，儒学の中でも，幕府の保護を受け，いわば「官学」とされたのが①朱子学であった。

・将軍吉宗の時代には，各地の寺子屋において幕府の奨励する②恩物が多用された。

・江戸時代には，吉田松陰の「松下村塾」，大槻玄沢の「芝蘭堂」，広瀬淡窓の「咸宜園」，伊東仁斎の「古義堂」など③私塾が盛んに開設された。

・「適塾」では，蘭学者④佐久間象山が多くの子弟を教育し，その後の日本の医学の発展に寄与した。

・各藩における武士の教育機関「藩校」は，幕府直轄の⑤昌平坂学問所をモデルに創られ，私塾をその起源としながら，江戸時代中期に急増した。

1 ①，②，③

2 ①，③，⑤

3 ①，④，⑤

4 ②，③，④

5 ②，④，⑤

実戦問題の解説

No.1の解説　日本の近代教育制度の歴史

らくらくマスター ➡ P.168

1 ○　正しい。明治期以降，文部省が全国の諸学校を統轄する制度となった。

2 ○　正しい。この法令によって，わが国に近代学校制度が生まれることとなった。その序文（被仰出書（おおせいだされしょ））は，「学問は身を立るの財本ともいふべきもの」と指摘し，学ぶことが個人の実益につながることを強調している。また，「必ず邑（むら）に不学の戸なく家に不学の人なからしめん事を期す」と述べ，国民皆就学を要請している。

3 ×　誤り。井上毅ではなく，**森有礼**である。森は翌年の1886年に諸学校令を公布し，小学校から帝国大学まで連なる近代的な学校体系を打ち立てた人物として知られる。井上毅は，『教育勅語』の起草に関わった。

4 ○　正しい。『教育勅語』は教育の基本理念を提示し，国民道徳の面から，近代国家体制を支える役割を果たした。教育勅語は，戦前から戦中期にかけて神聖視され，ほとんどの学校において，天皇の御真影とともに，特別な場所に保管された。

5 ○　正しい。第二次世界大戦後の民主的な教育改革により，「6・3・3・4」の**単線型**の学校体系となった。戦前期は，中等教育段階以降，性質の異なる学校（中学校，高等女学校，実業学校など）に分岐する「**複線型**」であった。

No.2の解説　近世の教育

らくらくマスター ➡ P.172

① ○　朱子学は，封建社会の身分制度（士農工商）を支持する上下定分の理を説くものとして，江戸幕府の正学とされ庇護を受けた。**林羅山**は，朱子学派の儒学者である。

② ×　恩物ではなく，**往来物**である。往来物は初歩学習用の教科書で，模範文例などを，主に往復書簡の手紙形式で編集した手本集である。恩物は，フレーベルが考案した教育用の玩具である。

③ ○　正しい。日本で私立学校の比重が大きいのは，私塾の隆盛という歴史的事情による。

④ ×　**緒方洪庵**である。佐久間象山は，幕末の兵学者である。

⑤ ○　正しい。**昌平坂学問所**は，1790年（寛永２年）に設立された幕府直営の学校で，林羅山が開設した家塾を前身とする。江戸時代後期には，各藩が設置する藩校の教官養成の役割も担った。

正答　No.1　3　　No.2　2

実戦問題

★★
No. 3 **年表に示された期間（1946年～1952年）に行われた教育制度等の改革について，適切なものの組合せを選びなさい。** **【北海道・札幌市】**

① 教育基本法において，男女は，互いに尊重し，協力し合わなければならないものであって，教育上男女の共学は認められなければならないとされた。

② 明治5年学制頒布以来の大きな改革として，小学校から大学にまで及ぶ全学校体系が六・三・三・四制とされた。

③ 学習指導要領が改訂され，人間性豊かな児童生徒を育てるとともに，ゆとりのあるしかも充実した学校生活を送れるようにすることとされた。

④ 最初の学習指導要領が刊行され，従来の修身（公民），日本歴史及び地理を廃止し，新たに生活科が設けられた。

⑤ 学校教育法において，盲学校・聾学校・養護学校の制度を明らかにし，これを義務制とすることが定められた。

ア ①②⑤　イ ①③④　ウ ①③⑤　エ ②③④　オ ②④⑤

★★
No. 4 **日本教育史に関する記述として適切なものは，次の1～5のうちのどれか。** **【東京都】**

1 最澄は，藤原三守の援助によって左京九条に唐の民衆教育機関にならった「綜芸種智院」を設立し，儒教，道教，仏教をはじめ，あらゆる学芸・思想をあわせて学ばせる総合的な全人教育を目指し，庶民に修学させた。

2 北条実時は，古書を寄進することや鎌倉から快元を招くことなどにより，衰退していた「足利学校」を再興し，四書・五経等の漢学を主体とする易学・兵学を禅宗僧侶に修学させた。

3 石田梅岩は，「古義堂」を開き，宋学の思想は孔子・孟子本来のものと異なるとして，論語や孟子の原典について講義するとともに，仁と義の解明を通した政治論を展開した。

4 本居宣長は，「咸宜園」を創設し，毎月，塾生の得点をもとに席次の更新や進級の決定を行う等，詳細な規約や法度を定める中での実力主義を用いた方法により，武士から庶民まで漢学を修学させた。

5 緒方洪庵は，蘭学塾として「適塾」を開設し，実力本位の組織的な学級制と系統的な教授法を採用し，自学自習と塾生同士の相互教育を基本とする徹底した原書主義を貫いた。

実戦問題の解説

No.3の解説　戦後の民主教育改革

らくらくマスター ➡ P.168

①○ 正しい。第5条で「男女は，互に敬重し，協力し合わなければならないものであつて，教育上男女の共学は，認められなければならない」と規定された。2006年の改正法では，この条文は削除されている。

②○ 正しい。差別的な分岐のない単線型の学校体系となった。戦前期では，中等段階以降は旧制中学校，高等女学校，実業学校というように分岐する分岐型で，大学まで通じていたのは旧制中学校のみであった。

③× **1977年**の学習指導要領の改訂内容である。高度経済成長期の能力主義教育が反省され，「ゆとり」と「精選」という考え方のもと，教育内容および授業時数が削減された。

④× 修身，日本歴史及び地理を廃止し，新たに設けられたのは，生活科ではなく**社会科**である。生活科は，1989年の小学校学習指導要領改訂において，低学年に設けられた教科である。

⑤○ 正しい。ただし，養護学校が現実に義務化されたのは1979年である。

No.4の解説　古代・中世・近世の日本教育史

らくらくマスター ➡ P.172

1× 最澄ではなく**空海**（774～835）に関する記述である。判別のポイントは，「**綜芸種智院**」という民衆教育機関である。最澄（767～822）は，比叡山にて厳格な僧侶教育を行ったことで知られる。

2× 北条実時ではなく**上杉憲実**（1410～1466）に関する記述である。足利学校は日本最古の学校といわれることもあるが，真偽は定かでない。北条実時（1224～1276）は，わが国初の私設図書館といわれる金沢文庫の創設者である。

3× 石田梅岩ではなく**伊藤仁斎**（1627～1705）に関する記述である。仁斎は私塾の古義堂において，古典の解読を重視する古義学の教育・研究を行った。石田梅岩（1685～1744）は，近世の代表的な人生哲学，石門心学の創始者である。

4× 本居宣長ではなく，**広瀬淡窓**（1782～1856）に関する記述である。この人物の私塾・咸宜園は，近世最大規模の私塾に発展した。本居宣長（1730～1801）は，国学の大成者として名高い。

5○ 正しい。適塾からは，福沢諭吉をはじめとした逸材が多数輩出された。

正答　No.3　ア　　No.4　5

実戦問題

★★★
No. 5 **次の⑴～⑷の文は，明治時代から大正時代にかけて，日本の教育について大きな影響を与えた人物についての説明です。正しいものには○印，正しくないものには×印を書きなさい。** **【岩手県】**

⑴ 成城小学校の校長を務めた沢柳政太郎は，日本の教育学研究の在り方について問う「実際的教育学」を執筆する等，教育界において重要な役割を果たした。

⑵ 児童文学作家の鈴木三重吉は，雑誌「アララギ」を主宰し，日本の近代児童文学史に偉大な功績を残した。

⑶ 小原國芳は日本における新教育運動の代表的な指導者であり，「八大教育主張講演会」において「系統学習論」を提唱した。

⑷ 津田梅子は女子留学生として渡米した経験を活かし，自立した女性の育成のため，女子英学塾（津田塾大学の前身）を開設する等，女子高等教育のパイオニアとなった。

★★
No. 6 **次の表の［①］～［⑤］に当てはまる，教育機関の名称を，下の選択肢から１つ選び，番号で答えなさい。** **【宮崎県】**

［①］	古代国家の成立にともなってそれを支える国家的官吏養成のための教育機関である。唐を倣った「大宝（養老）律令」の学令によって設置された。当初の明経道中心から平安時代初期には明法道，算道，文章道が加えられ，やがて文章道が隆盛となった。
［②］	庶民教化のために空海が開いた古代の教育機関である。すべての学芸を修め，真実の智恵を学ぶという総合的な全人教育をめざした。真言密教を旨とした空海の理論よりも実践重視の教育思想が脈うっていた。
［③］	上杉憲実によって再興され，戦国時代にその最盛期を迎える。学生には僧侶が多く，武士や俗人もいた。外典の習得を中心に内典も課され，天文・土木・医学なども教育されていた。
［④］	江戸幕府に仕えた儒学者，林羅山が上野忍ケ岡に開いた家塾に始まり，のちに幕府直轄の教育機関となった。幕末には，飫肥藩出身の儒学者，安井息軒が教鞭をとったことでも知られている。
［⑤］	江戸時代，庶民の子どもを対象に読・書・算の初歩を教えるために設置された民間の教育施設であり，手習所とも呼ばれた。往来物と総称される教材の読み書きを通して，学力や家職に応じて社会生活のもろもろの知識を習得する生活に即した教育であった。

1 寺子屋　**2** 芸亭　**3** 足利学校　**4** 郷学
5 金沢文庫　**6** 大学寮　**7** 藩校　**8** 昌平坂学問所
9 綜芸種智院　**10** 国民学校

実戦問題の解説

No.5の解説 明治時代から大正時代の教育家 らくらくマスター ➡ P.174

(1) ○ 正しい。沢柳政太郎は成城小学校を創設し，そこにて児童中心主義の教育を実践し，大正自由教育運動のパイオニア的存在にもなった。『実際的教育学』は，実証的科学的教育学の嚆矢として高く評価されている。

(2) × 鈴木三重吉が主宰した雑誌は「アララギ」ではなく「**赤い鳥**」である。子どもたちに綴方や自由詩の指導をするためのもので，児童文学の水準向上に寄与した。

(3) × 小原国芳が八大教育主張講演会で講じたのは「**全人教育論**」である。1921年の８月１日から８日までの８日間に東京で開催された教育学術研究大会で，大正自由教育運動に理論的基礎を与え，その発展を促すことにもつながった。

(4) ○ 正しい。津田梅子は良妻賢母主義に反対し，英学を通した女子の職能教育を実践した。

No.6の解説 著名な教育機関 らくらくマスター ➡ P.172

① 6 **大学寮**に入学できるのは貴族の子弟に限られ，年齢は13歳から16歳までと定められていた。

② 9 **綜芸種智院**（しゅげいしゅちいん）は庶民教育機関であり，入学資格を貴族の子弟に制限していた官立学校の大学寮とは性格を異にしていた。

③ 3 **足利学校**は下野国足利に設置された教育機関である。設立時期については定説がなく，平安時代初期ともいわれるし，鎌倉時代初期ともいわれる。また日本最古の学校といわれることもあるが，真偽は定かでない。

④ 8 **昌平坂学問所**は，1790年に設立された江戸幕府直営の学校である。1632年に林羅山が開設した家塾を前身とする。幕府直参の家臣（旗本，御家人）の子弟に朱子学を教授する学校であったが，幕臣や民衆を対象とした公開講釈も行われていた。

⑤ 1 **寺子屋**はかなり普及し，幕末期には，全国におよそ15,000の寺子屋が存在したといわれている。

正答	
No.5	(1) ○ (2) × (3) × (4) ○
No.6	①－6 ②－9 ③－3 ④－8 ⑤－1

Column

子どもの自殺率の長期変化

家では「勉強，勉強」と言われたり，学校では「いじめ」がまん延していたりと，現代は子どもにとって「生きづらい」時代といわれるけれど，昔はどうだったのだろうか。**自殺率**という統計指標を手掛かりにして，子どもの生きづらさの今昔比較をしてみよう。

厚生労働省の資料によると，2020年中の10代の自殺者は763人である。同年の10代人口は約1,094万人。したがって，ベース人口10万人あたりの自殺者数は7.0人となる。下の図は，この指標の長期推移をたどったものである。1900（明治33）年から2020（令和２）年までの121年間のカーブである。

10代の自殺率の長期推移（10万人あたり）

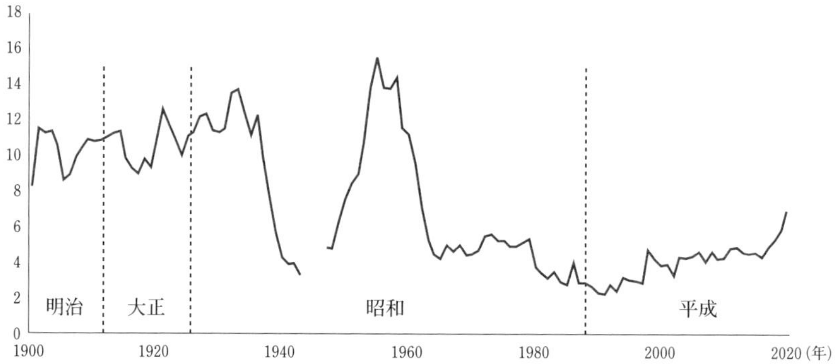

資料：総務省『人口推計年報』，内閣府『大日本帝国人口動態統計』，厚労省『人口動態統計』

総じて，子どもの自殺率は昔のほうが高かったようだ。戦前期では，ほとんどの時期で自殺率10のラインを越えている。観察期間中のピークは，戦争が終わって10年経った**1955（昭和30）年**の15.6である。現在のおよそ３倍。映画「三丁目の夕日」で美化されている時代であるが，子どもにとっては最も「生きづらい」時代であったようだ。はて，どういう理由での自殺が多かったのか。今のような学業不振やいじめを苦にした自殺とは，性質が違っていたと思われる。当時の新聞にあたって調べてみるのもいい。

歴史とは，人間がさまざまな問題をどう解決してきたかの記録でもある。その中には，今われわれが直面している問題を打開するためのヒントが潜んでいることもしばしばである。歴史に教えを乞う。こういう姿勢も大切にしたい。

Section
3
教育法規

テーマ 1 教育法規

日本国憲法

頻出度 A

必修問題

出題データ　東京都では5年間で3回出題されている。愛知県，福岡県，熊本県，宮崎県などでは必出である。

日本国憲法の条文として適切なものは，次の1～5のうちのどれか。

【東京都】

1　教育は，人格の完成を目指し，平和で民主的な国家及び社会の形成者として必要な資質を備えた心身ともに健康な国民の育成を期して行われなければならない。

2　国民は，その保護する子に，別に法律で定めるところにより，普通教育を受けさせる義務を負う。

3　国民一人一人が，自己の人格を磨き，豊かな人生を送ることができるよう，その生涯にわたって，あらゆる機会に，あらゆる場所において学習することができ，その成果を適切に生かすことのできる社会の実現が図られなければならない。

4　良識ある公民として必要な政治的教養は，教育上尊重されなければならない。

5　すべて国民は，法律の定めるところにより，その能力に応じて，ひとしく教育を受ける権利を有する。

らくらくマスター P.180

必修問題の解説

1つが日本国憲法の条文であり，残りの4つは教育基本法の条文である。憲法と教育基本法の条文は似ているものが多いので，区別をつけておくこと。上位法の憲法のほうが，抽象度の高い規定になっている。

1 × 教育基本法第1条である。**教育の目的**について定められている。重要条文であるので，覚えておこう。

2 × 教育基本法第5条第1項である。**義務教育**について定められている。ここでいう普通教育とは，小・中学校段階の教育をさす。2006年に改正される前の旧教育基本法では，「9年間の普通教育」というように年限が付されていたが，改正教育基本法ではこれが削除された。義務教育の期間を，時代の要請に応じて柔軟に変化させる必要性が出てきたためである。

3 × 教育基本法第3条である。**生涯学習**に関する条文であり，2006年の法改正で新設された。少子高齢化に伴い，生涯学習の重要性が増してきている。教育の機会は，人生の初期（子ども期）に限られるべきではない。学校を終えて社会に出た後も，必要に応じて学校に戻れるような「リカレント教育」システムの実現も求められる。

4 × 教育基本法第14条第1項である。**政治教育**について定めている。選挙年齢が20歳から18歳に引き下げられたが，「良識ある公民として必要な政治的教養」を早いうちから身につけさせることが求められる。

5 ○ 適切である。本肢は日本国憲法第26条第1項であり，**教育の機会均等**について定められている。この規定を受け，教育基本法第4条第3項は，「国及び地方公共団体は，能力があるにもかかわらず，経済的理由によって修学が困難な者に対して，**奨学**の措置を講じなければならない」と定めている。奨学金は，その代表的なものである。

正答 5

ここが問われる！出題ポイント

日本国憲法は，国の最高法規である。メジャーな形式は条文の空欄補充や正誤判定である。「全体の奉仕者」，「公共の福祉」，「教育を受ける権利」といった重要用語に注意しながら，条文を繰り返し読んでおくとよい。選択肢を与えないで書かせる問題もみられるので，書き取りの練習もしておくこと。

実戦問題

★
No. 1 次の文は，日本国憲法第26条である。（　A　）～（　D　）に入る語句の組合せを，１～５から１つ選びなさい。 **【鳥取県】**

すべて国民は，（　A　）の定めるところにより，その（　B　）に応じて，ひとしく教育を受ける（　C　）を有する。

すべて国民は，（　A　）の定めるところにより，その保護する子女に普通教育を受けさせる義務を負ふ。義務教育は，これを（　D　）とする。

	A	B	C	D
1	法令	適性	機会	無償
2	法律	能力	機会	9年間
3	法律	適性	権利	無償
4	法律	能力	権利	無償
5	法令	能力	機会	9年間

★
No. 2 次の記述は，「日本国憲法」の条文の一部である。空欄［ア］～［エ］に当てはまるものの組合せとして最も適切なものを，後の①～⑤のうちから選びなさい。 **【神奈川県・横浜市・川崎市・相模原市】**

第15条　公務員を選定し，及びこれを［ア］することは，国民固有の権利である。

すべて公務員は，全体の［イ］であつて，一部の［イ］ではない。

公務員の選挙については，成年者による［ウ］選挙を保障する。

すべて選挙における投票の［エ］は，これを侵してはならない。選挙人は，その選択に関し公的にも私的にも責任を問はれない。

①	ア　処分	イ　従事者	ウ直接	エ　自由
②	ア　処分	イ　奉仕者	ウ直接	エ　秘密
③	ア　罷免	イ　従事者	ウ普通	エ　自由
④	ア　罷免	イ　奉仕者	ウ直接	エ　自由
⑤	ア　罷免	イ　奉仕者	ウ普通	エ　秘密

実戦問題の解説

No.1の解説 日本国憲法第26条

らくらくマスター P.180

教育を受ける権利について定めた重要な条文である。

A **法律**が入る。ここでいう法律とは，教育基本法や学校教育法などである。上位法の憲法の規定は，これらの法律によって具体化されている。

B **能力**が入る。「能力に応じて」とあるので，能力に応じた異なる教育がなされることもあり得る。ただしこの文言が，差別的な教育を正当化することに用いられてはならない。

C **権利**が入る。「教育を受ける権利」の保障については，どれほど強調しても過ぎることはない。教育の機会については，教育基本法第４条第１項にて「すべて国民は，ひとしく，その能力に応じた教育を受ける機会」が与えられねばならない，と定められている。

D **無償**が入る。義務教育の無償とは，国公立の義務教育学校における授業料の不徴収という意味である。教育基本法第５条第４項は，「国又は地方公共団体の設置する学校における義務教育については，授業料を徴収しない」と定めている。

No.2の解説 日本国憲法第15条

らくらくマスター P.180

ア **罷免**が入る。憲法第15条第１項は，公務員の**選定罷免権**について定めている。罷免については，たとえば最高裁判所の裁判官は10年に１度の国民審査に付され，「投票者の多数が裁判官の罷免を可とするときは，その裁判官は，罷免される」と定められている（憲法第79条）。

イ **奉仕者**が入る。全体の奉仕者としての性格にかんがみ，公務員は「使用者としての住民に対して同盟罷業，怠業その他の争議行為をし，又は地方公共団体の機関の活動能率を低下させる怠業的行為をしてはならない」とされている（地方公務員法第37条第１項）。

ウ **普通**が入る。普通選挙とは，身分・性・財力等にかかわらず全ての成人に選挙権・被選挙権を与える制度をいう。対語は制限選挙で，戦前では選挙権・被選挙権を得られるのは，高額の税金を納めている成人男性だけだった。

エ **秘密**が入る。公職選挙法第46条第４項では，「投票用紙には，選挙人の氏名を記載してはならない」と，無記名投票について定められている。

正答 No.1 4 No.2 ⑤

実戦問題

★★★
No. 3 日本国憲法の条文には記されていないが，近年，強く主張されている新しい人権といわれるものの組合せとして正しいのはどれか。①～⑤から１つ選びなさい。　【京都市】

① 教育を受ける権利，プライバシーの権利，知る権利
② 団結権，知る権利，環境権
③ 争議権，団結権，教育を受ける権利
④ プライバシーの権利，教育を受ける権利，団結権
⑤ 環境権，知る権利，プライバシーの権利

★★★
No. 4 下の文章は，「日本国憲法」の条文の一部である。下線部①～⑤のうち，正しくないものをすべて選べ。　【岐阜県】

第10条　①日本国民たる要件は，法律でこれを定める。
第11条　国民は，すべての基本的人権の享有を妨げられない。この憲法が国民に保障する基本的人権は，②侵すことのできない永久の権利として，現在の国民に与へられる。
第12条　この憲法が国民に保障する自由及び権利は，国民の不断の努力によつて，これを保持しなければならない。又，国民は，これを濫用してはならないのであつて，③常に公共の利益のためにこれを利用する責任を負ふ。
第13条　すべて国民は，個人として尊重される。生命，自由及び幸福追求に対する国民の権利については，④公共の福祉に反しない限り，立法その他の国政の上で，最大の尊重を必要とする。
第18条　何人も，いかなる奴隷的拘束も受けない。又，⑤犯罪に因る処罰の場合を除いては，その意に反する苦役に服させられない。

★
No. 5 次の法令の条文中の空欄（　　）に入る語句を条文の下の１～５のうちから１つ選べ。なお，空欄には同じ語句が入るものとする。　【大分県・改題】

日本国憲法
　第20条　第３項　国及びその機関は，（　　）教育その他いかなる（　　）的活動もしてはならない。

1 政治　**2** 差別　**3** 特権　**4** 強制　**5** 宗教

実戦問題の解説

No.3の解説　日本国憲法が定める人権　らくらくマスター P.180

①× 教育を受ける権利は，日本国憲法第26条第１項で規定されている，最も基本的な人権である。「すべて国民は，法律の定めるところにより，その能力に応じて，ひとしく**教育を受ける権利**を有する」。

②× 団結権は，日本国憲法第28条で規定されている。「勤労者の**団結**する権利及び団体交渉その他の団体行動をする権利は，これを保障する」。

③× 教育を受ける権利は，近年になって主張され出した「新しい人権」ではない。争議権（団体行動をする権利）は，日本国憲法第28条で規定されている。

④× 教育を受ける権利と団結権は，近年になって主張され出した「新しい人権」ではない。

⑤○ いずれも，近年になって強く主張されている「**新しい人権**」に属する。環境権は，快適な環境での生活ができる権利，知る権利は，政府や地方公共団体がもつ情報を知る権利，プライバシーの権利は，私生活をみだらに公開されない権利である。

No.4の解説　日本国憲法の条文　らくらくマスター P.180

①○ 正しい。法律とは，国籍法のことである。

②× 現在の国民ではなく，**現在および将来の国民**である。今だけではなく，未来のことも考えられている。

③× 公共の利益ではなく，**公共の福祉**である。個々人の利益だけでなく，公共の福祉も考えられないと，社会は成り立たない。

④○ 正しい。

⑤○ 正しい。苦役とは，刑法が定める懲役刑や禁錮刑だが，2022年の法改正によりこれらが一本化されて拘禁刑となった。

No.5の解説　宗教教育の禁止　らくらくマスター P.180

5 **宗教**が入る。国の学校，すなわち国立学校では宗教教育や宗教的活動は禁じられる。教育基本法第15条第２項では，地方公共団体が設置する学校（公立学校）での宗教教育，宗教的活動も禁じている。ただし，私立学校はこの限りではない。宗教をもって，特別の教科・道徳に代えることも許される（学校教育法施行規則第50条第２項）。

正答　No.3 ⑤　No.4 ②，③　No.5 5

テーマ **2** 教育法規

教育基本法

頻出度 **A**

必修問題

出題データ　ほとんどの自治体で5年間で4回以上出題されている。教職教養で最も重要なテーマだ。

教育に関する法規について，次の問いに答えなさい。　【宮城県・仙台市】

(1) 次の文章は，平成18年12月22日公布・施行された教育基本法の前文について述べたものです。適切なものを**1**～**5**から1つ選びなさい。

1　個人の尊厳を重んじ，真理と平和を希求する人間の育成を期すると述べている。

2　個性豊かな文化の創造をめざす教育を普及しなければならないと述べている。

3　日本国憲法の精神にのっとり，教育の目的を明示して，新しい日本の教育の基本を確立するために，教育基本法を制定すると述べている。

4　公共の精神を尊び，豊かな人間性と独創性を備えた人間の育成を期すると述べている。

5　世界の平和と人類の福祉の向上に貢献することを願うものであると述べている。

(2) この教育基本法では，第2条において教育の目標を5つ挙げています。次の記述のうち，それらにあてはまらないものを**1**～**5**から1つ選びなさい。

1　幅広い知識と教養を身に付け，真理を求める態度を養い，豊かな情操と道徳心を培うとともに，健やかな身体を養うこと。

2　個人の尊厳を守り，自己の権利を追求する態度を養い，自主・自律の精神を培うとともに，勤労を重んずる態度を養うこと。

3　正義と責任，男女の平等，自他の敬愛と協力を重んずるとともに，公共の精神に基づき，主体的に社会の形成に参画し，その発展に寄与する態度を養うこと。

4　生命を尊び，自然を大切にし，環境の保全に寄与する態度を養うこと。

5　伝統と文化を尊重し，それらをはぐくんできた我が国と郷土を愛するとともに，他国を尊重し，国際社会の平和と発展に寄与する態度を養うこと。

必修問題の解説

らくらくマスター P.182

教育基本法は2006年に抜本改正された。出題されているのは，教育の基本理念について定めた前文と，教育の目標について規定した第２条である。前者では，旧法の記述との相違点に関する知識が要る。

(1)

1 × 旧教育基本法の前文の記述である。改正法では，「平和」が「**正義**」になっている。

2 × 旧教育基本法の前文の記述である。改正法では，「**新しい**文化の創造を目指す」となっている。

3 × 旧教育基本法の前文の記述である。「新しい日本」という表現に，戦後まもない旧法制定時の時代状況をみてとれる。

4 × 独創性ではなく**創造性**である。

5 ○ 正しい。国際化やグローバル化が進んだ現在，重要なことである。

(2)

1 ○ あてはまる。第２条の第１号を参照。

2 × あてはまらない。正しくは，「個人の価値を尊重して，その能力を伸ばし，創造性を培い，自主及び自律の精神を養うとともに，職業及び生活との関連を重視し，勤労を重んずる態度を養うこと。」である。第２条の第２号を参照。文中の「自己の権利を追求する態度を養い」とは，いかにもおかしい。

3 ○ あてはまる。第２条の第３号を参照。「**公共の精神**」は重要なキーワードである。

4 ○ あてはまる。第２条の第４号を参照。**環境教育**も重要性を増している。

5 ○ あてはまる。第２条の第５号を参照。しかるに，「国と郷土を**愛する**」態度を養うことの是非については，多くの論争がある。

正答 (1)－5　(2)－2

ここが問われる！出題ポイント

多くの自治体で必ず出題される。教育の憲法である教育基本法は，2006年12月に全面改正された。主な改正点と新設された条文について知っておこう。頻出の条文は，前文のほか，第１条（教育の目的），第２条（教育の目標），第４条（教育の機会均等），第５条（義務教育），などである。

教育基本法

実戦問題

★★
No. 1 次の問いに答えなさい。 【岩手県・改題】

次の文は，改正された教育基本法の教育の目的について述べたものです。文中の（　ア　）～（　イ　）にあてはまる語句を，下のA～Jから1つずつ選び，その記号を書きなさい。

教育は，人格の完成を目指し，平和で（　ア　）な国家及び社会の形成者として必要な（　イ　）を備えた心身ともに健康な国民の育成を期して行われなければならない。

A　人間的　　B　素養　　C　個性的　　D　資質　　E　能力　　F　態度
G　主体的　　H　自発的　　I　民主的　　J　人格

★★
No. 2 教育基本法に関する記述として適切でないものは，次の1～5のうちのどれか。 【東京都】

1　正義と責任，男女の平等，自他の敬愛と協力を重んずるとともに，公共の精神に基づき，主体的に社会の形成に参画し，その発展に寄与する態度を養うこと等を教育の目標として定めた。

2　国民一人一人が，自己の人格を磨き，豊かな人生を送ることができるよう，その生涯にわたって，あらゆる機会に，あらゆる場所において学習することができ，その成果を適切に生かすことのできる社会の実現が図られなければならないとして，生涯学習の理念について定めた。

3　国民は，その保護する子に，9年の普通教育を受けさせる義務を負うとして，義務教育の年限について定めた。

4　父母その他の保護者は，子の教育について第一義的責任を有するものであって，生活のために必要な習慣を身に付けさせるとともに，自立心を育成し，心身の調和のとれた発達を図るよう努めるものとするとして，家庭教育について定めた。

5　幼児期の教育は，生涯にわたる人格形成の基礎を培う重要なものであることにかんがみ，国及び地方公共団体は，幼児の健やかな成長に資する良好な環境の整備その他適当な方法によって，その振興に努めなければならないとして，幼児期の教育について定めた。

実戦問題の解説

No.1の解説　教育の目的

らくらくマスター P.182

ア I **民主的**が入る。旧法では，「平和的な国家及び社会の形成者」となっていた。

イ D **資質**が入る。「必要な資質を備えた」の部分が，旧法では「真理と正義を愛し，個人の価値をたつとび，勤労と責任を重んじ，自主的精神に満ちた」となっていた。旧法の第１条で規定されていた教育の目的の多くが，改正法では第２条の教育の目標に移行しているので，「**必要な資質**」というような簡素な言い回しになっている。

No.2の解説　教育基本法

らくらくマスター P.182，184，186，188

1 ○ 第２条では，文中でいわれているような事項をはじめとした，５つの目標が掲げられている。なお，今回の改正の重要なキーワードである「**公共の精神**」とは，「国民が国家・社会の一員として，法や社会の規範の意義や役割について学び，自ら考え，自由で公正な社会の形成に主体的に参画する」精神と定義されている（2003年３月，中央教育審議会答申）。

2 ○ 新設された第３条の内容である。この規定を受けて，2008年６月，**社会教育関連三法**（社会教育法，図書館法，博物館法）も大きく改正された。社会の変化が速まり，かつ少子高齢化が進んでいる日本では，生涯学習の重要性が増している。

3 × 適切でない。改正教育基本法第５条第１項は，「国民は，その保護する子に，別に法律で定めるところにより，普通教育を受けさせる義務を負う」と規定している。**９年**という年限の規定はない。「義務教育の期間については，時代の要請に応じて柔軟に対応することができるよう，別に法律で定めることとした」（2006年12月，文部科学省通知）と説明されている。その「法律」とは，学校教育法である。

4 ○ 新設された第10条第１項の内容である。「すべての教育の出発点である**家庭教育**の重要性にかんがみ，その役割や支援等について，新たに規定した」（同上）とある。「第一義的責任」というキーワードにも要注意。

5 ○ 新設された第11条の内容である。2007年度より，幼稚園と保育所の機能を一体化した**認定子ども園**の制度が導入されるなど，幼児教育の振興に力が入れられるようになっている。

正答　No.1　アーI　イーD　　No.2　3

実戦問題

★

No. 3 次は，教育基本法（平成18年12月22日　法律第120号）の条文または条文の一部である。誤っているものはどれか。1～5から選びなさい。　【滋賀県】

1　第1条　教育は，人格の完成を目指し，平和で民主的な国家及び社会の形成者として必要な資質を備えた心身ともに健康な国民の育成を期して行われなければならない。

2　第4条　すべて国民は，ひとしく，その能力に応じた教育を受ける機会を与えられなければならず，人種，信条，性別，社会的身分，経済的地位又は門地によって，教育上差別されない。

3　第5条　国民は，その保護する子に，別に法律で定めるところにより，普通教育を受けさせる義務を負う。

4　第9条　法律に定める学校の教員は，自己の崇高な使命を深く自覚し，必要に応じて研究と修養に励み，その職責の遂行に努めなければならない。

5　第13条　学校，家庭及び地域住民その他の関係者は，教育におけるそれぞれの役割と責任を自覚するとともに，相互の連携及び協力に努めるものとする。

★

No. 4 次の文章は，教育基本法第5条である。文中の（　A　）～（　D　）に入る語句の正しい組合せを，下の1～5のうちから1つ選べ。なお，同じ記号には同じ語句が入るものとする。　【大分県】

第5条　国民は，その保護する（　A　）に，別に法律で定めるところにより，普通教育を受けさせる義務を負う。

2　義務教育として行われる普通教育は，各個人の有する能力を伸ばしつつ社会において自立的に生きる基礎を培い，また，国家及び社会の形成者として必要とされる基本的な（　B　）を養うことを目的として行われるものとする。

3　国及び（　C　）は，義務教育の機会を保障し，その水準を確保するため，適切な役割分担及び相互の協力の下，その実施に責任を負う。

4　国又は（　C　）の設置する学校における義務教育については，授業料を（　D　）。

	A	B	C	D
1	子女	態度	地方公共団体	無償とする
2	子女	資質	地方自治体	徴収しない
3	子	態度	地方公共団体	無償とする
4	子	資質	地方公共団体	徴収しない
5	子	態度	地方自治体	無償とする

実戦問題の解説

No.3の解説 教育基本法 らくらくマスター ➡ P.182, 184, 186

1 ○ 正しい。教育の目的について定めた第１条である。教育の目的は時代や社会によって異なるが，現在の日本ではこういう規定になっている。「人格の完成」「平和」「民主的」といった言葉に注意。

2 ○ 正しい。教育の機会均等について規定した第４条である。給付奨学金が導入され，幼保の無償化・高等教育の無償化が実施されているが，この原則を実現させるためである。

3 ○ 正しい。義務教育について定めた第５条である。学校教育法第16条では，「子に９年の普通教育を受けさせる義務を負う」と年限も定められている。

4 × 誤り。「必要に応じて」ではなく**「絶えず」**である。社会の変化が激しい現在では，子どもに教える知識はもちろん，教育の方法も絶えず刷新される。絶えず研修と修養に励み，それに追いついて行かないといけない。それが高度専門職の証でもある。

5 ○ 正しい。学校，家庭及び地域住民等の連携協力について定めた第13条である。教育の場は学校だけではない。子どもは社会全体で育てる，という構えが重要である。中学校の運動部活動などは，地域のスポーツクラブ等に任されてもよい。

No.4の解説 義務教育 らくらくマスター ➡ P.184, 190

義務教育とは，保護者が学齢の子を学校に通わせる義務のことをいう。

A **子**が入る。子とは，６～14歳の学齢の子をさす。別の法律とは，主に学校教育法をさす。学齢の子を小・中学校に就学させる義務については，学校教育法第17条で定められている。

B **資質**が入る。義務教育として行われる普通教育で養うべき資質については，学校教育法第21条で言及されている。

C **地方公共団体**が入る。たとえば市町村は，経済的理由で学齢の子を就学させることが困難な保護者に対し，就学援助をすることを義務付けられている（学校教育法第19条）。近年，就学援助の対象となる家庭が増えている。

D **徴収しない**が入る。国公立の義務教育諸学校では，授業料は徴収されない。義務教育の無償の範囲は，国公立の義務教育諸学校での授業料不徴収を意味する。

正答 No.3 4 No.4 4

教育基本法

実戦問題

★★★

No. 5 次の文は，教育基本法の条文の一部である。下線部の語句のうち誤っている語句の数は全部でいくつあるか。①～⑤から１つ選び，記号で答えよ。

【神戸市・改題】

(第４条) すべて国民は，ひとしく，その能力に応じた教育を受ける機会を与えられなければならず，人種，信条，性別，1社会的身分，2経済的地位又は門地によって，教育上差別されない。

2 国及び地方公共団体は，障害のある者が，その障害の状態に応じ，十分な教育を受けられるよう，教育上必要な支援を講じなければならない。

3 国及び地方公共団体は，能力があるにもかかわらず，経済的理由によって修学が困難な者に対して，3就学の措置を講じなければならない。

(第14条) 良識ある公民として必要な4政治的教養は，教育上尊重されなければならない。

2 法律に定める学校は，特定の5政治家を支持し，又はこれに反対するための政治教育その他政治的活動をしてはならない。

(第15条) 宗教に関する寛容の態度，宗教に関する一般的な教養及び宗教の社会生活における6地位は，教育上尊重されなければならない。

2 国及び地方公共団体が設置する学校は，7特定の宗教のための宗教教育その他宗教的活動をしてはならない。

① 2つ　② 3つ　③ 4つ　④ 5つ　⑤ 6つ

★

No. 6 次の記述は，教育基本法の条文からの抜粋である。空欄［ア］～［エ］に当てはまるものの組合せとして最も適切なものを，後の①～⑤のうちから選びなさい。

【神奈川県・横浜市・川崎市・相模原市・改題】

第６条 法律に定める学校は，［ア］を有するものであって，国，地方公共団体及び法律に定める法人のみが，これを設置することができる。

2 前項の学校においては，教育の目標が達成されるよう，教育を受ける者の［イ］に応じて，体系的な教育が［ウ］行われなければならない。

① ア 公の性質　イ 資質・能力　ウ 計画的に
② ア 教育の目的　イ 心身の発達　ウ 計画的に
③ ア 公の性質　イ 心身の発達　ウ 組織的に
④ ア 教育の目的　イ 資質・能力　ウ 組織的に
⑤ ア 公の性質　イ 資質・能力　ウ 組織的に

実戦問題の解説

No.5の解説 教育基本法

らくらくマスター P.184, 188

1 ○ 正しい。子どもの権利条約第2条では，「国民的，種族的若しくは社会的出身」による差別が禁じられている。

2 ○ 正しい。経済的地位に関連していうと，教育費の私費負担が大きいわが国では，「経済的地位」による教育機会の格差が甚だ大きいと思われる。

3 × 正しくは「**奨学**」である。よく知られている「奨学の措置」として，たとえば奨学金などがある。

4 ○ 正しい。政治的教養とは，良識をもって主権を行使できる国民（公民）に不可欠なものである。

5 × 正しくは「**政党**」である。わが国では政党政治がとられているが，特定の政党を支持するような教育は許されない。私立学校も同様である。

6 ○ 正しい。

7 ○ 正しい。ただし私立学校では，「特定の宗教のための教育」は許される。学校教育法施行規則第50条第2項の規定により，私立学校では教育課程に**宗教**を加えることができ，その場合，それでもって特別の教科である道徳に代えることができる。

よって，正答は①である。

No.6の解説 学校の性質

らくらくマスター P.184

ア 「**公の性質**」が入る。公の性質を有する学校で行われる教育が，すなわち公教育である。私立学校も公教育を担う機関で，教育基本法や学校教育法といった法律に依拠した教育を行わねばならない。国が設置する学校は国立学校，地方公共団体が設置する学校は公立学校，法人が設置する学校は私立学校である。

イ 「**心身の発達**」が入る。公教育の対象となる児童・生徒は，幅広い年齢にわたる。教育課程の国家基準である学習指導要領は，子どもの発達段階に応じて教育内容を配列している。

ウ 「**組織的に**」が入る。高度化した社会においては，学校という専門機関にて，教員という専門職によって，体系的な教育が組織的に実施される。前近代社会においては，行き当たりばったりの「私教育」が幅を利かせていた。

よって，正答は③である。

正答 No.5 ① No.6 ③

テーマ 3 教育法規

学校に関する基本法規

頻出度 C

必修問題

出題データ　和歌山県での出題のほか，福島県5年間で4回，東京都では5年間で3回出題されている。

次の条文は，「学校教育法」において規定する各学校の目的である。条文中の（　A　）～（　E　）にあてはまる語句の正しい組合せを，下の1～5から1つ選びなさい。　【和歌山県・改題】

第29条　小学校は，（　B　）に応じて，義務教育として行われる普通教育のうち（　A　）的なものを施すことを目的とする。

第45条　中学校は，小学校における教育の（　A　）の上に，（　B　）に応じて，義務教育として行われる普通教育を施すことを目的とする。

第49条の2　義務教育学校は，（　B　）に応じて，義務教育として行われる普通教育を（　A　）的なものから（　C　）施すことを目的とする。

第50条　高等学校は，中学校における教育の（　A　）の上に，（　B　）及び進路に応じて，（　D　）な普通教育及び専門教育を施すことを目的とする。

第63条　中等教育学校は，小学校における教育の（　A　）の上に，（　B　）及び進路に応じて，義務教育として行われる普通教育並びに（　D　）な普通教育及び専門教育を（　C　）施すことを目的とする。

第72条　特別支援学校は，視覚障害者，聴覚障害者，知的障害者，肢体不自由者又は病弱者（身体虚弱者を含む。以下同じ。）に対して，幼稚園，小学校，中学校又は高等学校に（　E　）を施すとともに，障害による学習上又は生活上の困難を克服し自立を図るために必要な知識技能を授けることを目的とする。

	A	B	C	D	E
1	基礎	心身の能力	一体的に	発展的	相当する教育
2	基礎	心身の能力	一貫して	高度	相当する教育
3	基礎	心身の発達	一貫して	高度	準ずる教育
4	基盤	心身の発達	一体的に	高度	準ずる教育
5	基盤	心身の発達	一体的に	発展的	準ずる教育

必修問題の解説

らくらくマスター ➡ P.86, 196, 198

学校教育法で規定されている，各学校の目的の条文が出題されている。各学校の目的はどういうものか，しっかり覚えておこう。

A 「**基礎**」が入る。小学校では，全国民を対象とする普通教育の基礎を施す。その内容は社会の変化を反映し，2017年公示の新学習指導要領ではプログラミング教育が必修となり，中学年から外国語教育が実施される。

B 「**心身の発達**」が入る。小学校の6年間は，児童の心身の発達が著しい時期である。

C 「**一貫して**」が入る。2015年の学校教育法改正により，小中一貫教育を行う**義務教育学校**が新設された。義務教育学校は，6年間の前期課程と3年間の後期課程に分かれ，前者は小学校，後者は中学校学習指導要領に依拠して教育課程が組まれる。

D 「**高度**」が入る。高等学校では，普通教育と専門教育の双方が行われる。普通科は前者，専門学科（商業科，工業科等）は後者に重点を置く。高度経済成長期の頃は専門学科の比重が高かったが，最近は普通科の生徒が全体の7割を占めている。なお，これらに次ぐ「第三の学科」として**総合学科**があり，生徒数を順調に増やしている。中等教育学校は，中高一貫教育を行う学校である。

E 「**準ずる教育**」が入る。**特別支援学校**は障害のある子どもの教育を行う学校で，都道府県が設置する。以前は養護学校，盲学校，聾学校に分かれていたが，2006年の学校教育法改正により，特別支援学校に一本化された。特別支援学校は幼稚部，小学部，中学部，高等部からなり，幼稚園，小学校，中学校，高等学校に「準ずる教育」が行われる。

正答 3

ここが問われる！出題ポイント

学校教育法で定められている各学校の目的であるが，自分が受験する校種の条文はそらんじることができるまでにしっかり読み込んでおきたい。小・中学校の場合は「普通教育」，高等学校の場合は「普通教育及び専門教育」という箇所がポイントになる。なお，義務教育の目標について定めた第21条は頻出。教育基本法第2条でいわれている，教育全体の目標と混同しないよう注意のこと。

学校に関する基本法規

実戦問題

★★★
No. 1 公立学校の設置等に関する記述として，法令に照らして適切なものは，次の１～５のうちのどれか。 【東京都】

1　学校を設置しようとする者は，学校の種類に応じ，文部科学大臣の定める設備，編制その他に関する設置基準に従い，これを設置しなければならない。
2　区市町村の設置する高等学校，中等教育学校及び特別支援学校の設置廃止，設置者の変更は，文部科学大臣の認可を受けなければならない。
3　都道府県は，その区域内にある学齢児童及び学齢生徒を就学させるに必要な小学校及び中学校を設置しなければならない。
4　同一の設置者が設置する中学校及び高等学校においては，地方公共団体の長の定めるところにより，中等教育学校に準じて，中学校における教育と高等学校における教育を一貫して施すことができる。
5　特別支援学校には，特別の必要のある場合においても，小学部及び中学部のいずれかのみを置くことはできない。

★★
No. 2 学校教育法において，義務教育の目標に規定されているものとして，正しいものの組合せを選びなさい。 【北海道・札幌市・改題】

①　学校内外における自然体験活動を促進し，生命及び自然を尊重する精神並びに環境の保全に寄与する態度を養うこと。
②　個性の確立に努めるとともに，社会について，広く深い理解と健全な批判力を養い，社会の発展に寄与する態度を養うこと。
③　我が国と郷土の現状と歴史について，正しい理解に導き，伝統と文化を尊重し，それらをはぐくんできた我が国と郷土を愛する態度を養うとともに，進んで外国の文化の理解を通じて，他国を尊重し，国際社会の平和と発展に寄与する態度を養うこと。
④　社会において果たさなければならない使命の自覚に基づき，個性に応じて将来の進路を決定させ，一般的な教養を高め，専門的な知識，技術及び技能を習得させること。
⑤　学術の中心として，広く知識を授けるとともに，深く専門の学芸を教授研究し，知的，道徳的及び応用的な能力を養うこと。

ア　①②⑤　　イ　①③　　ウ　①④　　エ　②③　　オ　②④⑤

実戦問題の解説

No.1の解説 学校の設置　らくらくマスター➡P.86, 194

1 ○ 適切である。学校教育法第3条による。設置基準は学校種ごとに定められていて，2021年には特別支援学校の設置基準も公布されている。特別支援学校へのニーズが増しているためである。

2 × 文部科学大臣ではなく，**都道府県の教育委員会**である。学校教育法第4条第1項による。

3 × 都道府県ではなく，**市町村**である（学校教育法第38条）この規定は中学校にも準用される。なお，「教育上有益かつ適切であると認めるときは，義務教育学校の設置をもつてこれに代えることができる」。義務教育学校は，小・中一貫教育を行う学校である。

4 × 地方公共団体の長ではなく，**文部科学大臣**である（学校教育法第71条）。

5 × 特別の必要がある場合，小学部，中学部の**いずれかのみを置くことができる**（学校教育法第76条第1項）。小学部や中学部を置かないで，幼稚部または高等部のみを置くこともできる（第76条第2項）。

No.2の解説 義務教育の目標　らくらくマスター➡P.198

学校教育法第21条は，義務教育の目標について定めている。

① ○ 正しい。学校教育法第21条第2号を参照。教育基本法第2条は，教育の目標の一つとして，「生命を尊び，自然を大切にし，環境の保全に寄与する態度を養うこと」（第4号）を挙げているが，この規定を受けている。

② × 学校教育法第51条が規定する，**高等学校**の目標の一つである。

③ ○ 正しい。学校教育法第21条第3号を参照。教育基本法第2条第5号がいう，「伝統と文化を尊重し，それらをはぐくんできた**我が国と郷土を愛する**とともに，他国を尊重し，国際社会の平和と発展に寄与する態度を養うこと」という，教育の目標規定を受けている。ただし，この規定の是非については，思想的立場の相違により，多くの論争が交わされている。

④ × 学校教育法第51条が規定する，**高等学校**の目標の一つである。普通教育と専門教育の双方を担う，高等学校の性格に対応したものとなっている。

⑤ × 学校教育法第83条第1項が規定する，**大学**の目標である。なお，「大学は，その目的を実現するための教育研究を行い，その成果を広く社会に提供することにより，社会の発展に寄与するものとする」（第83条第2項）と法定されている。

正答　No.1　1　　No.2　イ

実戦問題

★★
No. 3 次のア～オの各文は，学校教育法の条文の一部である。正しいものを２つ選び，記号で答えなさい。 【福岡市・改題】

ア　この法律で，学校とは，保育園，幼稚園，小学校，中学校，義務教育学校，高等学校，中等教育学校，特別支援学校，大学，高等専門学校及び各種学校とする。

イ　学校の設置者は，その設置する学校を管理し，法令に特別の定のある場合を除いては，その学校の経費を負担する。

ウ　保護者（子に対して親権を行う者（親権を行う者のないときは，児童後見人）をいう。以下同じ。）は，次条に定めるところにより，子に９年の義務教育を受けさせる責任を負う。

エ　小学校は，心身の発達に応じて，義務教育として行われる普通教育のうち基礎的なものを施すことを目的とする。

オ　義務教育学校の課程は，これを初等６年の初等課程及び中等３年の中等課程に区分する。

★
No. 4 次の文中の（　ア　）～（　ウ　）に入る語句の正しい組合せを，下の１～５のうちから１つ選べ。 【大分県】

[学校教育法]

第３条　学校を設置しようとする者は，学校の種類に応じ，（　ア　）の定める設備，編制その他に関する設置基準に従い，これを設置しなければならない。

第５条　（　イ　）は，その設置する学校を管理し，法令に特別の定のある場合を除いては，その学校の経費を負担する。

第19条　経済的理由によつて，就学困難と認められる学齢児童又は学齢生徒の保護者に対しては，（　ウ　）は，必要な援助を与えなければならない。

1	ア	文部科学省	イ	教育長	ウ	教育委員会
2	ア	文部科学大臣	イ	教育長	ウ	教育委員会
3	ア	文部科学省	イ	地方公共団体の長	ウ	市町村
4	ア	文部科学大臣	イ	学校の設置者	ウ	市町村
5	ア	文部科学大臣	イ	学校の設置者	ウ	国

実戦問題の解説

No.3の解説 学校教育法の条文
らくらくマスター P.190，194，196

ア × **保育園**は含まれない。保育園は学校ではなく，児童福祉法が定める児童福祉施設である。「保育所は，保育を必要とする乳児・幼児を日々保護者の下から通わせて保育を行うことを目的とする施設」と定められている（同法第39条第１項）。専修学校や各種学校も含まれないことに注意。学校教育法第１条で定められている学校が，正規の学校である。

イ ○ 正しい。学校教育法第５条による。

ウ × 児童後見人ではなく，**未成年後見人**である。未成年の親権を有する者がいない時，法定代理人になる者のことである（民法第838条第１号）。

エ ○ 正しい。中学校は「小学校における教育の基礎の上に，心身の発達に応じて，義務教育として行われる普通教育を施すことを目的とする」（学校教育法第45条）。区別をつけておくこと。

オ × 初等ではなく**前期**，中等ではなく**後期**である。義務教育学校は，2015年６月の学校教育法改正で創設された，小中一貫教育を行う学校である。

No.4の解説 学校の設置
らくらくマスター P.194，212

ア **文部科学大臣**が入る。小学校設置基準，中学校設置基準というように，校種ごとに設置基準が設けられている。前者では，「一学級の児童数は，法令に特別の定めがある場合を除き，40人以下とする」「小学校には，校舎及び運動場のほか，体育館を備えるものとする」というような規定が盛られている。2021年には，特別支援学校の設置基準も定められている。

イ **学校の設置者**が入る。学校は，国，地方公共団体，学校法人が設置できる（学校教育法第２条）。国が設置するのは国立学校，地方公共団体が設置するのは公立学校，学校法人が設置するのは私立学校である。幼稚園や大学では，私立学校のウェイトが高い。学校の設置者は，学校の経費を負担する。

ウ **市町村**が入る。就学援助の実施主体は市町村である。市町村が負担した費用の２分の１は国が負担する。貧困所帯の子どもが増える中，就学援助の重要性が高まっている。最近では，小・中学生の約15％（７人に１人）が就学援助の対象になっている。地域によっては４割を超える。

正答 No.3 イ，エ　No.4 4

テーマ 4 教育法規

学校経営

頻出度 B

必修問題

出題データ　東京都では5年間で4回出題されている。宮崎県でも5年間で4回出題されている。

学校図書館及び子供の読書活動に関する記述として，法令に照らして適切なものは，次の1～5のうちのどれか。　【東京都】

1　法令に基づき都道府県が策定した「子ども読書活動推進基本計画」に従い，児童・生徒の読書活動の状況等を踏まえ，学校ごとに読書活動推進計画を策定しなければならない。

2　国は，学校図書館を整備し，その充実を図るために，学校図書館の設置及び運営に関し，専門的，技術的な指導及び勧告を与えることに努めなければならない。

3　学校には，学校図書館を設け，図書，視覚聴覚教育の資料その他学校教育に必要な資料を収集し，これを児童・生徒及びその保護者の利用に供しなければならない。

4　学校図書館には，専門的職務を掌る図書館司書を必ず置くものとし，教育委員会が国の委嘱を受けて行う司書教諭の資格を得るための講習を受講させなければならない。

5　子供の読書活動についての関心と理解を深め，子供が積極的に読書活動を行う意欲を高めるため，都道府県ごとに「子ども図書の日」の日にちを定めなければならない。

必修問題の解説

らくらくマスター ➡ P.200

学校の図書室は，正式には学校図書館という。この施設に関する基本事項を定めた学校図書館法からの出題である。子どもの読書活動推進がいわれるなか，学校図書館の重要性が増していることもあって，出題頻度が増してきている。

1 × 法令に基づき**政府**が策定した「子ども読書活動推進基本計画」に従い，**都道府県**ごとに読書活動推進計画を策定するよう努めなければならないとある（子どもの読書活動の推進に関する法律第 9 条第 1 項）。学校は，読書活動推進計画の策定を義務付けられてはいない。都道府県と市町村は，読書活動推進計画策定の努力義務を課されている。

2 ○ 適切である。学校図書館法第 8 条の規定による。国は「学校図書館の整備及び充実並びに司書教諭の養成に関する総合的計画を樹立すること」という努力義務も課されている。

3 × 保護者ではなく**教員**である（学校図書館法第 4 条第 1 項）。ただし，「学校図書館は，その目的を達成するのに支障のない限度において，一般公衆に利用させることができる」という規定もある（第 4 条第 2 項）。

4 × 図書館司書ではなく，**司書教諭**である。司書教諭は「司書教諭の講習を修了した者でなければならない」（学校図書館法第 5 条第 2 項）が，「司書教諭の講習は，**大学その他の教育機関**が文部科学大臣の委嘱を受けて行う」とある（第 5 条第 3 項）。教育委員会が行うのではない。

5 × 「国民の間に広く子どもの読書活動についての関心と理解を深めるとともに，子どもが積極的に読書活動を行う意欲を高めるため，子ども読書の日を設ける」とある（子どもの読書活動の推進に関する法律第10条第 1 項）。子ども読書の日を都道府県ごとに定めるという規定ではない。子ども読書の日は，全国一律に **4 月23日**とされる。

正答 2

ここが問われる！ 出題ポイント

学校を動かす「学校経営」に関する事項は数多いが，学校図書館，教育活動の日程，および学級編制の基準の問題が頻出。司書教諭の設置規定，学期・休業日に関する規定，1 学級あたりの標準児童・生徒数の規定などについて問われる。法改正により，公立小学校では「35人学級」となっていることに注意。

実戦問題

★★★

No. 1 公立学校の学期や休業日等に関する記述として，法令に照らして適切なものは，次の１～５のうちのどれか。 【東京都】

1 学校の学期並びに夏季，冬季，学年末，農繁期等における休業日又は家庭及び地域における体験的な学習活動その他の学習活動のための休業日は，当該学校を設置する区市町村又は都道府県の教育委員会が定める。

2 学校の学年は，４月２日に始まり，翌年４月１日に終わる。ただし，高等学校において修業年限が３年を超える定時制の課程を置く場合は，その最終の学年は，９月30日に終わるものとすることができる。

3 授業終始の時刻は，当該学校を設置する区市町村又は都道府県の教育委員会が，校長の意見やその地域の事情等を考慮して適切に定める。

4 学校における休業日は,「国民の祝日に関する法律に規定する日」,「日曜日及び土曜日」,「地方公共団体の長が定める日」と定められている。

5 非常変災その他急迫の事情があるときは，校長は，当該学校を設置する地方公共団体の長の許可を得て，臨時に授業を行わないことができる。

★

No. 2 次の学校図書館法の（　ア　）～（　エ　）に入る語句を，下の１～５のうちから１つ選べ。 【大分県・改題】

第５条　学校には，学校図書館の専門的職務を掌らせるため，（　ア　）を置かなければならない。

２　前項の（　ア　）は，主幹教諭（養護又は栄養の指導及び管理をつかさどる主幹教諭を除く。)，（　イ　）又は教諭（以下この項において「主幹教諭等」という。）をもつて充てる。この場合において，当該主幹教諭等は，（　ア　）の講習を修了した者でなければならない。

３・４〔略〕

第６条　学校には，前条第１項の（　ア　）のほか，学校図書館の運営の改善及び向上を図り，児童又は生徒及び（　ウ　）による学校図書館の利用の一層の促進に資するため，専ら学校図書館の職務に従事する職員（次項において「(　エ　)」という。）を置くよう努めなければならない。

２　国及び地方公共団体は，（　エ　）の資質の向上を図るため，研修の実施その他の必要な措置を講ずるよう努めなければならない。

1 学年主任	**2** 司書	**3** 学校司書	**4** 教員
5 司書教諭	**6** 一般公衆	**7** 指導教諭	**8** 成人

実戦問題の解説

No.1の解説 教育活動の日程 らくらくマスター→P.204

1 ○ 適切である。学校の学期や休業日は，当該学校を設置する自治体の教育委員会が定める（学校教育法施行令第29条第1項）。私立学校の休業日は，当該学校の学則で定める。

2 × 学校の学年は，**4月1日に始まり，翌年3月31日**に終わる（学校教育法施行規則第59条）。

3 × 授業の終始の時刻を定めるのは，**校長**である（同施行規則第60条）。日本の学校では居眠りをする生徒が多いが，始業の時刻を遅らせることで，教育活動の効果が高まるかもしれない。朝のラッシュの緩和にもなるだろう。

4 × 公立学校の休業日は「国民の祝日に関する法律に規定する日」，「日曜日及び土曜日」，「学校教育法施行令第二十九条第一項の規定により**教育委員会が定める日**」である（同施行規則第61条）。

5 × 非常変災等により学校を休業した場合，当該学校を設置する自治体の教育委員会に報告する。（同施行規則第63条，他の学校にも準用）。差し迫った緊急事態であるので，事前に許可を得る必要はなく，事後報告でよい。

No.2の解説 司書教諭・学校司書 らくらくマスター→P.200

ア 5 **司書教諭**が入る。司書教諭はどの学校にも必ず置かなければならない。司書教諭の講習は，「大学その他の教育機関が文部科学大臣の委嘱を受けて行う」とされる（第5条第3項）。

イ 7 **指導教諭**が入る。指導教諭は2008年度より導入されている職階で，設置は各学校の任意である。

ウ 4 **教員**が入る。学校図書館は，教員が授業準備の調べものをする際にも使える。なお「学校図書館は，その目的を達成するのに支障のない限度において，一般公衆に利用させることができる」という規定もある（第4条第2項）。

エ 3 **学校司書**が入る。学校司書は，2014年の法改正で新設された職員である。司書教諭は講習を修了した者でなければならないが，学校司書には資格要件はない。それゆえ，「国及び地方公共団体は，学校司書の資質の向上を図るため，研修の実施その他の必要な措置を講ずるよう努めなければならない」とされる（第6条第2項）。

正答 No.1 1　No.2 ア－5　イ－7　ウ－4　エ－3

学校保健

頻出度 A

必修問題

出題データ　東京都では 5 年間に 2 回の出題。福島県や宮崎県などでは毎年出題されている。

学校保健に関する記述として，法令に照らして適切なものは，次の 1 ～ 5 のうちのどれか。　【東京都】

1　学校においては，児童生徒等及び職員の心身の健康の保持増進を図るため，児童生徒等及び職員の健康診断，環境衛生検査，児童生徒等に対する指導その他保健に関する事項について計画を策定し，これを実施しなければならない。

2　養護教諭は，児童・生徒の養護，栄養の指導及び管理をつかさどる。

3　区市町村の教育委員会は，翌学年の初めから公立の小学校，中学校及び中等教育学校の前期課程に就学させるべき者で，その区域内に住所を有するものの就学に当たって，その健康診断を行わなければならない。

4　校長は，感染症の予防上必要があるときは，臨時に，学校の全部又は一部の休業を行うことができる。

5　大学以外の学校には，学校医，学校歯科医及び学校薬剤師を置くものとされているが，学校薬剤師については，特別の事情のあるときは置かないことができる。

必修問題の解説

らくらくマスター ➡ P.206，218

学校保健安全法からの出題である。**4**は，よく出るひっかけ問題の典型。学校の設置者と校長の権限の区別をつけておく必要がある。

1 ○ 正しい。学校保健計画の策定等について定めた，学校保健安全法第５条の規定による。健康診断については，**毎学年**定期に児童生徒等の健康診断を行うこととされている（学校保健安全法第13条第１項）。

2 × 児童・生徒の「栄養の指導及び管理をつかさどる」のは，養護教諭ではなく**栄養教諭**である。養護教諭は，児童・生徒の**養護**をつかさどる（学校教育法第37条第12項）。小・中学校には養護教諭を置かなければならないが，特別の事情のあるときは，養護教諭に代えて養護助教諭を置くことができる（第37条第18項）。

3 × 就学時健康診断は，初等教育の就学前になされるものであり，対象は，小学校に就学させるべき者である。就学時健康診断で障害が発見された場合，就学指導の対象となり，特別支援学校小学部への就学等について検討される。学校保健安全法第11条，学校教育法第17条第１項を参照。

4 × 校長ではなく，**学校の設置者**である（学校保健安全法第20条）。公立学校の場合，当該学校が立地する地方公共団体である。なお，感染症の予防に際して校長がとることのできるのは，「感染症にかかつており，かかつている疑いがあり，又はかかるおそれのある児童生徒等があるときは，政令で定めるところにより，**出席を停止**させること」である（学校保健安全法第19条）。

5 × 「大学以外の学校には，学校歯科医及び学校薬剤師を置くものとする」と法定されており（学校保健安全法第23条第２項），特別の事情のあるときは置かないことができる，という特例規定はない。

正答 1

ここが問われる！出題ポイント　学校保健安全法の条文が出題される。健康診断と，感染症予防に際してとられる措置についてよく問われる。後者については，学校の設置者（教育委員会）は臨時休業，校長は感染症の疑いのある者の出席停止の措置をとる権限があることに注意。この点のひっかけ問題がよく出る。

実戦問題

★★
No. 1 次の文は，「学校保健安全法」の一部である。[ア]～[エ]に入る語句が「学校の設置者」となる正しい組合せを，①～⑤のうちから１つ選べ。

【島根県】

第12条 [ア]は，前条の健康診断の結果に基づき，治療を勧告し，保健上必要な助言を行い，及び学校教育法第17条第１項に規定する義務の猶予若しくは免除又は特別支援学校への就学に関し指導を行う等適切な措置をとらなければならない。

第15条 [イ]は，毎学年定期に，学校の職員の健康診断を行わなければならない。

第19条 [ウ]は，感染症にかかつており，かかつている疑いがあり，又はかかるおそれのある児童生徒等があるときは，政令で定めるところにより，出席を停止させることができる。

第20条 [エ]は，感染症の予防上必要があるときは，臨時に，学校の全部又は一部の休業を行うことができる。

① アイ　② アエ　③ イウ　④ イエ　⑤ ウエ

★
No. 2 次の１～４の中から，下線部が誤っているものを１つ選びなさい。

【埼玉県・さいたま市】

1 学校においては，毎学年定期に，児童生徒等（通信による教育を受ける学生を除く。）の<u>歯磨き指導</u>を行うものとする。（学校保健安全法第13条）

2 学校においては，児童生徒等の心身の健康に関し，<u>健康相談</u>を行うものとする。（学校保健安全法第８条）

3 学校においては，児童生徒等の安全の確保を図るため，当該学校の実情に応じて，危険等発生時において<u>当該学校の職員がとるべき措置</u>の具体的な内容及び手順を定めた対処要領（次項において「危険等発生時対処要領」という。）を作成するものとする。（学校保健安全法第29条）

4 学校においては，児童生徒等の安全の確保を図るため，当該学校の施設及び設備の安全点検，児童生徒等に対する通学を含めた学校生活その他の日常生活における安全に関する指導，職員の研修その他学校における<u>安全に関する事項について計画を策定</u>し，これを実施しなければならない。（学校保健安全法第27条）

実戦問題の解説

No.1の解説　学校保健に関する措置を行う主体　らくらくマスター ➡ P.218

ア　「**市町村の教育委員会**」が入る。「前条の健康診断」とは，就学時の健康診断である。この健康診断の結果をもとに，就学させるべき学校に関する指導（**就学指導**）が実施される。

イ　「**学校の設置者**」が入る。健康診断の対象には，児童生徒のみならず，教職員も含まれる。なお，健康診断を行った時は，職員健康診断票を作成しなければならない（学校保健安全法施行規則第15条第１項）。職員健康診断票は，学校備付表簿として，５年間の保存が義務づけられている（第15条第３項）。児童生徒の健康診断についても同様である。

ウ　「**校長**」が入る。感染症予防のための必要な措置の一つである。感染症による出席停止の期間については，同法施行規則第19条にて，詳細に定められている。

エ　「**学校の設置者**」が入る。感染症予防のための臨時休業の種類としては，学級閉鎖，学年閉鎖，および休校という３つの種類がある。2020年は，新型コロナウイルスが世間を脅かし，全国一斉に臨時休校の措置がとられた。

No.2の解説　学校保健の業務　らくらくマスター ➡ P.206，218

1 ×　誤っている。歯磨き指導ではなく，**健康診断**である。健康診断は毎学年６月30日までに行い，結果に基づいて「疾病の予防処置を行い，又は治療を指示し，並びに運動及び作業を軽減する等適切な措置をとらなければならない」（第14条）。

2 ○　正しい。健康診断に加えて，**健康相談**も実施される。必要に応じて保健指導も実施されるが（第９条），対象には保護者も含まれる。子どもの主な生活の場は家庭であるため，保護者の意識の啓発も求められる。子どもの肥満が増えているが，食事をファストフードに頼るなど，家庭における食生活の乱れ（偏り）に起因する部分もある。

3 ○　正しい。危機管理マニュアルという。校長は，「危険等発生時対処要領の職員に対する周知，訓練の実施その他の危険等発生時において職員が適切に対処するために必要な措置を講ずる」（第29条第２項）。

4 ○　正しい。学校安全計画と言われる。

正答　No.1　④　　No.2　1

実戦問題

★★
No. 3 **学校保健安全法が平成21年4月から施行されました。この法律の中で，学校が行わなければならないこととして，正しくないものを次の1～5から1つ選びなさい。** 【宮城県・仙台市】

1 救急処置，健康相談又は保健指導を行うに当たっては，地域の医療機関その他の関係機関との連携を図るように努めること。

2 児童生徒の安全確保の上で，学校の施設及び設備に支障となる事項を認めた場合は，その改善を図るために必要な措置を講じること。

3 災害又は感染症が発生し臨時に休業した場合は，代替の授業を行い授業を確保すること。

4 学校安全計画を策定し，児童生徒に対して通学を含めた学校生活その他の日常生活における安全に関する指導を実施すること。

5 危険発生時において職員がとるべき措置の内容及び手順を定めた対処要領を作成すること。

★★
No. 4 **学校保健安全法に定める学校安全に関する記述として適切なものは，次の1～5のうちのどれか。** 【東京都】

1 学校の設置者は，児童・生徒の安全の確保を図るため，その設置する学校において，事故等により児童・生徒に生ずる危険を防止することができるよう，当該学校の施設及び設置並びに管理運営体制の整備充実その他の必要な措置をとらなければならない。

2 学校においては，児童・生徒の安全の確保を図るため，児童・生徒に対する通学を除いた学校生活における安全に関する指導，職員の研修その他学校における安全に関する事項について計画を策定し，これを実施しなければならない。

3 校長は，当該学校の施設又は設備について，児童・生徒の安全の確保を図る上で支障となる事項があると認めた場合には，その改善を図るために必要な措置を講じ，又は当該措置を講ずることができないときは，文部科学大臣に対し，その旨を申し出るものとする。

4 学校においては，児童・生徒の安全の確保を図るため，当該学校の実情に応じて，危険等発生時において当該学校の児童・生徒及びその保護者がとるべき措置の具体的内容及び手順を定めた対処要領を作成しなければならない。

5 学校においては，児童・生徒の安全の確保を図るため，児童・生徒の保護者との連携を図るとともに，当該学校が所在する地域の実情に応じて，関係機関，関係団体及び関係者との連携を図るよう努めるものとする。

実戦問題の解説

No.3の解説 学校保健に関わる学校の義務規定 らくらくマスター ➡ P.206

2008年６月，学校保健法が**学校保健安全法**へと変わった。その名のとおり，学校安全に関する諸規定も盛り込まれている。

1 ○ 第10条を参照。学校は，健康相談（第８条）や保健指導（第９条）を実施しなければならない。その際，「必要に応じ，当該学校の所在する地域の医療機関その他の関係機関との連携を図るよう努めるものとする」（第10条）とされる。専門的な知識が要る場合もある。

2 ○ 第28条を参照。なお，「当該措置を講ずることができないときは，当該学校の設置者に対し，その旨を申し出るもの」とされる。

3 × 誤っている。学校保健安全法に，このような規定はない。

4 ○ 第27条を参照。「当該学校の施設及び設備の**安全点検**，児童生徒等に対する通学を含めた学校生活その他の日常生活における安全に関する指導，職員の研修その他学校における安全に関する事項について計画」の策定・実施が求められている。

5 ○ 第29条第１項を参照。「**危険等発生時対処要領**」と呼ばれる。危機管理マニュアルともいう。

No.4の解説 学校保健に関わる学校の義務規定 らくらくマスター ➡ P.206

1 × 学校保健安全法第26条であるが，「当該学校の施設及び設備並びに管理運営体制の整備充実その他の必要な措置を講ずるよう努めるものとする」という，努力義務の規定になっている。

2 × 同法第27条であるが，「通学を除いた」という箇所は誤り。「通学を含めた学校生活その他の日常生活における安全に関する指導，職員の研修その他学校における安全に関する事項について計画」を策定・実施するとある。子どもの事故や犯罪被害は，通学時に多発する。

3 × 同法第28条であるが，申し出る先は文部科学大臣ではなく，**学校の設置者**である。公立学校の場合，自治体の教育委員会である。

4 × 同法第29条第１項であるが，「児童・生徒及びその保護者がとるべき」という箇所は誤り。「**当該学校の職員**がとるべき措置の具体的内容及び手順を定めた対処要領」を作成する。

5 ○ 適切である。同法第30条の規定による。

正答 No.3　3　　No.4　5

実戦問題

★★★
No. 5 感染症に関する措置として，学校保健安全法（昭和33年法律第56号），学校保健安全法施行令（昭和33年政令第174号），学校保健安全法施行規則（昭和33年文部省令第18号）に示されている内容として，適切なものの組合せを選びなさい。 【北海道・札幌市・改題】

① 学校医は，感染症の予防に関し，必要な指導及び助言を行い，並びに学校における感染症及び食中毒の予防処置に従事すること。

② 養護教諭は，感染症にかかっており，かかっている疑いがあり，又はかかるおそれのある児童生徒等があるときは，出席を停止させることができる。

③ 風疹にあっては，発しんが消失するまでの期間を出席停止の期間の基準とする。ただし，病状により，医師において感染のおそれがないと認めたときはその限りでない。

④ 校長は，感染症による出席停止があった場合，出席を停止させた理由と期間，及び児童生徒等の氏名を学校医に報告しなければならない。

⑤ 校長は，学校内に，感染症の病毒に汚染し，又は汚染した疑いがある物件があるときは，消毒その他適当な処置をするものとする。

ア ①②③　イ ①③⑤　ウ ①④⑤　エ ②③④　オ ②④⑤

★
No. 6 次は，「学校保健安全法　第９条」の全文です。文中の［　①　］～［　④　］にあてはまる語句の組合せとして正しいものを，下の１～４の中から１つ選びなさい。 【埼玉県・さいたま市】

養護教諭その他の職員は，相互に連携して，健康相談又は児童生徒等の［　①　］の日常的な観察により，児童生徒等の［　②　］を把握し，健康上の問題があると認めるときは，遅滞なく，当該児童生徒等に対して必要な［　③　］を行うとともに，必要に応じ，その保護者（学校教育法第16条に規定する保護者をいう。第24条及び第30条において同じ。）に対して必要な［　④　］を行うものとする。

1 ①健康状態　②心身の状況　③助言　④指導
2 ①心身の状況　②健康状態　③指導　④助言
3 ①健康状態　②心身の状況　③指導　④助言
4 ①心身の状況　②健康状態　③助言　④指導

実戦問題の解説

No.5の解説　感染症への対応　らくらくマスター ➡ P.218

新型コロナウイルスの影響もあり，感染症への対応に関する法規定がよく出題されるようになっている。事後の対応だけでなく，予防も重要である。

①○　適切である。学校保健安全法施行規則第22条第１項による。学校には，学校医を置くこととされている（学校保健安全法第23条第１項）。

②×　養護教諭ではなく，**校長**である（学校保健安全法第19条）。感染症による出席停止の措置をとる場合，「理由及び期間を明らかにして，幼児，児童又は生徒にあつてはその保護者に，高等学校の生徒又は学生にあつては当該生徒又は学生にこれを指示しなければならない」（学校保健安全法施行令第６条第１項）。

③○　適切である。学校保健安全法施行規則第19条による。「新型コロナウイルス感染症にあつては，発症した後５日を経過し，かつ，症状が軽快した後１日を経過するまで」とある。

④×　学校医ではなく，**学校の設置者**である（学校保健安全法施行令第７条，学校保健安全法施行規則第20条）。公立学校の場合，当該学校が立地する地方公共団体である。

⑤○　適切である。学校保健安全法施行規則第21条第２項による。

No.6の解説　学校保健安全法第９条　らくらくマスター ➡ P.206

①　**健康状態**が入る。健康診断のみならず，日常的な観察にも基づく。

②　**心身の状況**が入る。心と身体の状況である。前者の把握には，カウンセリングの技量も要る。

③　**指導**が入る。いわゆる保健指導である。

④　**助言**が入る。保護者の意識の啓発も欠かせない。国立青少年教育振興機構の「青少年の体験活動等に関する意識調査」（2019年）によると，年収の低い家庭ほど，子どもの肥満率が高い傾向にある。安価なジャンクフード依存など，食習慣の乱れが起きやすいためとみられる。子どもの生活の基盤は家庭であって，こうした**健康格差**の是正に際して，保護者に対する助言・啓発の意義は大きい。

正答　No.5　イ　　No.6　3

テーマ 6 教育法規

教科書・著作権

頻出度 C

必修問題

出題データ　東京都では5年間で3回，宮城県，茨城県，大分県などでは5年間で2回出題されている。

次の文は著作権法の条文の抜粋である。下記の設問に答えなさい。

【静岡県・改題】

第三十五条　学校その他の教育機関（営利を目的として設置されているものを除く。）において教育を（　①　）する者及び授業を受ける者は，その授業の（　②　）における使用に供することを目的とする場合には，必要と認められる（　③　）において，公表された著作物を複製することができる。ただし，当該著作物の種類及び用途並びにその複製の部数及び態様に照らし著作権者の（　④　）を不当に害することとなる場合は，この限りではない。

⑴　文中の（　①　）～（　④　）に入る語を下の語群ア～シから選び，記号で答えなさい。

ア　担任　　イ　指導　　ウ　推進　　エ　限度　　オ　場面　　カ　状況
キ　過程　　ク　全体　　ケ　部分　　コ　権利　　サ　利益　　シ　尊厳

⑵　著作権に関する次の文ア～ウのうち正しいものを選び，記号で答えなさい。

ア　授業中に児童生徒が描いた絵については，教員の指導の下に作成したものであれば，その教員は児童生徒の了解なしに利用できる。

イ　教員が授業で使用するために，小説などをコピーして児童生徒に配布する場合，著作権者の了解を得る必要がある。

ウ　児童生徒が，「調べ学習」のために，新聞記事などをコピーして他の児童生徒に配布する場合，著作権者の了解なしに利用できる。

らくらくマスター P.208

必修問題の解説

著作権法第35条の規定が出題されている。学校では各種の著作物を複製して教材にすることが多いが，トラブルを起こさないよう，知っておくべき条文である。

(1)

①ア **担任**が入る。教育を担任する者とは，すなわち教員である。

②キ **過程**が入る。授業の過程という条件が付いていることに注意。たとえば，教員らが私的にダビングした教育番組を持ち寄って，生徒がそれらを随時視聴できるライブラリーをつくるなどは，授業の過程から外れるので不可である。

③エ **限度**が入る。複製が認められるのは，必要と認められる限度においてである。無制限な複製は認められない。

④サ **利益**が入る。たとえば，市販の計算ドリルを丸ごと複製して配布し，夏休みの宿題にするなどは，著作権者の利益を不当に侵害することにつながる。

(2)

ア× 教員の指導の下に作成したものであっても，絵の著作権者は当該の児童生徒であるから，授業の過程外でそれを利用する場合，許諾を得る必要がある。

イ× 授業の過程で使用する場合，著作物の複製に際して，著作権者の了解を求めなくともよい。ただし，複製は「必要と認められる限度」にとどめ，「著作権者の利益」を害することがないよう，十分注意しなければならない。

ウ○ 正しい。児童生徒は「授業を受ける者」（著作権法第35条）であるので，授業の過程に使用する目的において著作物を複製することは，著作権者の了解を得なくとも差し支えない。

正答 (1)①—ア　②—キ　③—エ　④—サ　(2)—ウ

ここが問われる！出題ポイント

教科用図書（教科書）の使用義務やその特例を定めた法規定がよく出る。高等学校や特別支援学校では，検定教科書，文部科学省著作教科書以外のものも使用できることに注意。著作権法については，具体的な例を提示して，同法の規定に抵触しないかどうかを判定させる問題が頻出。著作物複製の際は，「授業の過程」内，「必要と認められる限度」，「営利を目的としない」という条件が付いていることに注意されたい。

教科書・著作権

実戦問題

★★
No. 1 教科用図書に関する記述として，法令に照らして適切なものは，次の１～５のうちのどれか。 【東京都】

1 地方公共団体は，毎年度，義務教育諸学校の児童・生徒が各学年の課程において使用する教科用図書を購入し，当該学校の校長を通じて児童又は生徒に給与する。

2 小学校に10月に転学した児童には，転学前に給与を受けた教科用図書と転学後に使用する教科用図書が同一の場合であっても，再度，当該教科用図書が無償で給与される。

3 中学校においては，教科用図書以外の教材は，有益かつ適切なものであれば，教員は当該学校の校長に報告することにより，教科の主たる教材として授業に使用することができる。

4 高等学校においては，文部科学大臣の定めるところにより，「文部科学大臣の検定を経た教科用図書」又は「文部科学省が著作の名義を有する教科用図書」以外の教科用図書を使用することができる。

5 公立の義務教育諸学校における教科用図書の採択は，教科用図書選定審議会が行う助言により，当該義務教育諸学校の校長が，種目ごとに一種の教科用図書について行う。

★
No. 2 次の文章は，教科書の発行に関する臨時措置法第２条第１項である。文中の（　A　）～（　C　）に入る語句の正しい組合せを，下の１～５のうちから１つ選べ。 【大分県】

第２条　この法律において「教科書」とは，小学校，中学校，義務教育学校，高等学校，中等教育学校及びこれらに準ずる学校において，教育課程の構成に応じて組織排列された教科の（　A　）として，教授の用に供せられる児童又は生徒用図書であって，文部科学大臣の（　B　）を経たもの又は文部科学省が著作の（　C　）を有するものをいう。

	A	B	C
1	中心的教材	認可	名義
2	中心的教材	検定	権利
3	主たる教材	検定	名義
4	主たる教材	認可	権利
5	主たる教材	検定	権利

実戦問題の解説

No.1の解説 教科用図書及びその他の教材　らくらくマスター P.208

1 × 地方公共団体ではなく**国**である。国・公・私立の義務教育諸学校で使用される教科書については，全児童生徒に対し，国の負担によって無償で給与される。

2 × 転学後に使用する教科用図書が**異なる**場合，当該教科用図書は無償で給与される。

3 × 教科用図書以外の補助教材の使用については，校長への報告では足りず，**教育委員会**の承認を得る必要がある（地方教育行政法第33条第２項）。

4 ○ 適切である。高等学校，中等教育学校の後期課程及び特別支援学校並びに特別支援学級においては，当面の間，「文部科学大臣の検定を経た教科用図書」または「文部科学省が著作の名義を有する教科用図書」**以外**の教科用図書を使用できる（学校教育法附則第９条）。

5 × 公立の義務教育諸学校の教科用図書の採択は，都道府県教育委員会の助言のもと，当該学校を設置する**自治体の教育委員会**が行う。国・私立学校の場合は，教科書の採択権は校長にある。

No.2の解説 教科書の定義　らくらくマスター P.208

教科書とは，正式には「教科用図書」という。

A **主たる教材**が入る。教科書は，教科の主たる教材という位置づけで，「小学校においては，文部科学大臣の検定を経た教科用図書又は文部科学省が著作の名義を有する教科用図書を使用しなければならない」と定められている（学校教育法第34条第１項，他の学校にも準用）。なお教科書以外の教材で，**有益適切なもの**は使用できる（第４項）。これが補助教材である。

B **検定**が入る。「教科書の記述が客観的で公正なものとなり，かつ，適切な教育的配慮がなされたものとなるよう，教科用図書検定基準に基づき，教科用図書検定調査審議会の審議を経て，教科書の検定が実施される」（文部科学省）。同省の検定を経た教科書は，文部科学省検定済教科書といわれる。

C **名義**が入る。文部科学省が著作の名義を有する教科書は，文部科学省著作教科書といわれる。

よって正答は**3**である。

正答 No.1　4　　No.2　3

開かれた学校運営

頻出度 C

必修問題

出題データ　青森県では5年間で1回出題，埼玉県と大分県では5年間で4回出題されている。

次の文は，「学校評価」について示された学校教育法及び学校教育法施行規則の一部である。次のa～fにあてはまる語句を下のア～シから選び，その記号を書きなさい。　【青森県・改題】

学校教育法

第42条　小学校は，（　a　）の定めるところにより当該小学校の（　b　）その他の学校運営の状況について評価を行い，その結果に基づき学校運営の改善を図るため必要な措置を講ずることにより，その（　c　）の向上に努めなければならない。

第43条　小学校は，当該小学校に関する保護者及び地域住民その他の関係者の理解を深めるとともに，これらの者と連携及び協力の推進に資するため，当該小学校の（　b　）その他の学校運営の状況に関する情報を（　d　）に提供するものとする。

学校教育法施行規則

第66条　小学校は，当該小学校の（　b　）その他の学校運営の状況について，自ら評価を行い，その結果を（　e　）するものとする。

第67条　小学校は，前条第1項の規定による評価の結果を踏まえた当該小学校の児童の保護者その他の当該小学校の関係者（当該小学校の職員を除く。）による評価を行い，その結果を（　e　）するよう努めるものとする。

第68条　小学校は，第66条第1項の規定による評価の結果及び前条の規定により評価を行つた場合はその結果を，当該小学校の（　f　）に報告するものとする。

ア　教育水準　　イ　憲法　　ウ　授業　　エ　教育活動　　オ　公表
カ　学校評価委員会　　キ　設置者　　ク　積極的　　ケ　文部科学大臣
コ　教育効果　　サ　開示　　シ　日常的

必修問題の解説

らくらくマスター P.120

現代は「評価」の時代であるが，教育とて，それを免れる聖域ではない。本条文は小学校に関するものであるが，他の学校にも等しく準用される。

a ケ **文部科学大臣**が入る。「文部科学大臣が定めるところ」とは，同省の省令である学校教育法施行規則を指す。本問で引用されている，同施行規則の第66～68条である。

b エ **教育活動**が入る。評価項目の代表的なものは「教育課程・学習指導」であり，「説明，板書，発問など，各教員の授業の実施方法」，「児童生徒の学力・体力の状況を把握し，それを踏まえた取組の状況」などを評価するとある（文部科学省「学校評価ガイドライン」2010年）。

c ア **教育水準**が入る。文中にある「評価を行い…改善を図る」とは，「目標（Plan）－実行（Do）－評価（Check）－改善（Action）というPDCAサイクル」に依拠して，教育水準の向上に努める過程にほかならない。

d ク **積極的**が入る。提供する情報の例として，学校教育目標のほか，「教職員の担当学年，担当教科，校務分掌，授業の持ち時間数，所持免許状の種類」や「児童生徒の出席率」などが挙げられる（「学校評価ガイドライン」2010年）。

e オ **公表**が入る。学校評価には，①**自己評価**，②学校関係者評価，および③第三者評価の３種類があるが，①の結果は公表することが義務づけられており（学校教育法施行規則第66条第１項），②の結果は公表に務めることとされている（同施行規則第67条）。

f キ **設置者**が入る。設置者とは，公立学校の場合，当該学校を設置している自治体の**教育委員会**である。

正答 a－ケ　b－エ　c－ア　d－ク　e－オ　f－キ

ここが問われる！出題ポイント

学校評価，学校評議員，および学校運営協議会という３つの内容からなる。いずれも，学校と家庭・地域社会の連携に関わる制度である。学校教育法や同法施行規則で定められている，各々の法的根拠の条文を読んでおこう。学校評価では，評価の種類や結果の取扱いについてよく問われる。「学校評価ガイドライン」という資料を見ておこう。学校評議員と学校運営協議会には，どのような権限が与えられているかも重要。両者のものを混同しないよう注意のこと。

実戦問題

★
No. 1 学校評価について説明した文として適切でないものを，次の１～５から１つ選びなさい。 【宮城県・仙台市】

1 学校評価は，学校教育法に基づき，幼稚園，小学校，中学校，高等学校，中等教育学校及び特別支援学校で実施しなければならない。

2 学校評価における自己評価は，各学校が行う評価であり，実情に応じて適切な項目を設定して行うものである。

3 学校評価における学校関係者評価は，各学校の教職員と教育委員会が行う評価であり，実施した上で公表するよう努めなければならない。

4 学校評価における第三者評価は，学校運営に関する外部の専門家が行う評価であり，学校とその設置者がその責任の下で，必要と判断した場合に実施するものである。

5 学校評価の実施により，適切に説明責任を果たすとともに，保護者や地域住民の理解と参画を得ながら，学校，家庭，地域の連携による学校づくりを進めるものである。

★
No. 2 次の文章は，「学校評価ガイドライン」（文部科学省　平成28年改訂）における「1．学校評価の目的，定義と流れ」の一部である。文中の（　A　）～（　C　）に入る語句の正しい組合せを，下の１～５のうちから１つ選べ。【大分県】

① 各学校が，自らの（　A　）その他の学校運営について，目指すべき目標を設定し，その達成状況や達成に向けた取組の適切さ等について評価することにより，学校として組織的・継続的な改善を図ること。

② 各学校が，（　B　）及び保護者など学校関係者等による評価の実施とその結果の公表・説明により，適切に説明責任を果たすとともに，保護者，地域住民等から理解と参画を得て，学校・家庭・地域の連携協力による学校づくりを進めること。

③ （　C　）が，学校評価の結果に応じて，学校に対する支援や条件整備等の改善措置を講じることにより，一定水準の教育の質を保証し，その向上を図ること。

	A	B	C
1	教育活動	自己評価	各学校の設置者等
2	教育課程	自己評価	各学校長
3	教育活動	業績評価	各学校長
4	教育活動	業績評価	各学校の設置者等
5	教育課程	業績評価	各学校長

実戦問題の解説

No.1の解説 学校評価　らくらくマスター ➡ P.120

1 ○ 正しい。学校教育法第42条にて，「小学校は，…当該小学校の教育活動その他の学校運営の状況について**評価**を行い，その結果に基づき学校運営の改善を図るため必要な措置を講ずることにより，その教育水準の向上に努めなければならない」と法定されている。本条文は，他の学校にも準用される。

2 ○ 正しい。なお，自己評価の結果は公表することが義務づけられている（学校教育法施行規則第66条第１項）。

3 × 学校関係者評価とは，「**保護者**，**地域住民**等の学校関係者などにより構成された評価委員会等が，自己評価の結果について評価することを基本として行う評価」である（文部科学省「学校評価ガイドライン」2018年）。学校関係者評価の結果の公表は努力義務である，という記述は正しい（学校教育法施行規則第67条）。

4 ○ 正しい。第三者評価については，法規上の実施義務や実施の努力義務は課されていない。

5 ○ 正しい。**説明責任**（アカウンタビリティ）とは，重要なキーワードである。

No.2の解説 学校評価ガイドライン　らくらくマスター ➡ P.120

「学校評価ガイドライン」で言われている，学校評価の目的である。大きく分けて３つある。

A **教育活動**が入る。「学校の裁量が拡大し，自主性・自律性が高まる上で，その教育活動等の成果を検証し，必要な支援・改善を行うことにより，児童生徒がより良い教育活動等を享受できるよう学校運営の改善と発展を目指し，教育の水準の向上と保証を図ることが重要」とされる。

B **自己評価**が入る。学校評価は，自己評価，学校関係者評価，第三者評価の３つからなる。このうち自己評価は実施，および結果の公表が義務付けられている（学校教育法施行規則第66条第１項）。学校関係者評価の実施・結果公表は努力義務で，第三者評価の実施は任意とされる。

C **各学校の設置者等**が入る。公立学校の場合，当該学校が立地する地方公共団体である。

よって，正答は**1**となる。

正答 No.1 3　No.2 1

実戦問題

★
No. 3 **学校評議員制度について述べた次の①～④のうち，正しいものはどれか。1つ選べ。** 【香川県】

① 学校評議員は，学校の設置者の推薦を受け，校長により委嘱される。

② 学校評議員は，校長の求めに応じ，校長の行う学校運営に対して意見を述べることができる。

③ 学校評議員には，当該学校の職員を含め，有識者，保護者等，教育に関する見識がある者を選ばなければならない。

④ 学校評議員に意見を求める事項については，事前に学校の設置者に了承を得なければならない。

★
No. 4 **コミュニティ・スクール（学校運営協議会制度）について，正しいものの組合せはどれか。** 【群馬県】

ア 小・中学校において学校運営協議会を設置する際は，1つの市町村につき1つの協議会を設置することとし，PTAの代表者や地域の自治会長など，地域の代表者が参加する。

イ 学校運営協議会は，校長の作成する「学校運営の基本方針の承認」を通じて，育てたい子供像や目指す学校像等に関する学校運営のビジョンを共有する。

ウ 学校運営協議会は，広く地域住民等の意見を反映させる観点から，当該学校の運営全般について，教育委員会又は校長に対して主体的に意見を申し出ることができる。

エ 教職員の採用その他の任用に関する事項については，機密情報の管理や個人情報保護の観点から，学校運営協議会において，任命権者に意見を述べることは認められていない。

オ 平成29年度以降，学校運営協議会の設置が教育委員会の努力義務になったことにより，全国のコミュニティ・スクールの導入率が大幅に上がり，令和3年5月時点で，全国の3割を超える公立学校が導入している。

① ア イ ウ　② ア エ オ　③ イ ウ オ　④ イ エ オ
⑤ ア イ エ

実戦問題の解説

No.3の解説 学校評議員

らくらくマスター→P.210

学校評議員制度は，2000年に創設された。法的根拠は，学校教育法施行規則第49条である。

①× 「学校評議員は，当該小学校の職員以外の者で教育に関する理解及び識見を有するもののうちから，**校長の推薦により，当該小学校の設置者が委嘱する**」（学校教育法施行規則第49条第３項，他の学校にも準用）。設置者とは，公立学校の場合，当該学校が立地する地方公共団体である。

②○ 正しい。同第49条第２項による。

③× 学校評議員には，**職員以外**の者で教育に関する理解及び識見を有する者を選ぶ（第49条第３項）。当該学校の職員は含めない。

④× 校長は，学校評議員に意見を求めることができるが（第49条第２項），その内容について事前に設置者に了承を得なければならない，という規定はない。

No.4の解説 コミュニティ・スクール

らくらくマスター→P.210

学校運営協議会が置かれた学校を，**コミュニティ・スクール**という。制度の法的根拠は，地方教育行政法第47条の５である。主な機能は①学校運営の方針を承認する，②学校運営に関する事項について意見を述べる，③教職員の採用・任用について意見を述べる，という３つである。

ア× 学校運営協議会は**学校ごと**に置かれる（地方教育行政法第47条の５第１項）。その委員には，地域住民，児童生徒又は保護者，学校運営に資する活動を行う者，その他必要と認める者から，教育委員会が任命する（同第２項）。地域の代表者という規定はない。

イ○ 正しい。法律でも「校長は，当該対象学校の運営に関して，教育課程の編成その他教育委員会規則で定める事項について基本的な方針を作成し，当該対象学校の**学校運営協議会の承認**を得なければならない」とある（同第４項）。

ウ○ 正しい。「学校運営協議会は，対象学校の運営に関する事項について，教育委員会又は校長に対して，**意見を述べる**ことができる」（同第６項）。

エ× 「学校運営協議会は，対象学校の職員の採用その他の任用に関して教育委員会規則で定める事項について，当該職員の任命権者に対して**意見を述べることができる**」（同第７項）。

オ○ 正しい。2023年５月時点では，全国の公立学校におけるコミュニティ・スクールは18,135校で，全体の52.3％に該当する。

正答 No.3 ② No.4 ③

就　学

頻出度 B

必修問題

出題データ　東京都では5年間で4回出題されている。山梨県と長野県でも5年間で4回の出題である。

就学に関する記述として，学校教育法及び学校教育法施行令に照らして適切なものは，次の1～5のうちのどれか。【東京都】

1　保護者は，子が満15歳に達した日の属する学年の終わりまでに中学校，中等教育学校の前期課程又は特別支援学校の中学部の課程を修了しないときは，満18歳に達した日の属する学年の終わりまで就学させる義務を負う。

2　学齢児童又は学齢生徒で，病弱，発育不完全その他経済的理由によって，就学困難と認められる者の保護者に対しては，区市町村の教育委員会は，文部科学大臣の定めるところにより，就学義務を猶予又は免除することができる。

3　区市町村の教育委員会は，当該区市町村の区域内に住所を有する学齢児童及び学齢生徒について，当該区市町村の住民基本台帳に基づいて，学齢簿を編製しなければならない。

4　校長は，当該学校の区域内に住所を有する就学予定者について，その保護者に対し，翌学年の初めから二月前までに，小学校又は中学校の入学期日を通知しなければならない。

5　小学校，中学校，中等教育学校及び特別支援学校の校長は，毎学年の終了後，速やかに，小学校，中学校，中等教育学校の前期課程又は特別支援学校の小学部若しくは中学部の全課程を修了した者の氏名を当該学校の所在地の区市町村の教育委員会に通知しなければならない。

必修問題の解説

らくらくマスター P.212, 214

就学に関する基本規定，および行政の業務について問われている。選択肢**4**・**5**はやや難易度が高い。学校教育法施行令のマイナーな規定である。

1 × 保護者が「中学校，中等教育学校の前期課程又は特別支援学校の中学部」に子を就学させる義務を負うのは，「小学校又は特別支援学校の小学部の課程を修了した日の翌日以後における最初の学年の初めから，満15歳に達した日の属する学年の終わりまで」である（学校教育法第17条第２項）。文中でいわれているような延長規定はない。ただし，小学校，義務教育学校の前期課程，特別支援学校の小学部については，15歳までの延長規定がある（第17条第１項）。

2 × 経済的理由は就学免除・猶予の事由とはならない（第18条）。経済的理由により子を就学させることが困難な保護者は，**就学援助**制度の対象となる。「経済的理由によつて，就学困難と認められる学齢児童又は学齢生徒の保護者に対しては，市町村は，必要な援助を与えなければならない」（第19条）。近年，この制度の対象者が増加している。

3 ○ 適切である。学校教育法施行令第１条の規定による。学齢簿の記載事項は，①学齢児童又は学齢生徒に関する事項，②保護者に関する事項，③就学する学校に関する事項，④就学の督促等に関する事項，⑤就学義務の猶予又は免除に関する事項，⑥その他必要な事項，である（学校教育法施行規則第30条）。なお学齢簿の作成は，「10月１日現在」において行われる（第31条）

4 × 就学予定者の保護者に対し通知を行うのは，校長ではなく**市町村の教育委員会**である。学校教育法施行令第５条第１項の規定による。

5 × 通知先は，当該学校の所在地の区市町村の教育委員会ではなく，修了者の**住所**の存する区市町村の教育委員会である。学校教育法施行令第22条の規定を参照。

正答 3

ここが問われる！出題ポイント

就学とは，学齢の児童・生徒を義務教育諸学校に通わせることであり，保護者はそれを遂行する義務を課されている。これが就学義務である。まずはその法的根拠を押さえよう。就学援助規定，就学義務の猶予・免除事由なども頻出である。また，学齢簿の編製など，子どもを就学させる際の諸業務についても知っておきたい。

実戦問題

★★★
No. 1 **公立学校における就学校の指定に関して，次の①～④から正しくないものを１つ選べ。** **【秋田県】**

① 市町村教育委員会は，市町村内に小学校（中学校）が２校以上ある場合，就学予定者が就学すべき小学校（中学校）を指定することとされている。

② 指定された就学校については，学校教育法施行令第８条により，市町村教育委員会が相当と認める場合には，保護者の申立により，変更することができる。

③ 就学校を変更する場合としては，例えば，いじめへの対応，通学の利便性，部活動等の理由が考えられるが，変更の要件について市町村教育委員会は事前に公表しないこととされている。

④ 学校選択制については，保護者が学校により深い関心を持つこと，保護者の意向，選択，評価を通じて特色ある学校づくりを推進できることなどのメリットが指定されている反面，学校の序列化や学校間格差が発生するおそれがあること，学校と地域とのつながりが希薄になるおそれがあることなどのデメリットも指摘されている。

★★
No. 2 **就学に関する記述として，法令に照らして適切なものは，次の１～５のうちのどれか。** **【東京都】**

1 保護者は，子が中学校，中等教育学校の前期課程または特別支援学校の中学部の課程を修了するまで，就学させる義務を負う。

2 保護者には子を就学させる義務があるが，その履行について督促を受けた後，なお就学させなかったとしても，罰金に処せられることはない。

3 保護者が，病弱等やむを得ない事由のために子の就学義務の猶予または免除を願い出た場合には，当該学齢児童・生徒の入学予定先の校長が，猶予または免除を決定することができる。

4 経済的理由によって，就学困難と認められる学齢児童・生徒の保護者に対して，区市町村は，必要な援助を与えなければならない。

5 校長は，通学区域内に居住する学齢児童・生徒について，学校ごとの学齢簿を編製して，区市町村教育委員会にその写しを提出するとともに，その原簿を保管しなければならない。

実戦問題の解説

No.1の解説 就学校の指定

らくらくマスター P.212

①○ 学校教育法施行令第5条第2項を参照。「市町村の教育委員会は，当該市町村の設置する小学校又は中学校が2校以上ある場合においては，…当該就学予定者の就学すべき小学校又は中学校を**指定**しなければならない。」

②○ 学校教育法施行令第8条を参照。「市町村の教育委員会は，…相当と認めるときは，**保護者の申立**により，その指定した小学校又は中学校を変更することができる。」

③× 「市町村の教育委員会は，…その指定した小学校又は中学校を変更することができる場合の要件及び手続に関し必要な事項を定め，**公表**するものとする。」（学校教育法施行規則第33条）。したがって，正しくない。

④○ 文部科学省のホームページの「学校選択制等について」などを参照のこと。

No.2の解説 就学に関する法規定

らくらくマスター P.212，214

1× 就学義務の期間は，子の年齢に依拠して定められている。保護者は，子が「**満15歳に達した日の属する学年の終わり**まで，これを中学校，中等教育学校の前期課程又は特別支援学校の中学部に就学させる義務を負う。」（学校教育法第17条第2項）

2× 就学義務の「履行の督促を受け，なお履行しない者は，10万円以下の**罰金**に処する。」（学校教育法第144条第1項）と規定されている。

3× 就学義務の免除ないしは猶予の決定を下すのは，校長ではなく，**市町村の教育委員会**である（学校教育法第18条）。2023年度の統計によると，就学免除を受けている学齢児童・生徒は2,986人，就学猶予を受けている者は1,004人となっている（文部科学省『学校基本調査』）。近年，微増の傾向にある。

4○ 適切である。学校教育法第19条が定める，就学援助に関する規定である。なお，市区町村が就学援助を行った場合，その費用の**2分の1**を国が補助することとされている。

5× 学齢簿を編製することを義務づけられているのは，校長ではなく，**市町村の教育委員会**である。学校教育法施行令第1条第1項を参照。学齢簿の詳細については，**教育法規のテーマ9**を参照。

正答 No.1 ③ No.2 4

実戦問題

★★★
No. 3 指導要録に記載する事項等に関する下の文について，誤っているものを全て選べ。 **【奈良県・改題】**

A　小学校，中学校，特別支援学校小学部，同中学部の指導要録の学籍に関する記録については，原則として戸籍簿の記載に基づき，学年当初及び異動の生じたときに記入する。

B　学籍に関する記入の入学前の経歴については，外国において受けた教育の実情なども記入する。

C　小学校，中学校，特別支援学校小学部，同中学部に在籍する児童・生徒について，その就学義務が猶予・免除される場合又は児童・生徒の居所が1年以上不明である場合であったとしても，在学しない者として取り扱うことは認められない。

D　校長の氏名，学級担任者の氏名の記入及び押印については，電子署名を行うことで替えることも可能である。

E　授業日数，出席停止・忌引等の日数，出席しなければならない日数，欠席日数，出席日数などの出欠の記録は，指導に関する記録に記載する。

★
No. 4 公立学校の入学，進級又は卒業等に関する記述として，法令に照らして適切なものは，次の1～5のうちのどれか。 **【東京都】**

1　学齢に達しない子であっても，区市町村の教育委員会が特に認めた場合には，小学校に入学させることができる。

2　小学校において，各学年の課程の修了又は卒業を認めるに当たっては，児童の平素の成績を評価して，これを定めなければならない。

3　中等教育学校の入学は，設置者の定めるところにより，校長が許可するが，この場合において，公立の中等教育学校については，学力検査を行うものとする。

4　高等学校の入学は，入学者の選抜に基づいて校長が許可するものであるから，併設型高等学校においては，当該高等学校に係る併設型中学校の生徒についても入学者の選抜を行うものとする。

5　高等学校の校長は，教育上有益と認めるときは，生徒が外国の高等学校に留学することを許可することができるが，留学を許可された生徒について，外国の高等学校における履修は高等学校における履修とはみなさない。

実戦問題の解説

No.3の解説 指導要録の記載事項 らくらくマスター➡P.212，214

文部科学省通知「小学校，中学校，高等学校及び特別支援学校等における児童生徒の学習評価及び指導要録の改善等について」(2019年）の別紙からの出題である。指導要録とは，児童等の学習及び健康の状況を記録した書類の原本である。

A× 戸籍簿ではなく，**学齢簿**である。

B○ 正しい。最近では，帰国子女も増えている。

C× 「就学義務が猶予・免除される場合又は児童の居所が1年以上不明である場合は，**在学しない者として取り扱い**，在学しない者と認めた年月日及びその事由等を記入する」とある。

D○ 正しい。公文書のデジタル化が進んでいる。

E○ 正しい。指導要録は，学籍に関する記録と指導に関する記録からなる。前者は外部への証明の機能を果たすため，20年間保存する。

No.4の解説 進級・卒業に関する法規定 らくらくマスター➡P.214

1× 小学校の就学期間は「**満6歳**に達した日の翌日以後における最初の学年の初めから，満12歳に達した日の属する学年の終わりまで」と法定されている（学校教育法第17条第1項)。本条文に付随する特例規定はない。

2○ 正しい。学校教育法施行規則第57条に定めがある。したがって，義務教育諸学校でも，成績不良者や長期欠席者の**原級留置**はあり得ることになる。しかし実際のところ，義務教育諸学校では，加齢とともに自動的に進級させる年齢主義の考え方がとられている。

3× 学校教育法施行規則第110条第2項にて，「公立の中等教育学校については，学力検査を**行わない**ものとする」と定められている。受験競争の低年齢化を防ぐためである。中等教育学校とは，6年間の中高一貫教育を行う学校であり，1998年の学校教育法改正により創設された。

4× 「併設型高等学校においては，当該高等学校に係る併設型中学校の生徒については入学者の選抜は**行わない**ものとする」と法定されている（学校教育法施行規則第116条)。

5× 「留学することを許可された生徒について，外国の高等学校における履修を高等学校における履修とみなし，36単位を超えない範囲で単位の修得を認定することができる」とある（学校教育法施行規則第93条第2項)。

正答 No.3 A，C　No.4 2

実戦問題

★★
No. 5 学校では，指導要録を作成し保存することが定められています。指導要録の取り扱いとして正しいものを１～５から１つ選びなさい。　【宮城県・仙台市】

1　指導要録は，いわば戸籍のようなものであり，児童・生徒の基礎資料となるものであるから，そのすべてを20年間保存しなければならない。

2　指導要録は，すべての児童・生徒について同一の内容で作成されなければならない。そのため，転学等で記載事項に差異が出ないように，国により様式が決められている。

3　指導要録は，法令上，担任教諭が作成しなければならない。ただし，学校として保存義務があることから，最終的には校長及び教頭の承認が必要である。

4　指導要録は，法令上，校長が作成しなければならない。その記入については直接児童・生徒を指導している教諭が行っており，校長は適正な記入が行われるよう指導・監督する責任がある。

5　指導要録は，公簿であり，記載内容の流失などを防止するため「指導要録の写し」を作成することは禁じられている。したがって，転学や進学の際は原本を送付しなければならない。

★★
No. 6 次は，学校教育法施行規則第28条に定められた，学校において備えなければならない表簿に関する条文である。文中の（　ア　）～（　オ　）のいずれにもあてはまらないものを下の①～⑥から１つ選べ。　【秋田県】

第28条　学校において備えなければならない表簿は，概ね次の通りとする。

一　学校に関係のある法令

二　学則，（　ア　），教科用図書記当表，学校医執務記録簿，学校歯科医執務記録簿，学校薬剤師執務記録簿及び（　イ　）

三　（　ウ　），履歴書，出勤簿並びに担任学級，担任の教科又は科目及び時間表

四　指導要録，その写し及び抄本並びに（　エ　）及び健康診断に関する表簿

五　入学者の選抜及び成績考査に関する表簿

六　資産原簿，（　オ　）及び経費の予算決算についての帳簿並びに図書機械器具，標本，模型等の教具の目録

七　往復文書処理簿

①学校日誌　②職員の名簿　③日課表　④出納簿　⑤通信簿
⑥出席簿

実戦問題の解説

No.5の解説 指導要録 らくらくマスター➡P.220

1 × 学校教育法施行規則第28条第２項によると，指導要録の保存期間は**５年間**である。「ただし，指導要録及びその写しのうち入学，卒業等の学籍に関する記録については，その保存期間は，20年間」とされている。

2 × 指導要録の様式は，**所管の教育委員会**が定めることとなっている。ただし，市町村が設置する学校については，その様式等に必要な統一が保たれるよう，都道府県教育委員会が適切な指導助言を行うこととされている。1991年３月20日の文部省通知などを参照。

3 × 指導要録を作成するのは**校長**である。学校教育法施行規則第24条第１項を参照。

4 ○ 正しい。指導要録の記入は**教諭**が行っている。

5 × 児童等が進学（転学）した場合，進学（転学）先の校長に送付するため，「指導要録の**写し**」が必要になる。学校教育法施行規則第24条第２項，第３項を参照。

No.6の解説 学校備付表簿の種類 らくらくマスター➡P.220

通信簿の作成は法的には義務づけられていない。学校備付表簿の保存期間は５年間である（指導要録の学籍の記録は20年間）。

ア **日課表**が入る。

イ **学校日誌**が入る。管理職が日々記入する日誌である。

ウ **職員の名簿**が入る。

エ **出席簿**が入る。「校長（学長を除く。）は，当該学校に在学する児童等について出席簿を作成しなければならない」と規定されている（第25条）。学校教育法施行令第19条では，「小学校，中学校，義務教育学校，中等教育学校及び特別支援学校の校長は，常に，その学校に在学する学齢児童又は学齢生徒の**出席状況**を明らかにしておかなければならない」と定められている。学齢児童・生徒の保護者に，就学義務をきちんと全うさせるためである。「学齢児童又は学齢生徒が，休業日を除き引き続き**７日間**出席せず，その他その出席状況が良好でない場合において，その出席させないことについて保護者に正当な事由がないと認められるときは，…市町村の教育委員会に通知しなければならない」（第20条）。

オ **出納簿**が入る。金銭や物品の出納を記録した帳簿である。

正答 No.5 4 No.6 ⑤

懲　戒

頻出度 B

必修問題

出題データ　東京都では5年間で2回出題されている。岩手県では5年間で4回出ている。

公立学校における出席停止や懲戒に関する記述として，法令等に照らして適切なものは，次の1～5のうちのどれか。　【東京都】

1　校長は，性行不良であって，他の児童・生徒の教育に妨げがあると認める児童・生徒の保護者に対して，その児童・生徒への懲戒として出席停止を命じることができる。

2　校長は，出席停止を命じる場合は，本人及び保護者の意見を聴取することなく，口頭で出席停止を命じることができる。

3　出席停止は，児童・生徒の教育を受ける権利に関わる措置であることから，3日以内とするものと定められている。

4　校長及び教員は，教育上必要があると認めるときは，文部科学大臣の定めるところにより，児童・生徒に対して懲戒を加えることができるが，体罰を加えることはできない。

5　殴る，蹴る等，有形力の行使により行われる懲戒は全て体罰に該当するが，正座や直立等特定の姿勢を長時間にわたって保持させることで肉体的苦痛を与える懲戒は体罰に該当しない。

必修問題の解説

らくらくマスター P.84，216

義務教育諸学校でなされる出席停止措置と，体罰の解釈について問われている。学校教育法の該当条文はもちろん，近年の文部科学省通知でいわれている，細かい解釈まできちんと押さえておく必要がある。

1 × 出席停止を命じるのは校長ではなく，**市町村の教育委員会**である。また出席停止は，懲戒としての性格は持っていない。「出席停止は，懲戒行為ではなく，学校の秩序を維持し，他の児童生徒の**教育を受ける権利を保障**するために採られる措置」である（2007年２月，文部科学省通知）。

2 × 市町村の教育委員会が「出席停止を命ずる場合には，あらかじめ**保護者の意見を聴取する**」と法定されている（学校教育法第35条第２項）。

3 × 出席停止の期間は３日以内とする，という定めはない。市町村の教育委員会が出席停止を命じる場合，「理由及び**期間**を記載した文書を交付しなければならない」という規定になっている（学校教育法第35条第２項）。

4 ○ 正しい。学校教育法第11条の条文である。本条文は大変重要であるので，暗唱できるようにすること。なお，法で認められる懲戒としては，「退学，停学及び訓告の処分」などがある（学校教育法施行規則第26条）。

5 × **肉体的苦痛**を与える懲戒は全て体罰に相当する。「懲戒の内容が身体的性質のもの，すなわち，身体に対する侵害を内容とするもの（殴る，蹴る等），児童生徒に肉体的苦痛を与えるようなもの（正座・直立等特定の姿勢を長時間にわたって保持させる等）に当たると判断された場合は，体罰に該当する」という解釈が成立している（2013年３月，文部科学省通知）。

正答 4

ここが問われる！出題ポイント

頻出であるのは，学校教育法第35条で定められている出席停止制度と，同法施行規則第26条で規定されている懲戒の種類である。この２つの条文は熟読しておきたい。出席停止を命じるのは誰か，その際の配慮事項はどのようなものか。義務教育諸学校では，停学や退学の措置は認められるか。このようなことを頭に入れよう。なお，懲戒は認められるが体罰は認められない（学校教育法第11条）。

実戦問題

★
No. 1 **学校教育法に定められている児童生徒の懲戒に関して，次の［ア］～［ウ］に適する語句の組合せを，下の1～4のうちから1つ選べ。【大分県】**

校長及び教員は，教育上必要があると認めるときは，［ア］の定めるところにより，児童，生徒及び学生に［イ］を加えることができる。ただし，［ウ］を加えることはできない。

1 アー文部科学大臣　イー懲戒　ウー体罰
2 アー教育委員会　イー懲戒　ウー体罰
3 アー文部科学大臣　イー体罰　ウー懲戒
4 アー教育委員会　イー体罰　ウー懲戒

★★★
No. 2 **次の文は，学校教育法施行規則第26条の条文の一部である。正しいものを○，誤っているものを×としたとき，正しい組合せを，下の①～⑤から1つ選びなさい。【福岡市】**

ア　校長及び教員が児童等に懲戒を加えるに当つては，児童等の心身の発達に応ずる等教育上必要な配慮をしなければならない。

イ　懲戒のうち，退学，停学及び訓告の処分は，教育委員会（大学にあつては，学長の委任を受けた学部長を含む。）が行う。

ウ　前項の退学は，公立の小学校，中学校（学校教育法第71条の規定により高等学校における教育と一貫した教育を施すもの（以下「併設型中学校」という。）を除く。）義務教育学校又は特別支援学校に在学する学齢児童又は学齢生徒を除き，次の各号のいずれかに該当する児童等に対して行うことができる。

エ　一　性行不良で改善の見込みがないと認められる者
　　二　学力劣等で成業の見込みがないと認められる者
　　三　正当の理由がなくて出席常でない者
　　四　教室の秩序を乱し，その他学生又は生徒としての本分に反した者

オ　第2項の停学は，公立の小学校，中学校，義務教育学校に在学する学齢児童又は学齢生徒に対しては，行うことができない。

	ア	イ	ウ	エ	オ
①	×	×	○	○	×
②	○	○	×	○	○
③	○	×	○	×	×
④	○	×	×	×	○
⑤	×	○	×	○	×

実戦問題の解説

No.1の解説　学校教育法第11条　らくらくマスター ➡ P.216

懲戒と体罰について定めた学校教育法第11条の典型的な空欄補充問題である。

ア　「**文部科学大臣**」が入る。「文部科学大臣」の定めとは，文部科学省の**省令**である学校教育法施行規則の第26条の規定をさす。そこでは，「校長及び教員が児童等に懲戒を加えるに当つては，児童等の心身の発達に応ずる等教育上必要な配慮をしなければならない」（第１項）など，いくつかの配慮事項が規定されている。

イ　「**懲戒**」が入る。懲戒には，個々の教師が行う懲戒（叱責，作業命令など）と，法的効果を伴う懲戒がある。後者の種類としては，「**退学，停学及び訓告**」があり，処分権者は校長である（学校教育法施行規則第26条第２項）。

ウ　「**体罰**」が入る。体罰とは，「**身体**に対する侵害を内容とする懲戒（殴る，蹴る等），被罰者に**肉体的苦痛**を与えるような懲戒（正座・直立等特定の姿勢を長時間にわたって保持させる等）」であると指摘されている。文部科学省「問題行動を起こす児童生徒に対する指導について（通知）」（2007年２月）の別紙を参照。

よって，正答は**1**となる。

No.2の解説　学生，生徒及び児童に対する懲戒　らくらくマスター ➡ P.216

学校教育法施行規則第26条の正確な記憶が試される。

ア○　正しい。

イ×　教育委員会ではなく，**校長**である。性行不良の児童生徒の出席停止は，市町村の教育委員会が命じる。

ウ○　正しい。退学は公立の義務教育諸学校では行えないが，私立はこの限りではない。

エ×　４番目の事項が誤り。教室ではなく**学校**である。教室内だけでなく，学校全体の秩序を乱す生徒もいる。

オ×　「第２項の停学は，学齢児童又は学齢生徒に対しては，行うことができない」という規定になっている。停学は，**設置主体を問わず**，義務教育諸学校では行うことはできない。学齢児童又は学齢生徒とは，保護者が就学させることを義務付けられている年齢の子どものことをいう。

正答　No.1　1　　No.2　③

実戦問題

★
No. 3 次の文章は，学校教育法の一部である。文中の［ 1 ］～［ 3 ］にあてはまる語を，次の①から⑤までの中から１つずつ選び，記号で答えよ。【沖縄県】

第35条　［ 1 ］は，次に掲げる行為の一又は二以上を繰り返し行う等［ 2 ］不良であつて他の児童の教育に妨げがあると認める児童があるときは，その保護者に対して，児童の出席停止を命ずることができる。

一　他の児童に傷害，心身の苦痛又は財産上の損失を与える行為
二　職員に傷害又は心身の苦痛を与える行為
三　施設又は設備を損壊する行為
四　［ 3 ］その他の教育活動の実施を妨げる行為

［ 1 ］　①文部科学大臣　②文部科学省　③市町村の教育委員会　④校長　⑤市町村長
［ 2 ］　①性行　②素行　③行動　④生活態度　⑤規範遵守
［ 3 ］　①学級経営　②授業　③学習指導　④生徒指導　⑤学校運営

★★
No. 4 義務教育諸学校の児童・生徒の出席停止に関する記述として，法令等に照らして適切なものは，次の１～５のうちのどれか。【東京都】

1　義務教育諸学校の児童・生徒の出席停止の措置は，性行不良による場合と伝染病による場合と忌引による場合の三つだけが認められている。

2　教育委員会は，他の児童・生徒に傷害・心身の苦痛又は財産上の損失を与える行為を繰り返し行う等性行不良である児童・生徒に対しては，保護者の意見を聴取することなく出席停止にすることができる。

3　校長は，児童・生徒が感染症にかかっていることが医師等により証明されたときに出席停止を命ずることができるが，かかっている疑いがある状況やかかるおそれのある状況では出席を停止させることはできない。

4　感染症により出席停止を命じた児童・生徒の出席停止の期間は，伝染病の種類によらず一律に主要症状が消えてから２日が経過するまでとされている。

5　教育委員会は，出席停止の命令に係る児童・生徒の出席停止の期間における学習に対する支援その他の教育上必要な措置を講ずるものとする。

実戦問題の解説

No.3の解説 出席停止の措置　らくらくマスター ➡ P.216

出題されているのは，出席停止の制度について定めた学校教育法第35条である。

1 ③ **市町村の教育委員会**が入る。公立の小・中学校の設置者は市町村である。市町村の教育委員会が出席停止を命じる場合，「保護者の意見を聴取するとともに，理由及び期間を記載した文書を交付しなければならない」（第35条第２項）。また，「出席停止の期間における学習に対する支援その他の教育上必要な措置を講ずる」こととされている（第35条第４項）。

2 ① **性行**が入る。ふだんの行いという意味である。

3 ② **授業**が入る。性行不良の児童生徒の出席停止は，他の児童生徒の学習権を保障するためでもある。いじめへの対処として，「いじめを行った児童等についていじめを受けた児童等が使用する**教室以外の場所**において学習を行わせる等いじめを受けた児童等その他の児童等が**安心して教育を受けられる**ようにするために必要な措置を講ずる」という規定もある（いじめ防止対策推進法第23条第４項）。

No.4の解説 児童・生徒の出席停止　らくらくマスター ➡ P.216，218

1 × 忌引による場合というのが誤り。児童等に出席停止を命じることができるのは，**性行不良**による場合と**感染症**による場合である。前者は学校教育法第35条第１項（中学校にも準用），後者は学校保健安全法第19条に規定されている。現行の学校保健安全法では，「伝染病」が「感染症」となっている。

2 × 教育委員会が出席停止を命じる場合，「あらかじめ**保護者の意見**を聴取するとともに，理由及び期間を記載した文書を交付しなければならない」（学校教育法第35条第２項）。

3 × 「かかつている疑いがあり，又はかかるおそれのある」児童・生徒に対しても，校長は，出席停止を命じることができる。学校保健安全法第19条を参照。

4 × 感染症の種類によって，出席停止の期間は異なる。学校保健安全法施行規則第19条を参照。

5 ○ 適切である。学校教育法第35条第４項を参照。また，「出席停止を命ずる場合には，あらかじめ保護者の意見を聴取する」（第35条第２項）という規定も重要。

正答　No.3　1－③　2－①　3－②　No.4　5

テーマ 10 教育法規

児童・生徒の保護

頻出度 A

必修問題

出題データ　和歌山県では5年間で1回出題されている。大阪府では5年間で4回，東京都，大分県などでは5年間で4回出題されている。

次の1～5のうち，『児童虐待の防止等に関する法律』の条文として正しくないものを，1つ選びなさい。　【和歌山県・改題】

1　学校，児童福祉施設，病院，…その他児童の福祉に業務上関係のある団体及び学校の教職員，児童養護施設の職員，医師，歯科医師，保健師，助産師，看護師，青少年指導員，…その他児童の福祉に職務上関係のある者は，児童虐待を発見しやすい立場にあることを自覚し，児童虐待の早期発見に努めなければならない。

2　児童の親権を行う者は，児童を心身ともに健やかに育成することについて第一義的責任を有するものであって，親権を行うに当たっては，できる限り児童の利益を尊重するよう努めなければならない。

3　学校及び児童福祉施設は，児童及び保護者に対して，児童虐待の防止のための教育又は啓発に努めなければならない。

4　児童虐待を受けたと思われる児童を発見した者は，速やかに，これを市町村，都道府県の設置する福祉事務所若しくは児童相談所又は児童委員を介して市町村，都道府県の設置する福祉事務所若しくは児童相談所に通告しなければならない。

5　都道府県知事は，児童虐待が行われているおそれがあると認めるときは，児童委員又は児童の福祉に関する事務に従事する職員をして，児童の住所又は居所に立ち入り，必要な調査又は質問をさせることができる。

必修問題の解説

らくらくマスター P.222

子どもは保護されなければならない存在で，そのための法律は数多いが，児童虐待防止法はその代表格だ。選択肢の**1**は児童虐待の早期発見義務，**4**は通告義務に関わるものである。教職員は虐待を発見しやすい立場であることにかんがみ，これらの義務の履行が求められる。

1 × 児童虐待の早期発見義務について定めた第５条第１項であるが，誤りが２箇所ある。まずは，児童養護施設の職員ではなく**児童福祉施設の職員**である。あと１つは，青少年指導員ではなく**弁護士**である。

2 ○ 正しい。国及び地方公共団体の責務等について定めた，第４条第７項である。未成年の子に対して父母が有する権限および義務総称して，**親権**という。2011年の民法改正により，親権の行使が不適切である場合，親権の停止措置がとられることが可能となっている（民法第834条の２）。また，親権者の体罰も禁止されている（児童虐待防止法第14条第１項）。

3 ○ 正しい。第５条第５項である。児童虐待の大半は，学校の目が届かない家庭で発生する。児童本人や保護者に対する教育・啓発は重要である。

4 ○ 正しい。児童虐待に係る通告について定めた第６条第１項である。「児童虐待を受けたと**思われる**」という文言になっていることに注意。被害を防ぐため，確証がなくとも通告することとされている。

5 ○ 正しい。立入調査等について定めた第９条第１項である。児童委員とは，市町村の区域に置かれる，児童福祉に関する業務を行う非常勤職員であり，地区の**民生委員**が兼任することとされている。

正答 1

ここが問われる！出題ポイント

よく出題されるのは，児童虐待である。児童虐待防止法が定める虐待の４類型，防止にあたって教職員等に課される義務はどのようなものか。また，「学校・教育委員会等向け虐待対応の手引き」で言われている，児童虐待への対応に際しての留意点はどのようなものか。これらに関する文章の正誤判定が頻出である。ほか，児童福祉法や労働基準法における児童保護の規定，ならびに児童の権利に関する条約のような国際規約の概要についても知っておきたい。

実戦問題

★★
No. 1 **児童福祉法に関する次の記述ア～エのうち，正しいものを選んだ組合せとして適切なものは，下の１～５のうちのどれか。** **【東京都】**

ア　児童の保護者は，児童を心身ともに健やかに育成することについて第一義的責任を負い，国及び地方公共団体は，児童の保護者とともに，児童を心身ともに健やかに育成する責任を負う。

イ　この法律で，子育て短期支援事業とは，小学校に就学している児童であつて，その保護者が労働等により昼間家庭にいないものに，授業の終了後に児童厚生施設等の施設を利用して適切な遊び及び生活の場を与えて，その健全な育成を図る事業をいう。

ウ　都道府県は，児童相談所を設置しなければならず，児童相談所の所長及び所員は，都道府県知事の補助機関である職員とする。

エ　児童相談所において相談及び調査をつかさどる所員は，保育士たる資格を有する者でなければならない。

1　ア・ウ　　**2**　ア・エ　　**3**　イ・ウ　　**4**　イ・エ　　**5**　ウ・エ

★
No. 2 **次の文は，＊「児童の権利に関する条約」について述べたものである。誤っているものを，次の①～⑤の中から１つ選びなさい。**

【神奈川県・川崎市・横浜市】

①　この条約は，世界中の子どもたちを守る目的でつくられ，日本も1994年にこの条約を批准している。

②　この条約は，「児童の権利」を，「生きる権利」「育つ権利」「守られる権利」「参加する権利」にまとめている。

③　この条約の第１条には，「児童」の定義がかかれており，原則として12歳以下のすべての人を「児童」としている。

④　第12条は，児童は，自分に関係のあることについて自由に自分の意見を表す権利をもっていることをうたっている。

⑤　第31条は，児童は，休んだり，遊んだり，文化・芸術活動に参加する権利があることをうたっている。

＊「児童の権利に関する条約」は「子どもの権利条約」と同義とする。

実戦問題の解説

No.1の解説 児童福祉法 らくらくマスター P.222

ア ○ 正しい。第２条第２項・第３項の規定である。なお「**全て国民**は，児童が良好な環境において生まれ，かつ，社会のあらゆる分野において，児童の年齢及び発達の程度に応じて，その意見が尊重され，その**最善の利益**が優先して考慮され，心身ともに健やかに育成されるよう努めなければならない」と定められている（第２条第１項）。

イ × 子育て短期支援事業ではなく，**放課後児童健全育成事業**である（第６条の３）。前者は「保護者の疾病その他の理由により家庭において養育を受けることが**一時的に**困難となつた児童について，…児童養護施設その他の厚生労働省令で定める施設に入所させ，又は里親その他の厚生労働省令で定める者に委託し，当該児童につき必要な保護を行う事業」をさす。

ウ ○ 正しい。第12条第１項，第12条の３第１項を参照。児童相談所は，児童福祉等の相談に応じ，必要な調査や指導を行う機関である。児童虐待への対応も担う。

エ × 保育士たる資格ではなく，**児童福祉司**たる資格である（第12条の３第４項）。

No.2の解説 児童の権利に関する条約 らくらくマスター P.222

① ○ **児童の権利に関する条約**は，1989年11月20日の国連総会で採択された。日本がこの条約を批准したのは1994年である。

② ○ 条約の特色として，「生きる権利」「育つ権利」「守られる権利」「参加する権利」という４つの権利について述べながら，子どもを「保護の対象」としてだけではなく，「**権利の主体**」としている点が挙げられる。

③ × 誤っている。12歳以下ではなく，**18歳未満**である。「この条約の適用上，児童とは，**18歳未満**のすべての者をいう。ただし，当該児童で，その者に適用される法律によりより早く成年に達したものを除く。」（第１条）

④ ○ いわゆる**意見表明権**である。「締約国は，自己の意見を形成する能力のある児童がその児童に影響を及ぼすすべての事項について自由に自己の意見を表明する権利を確保する。」（第12条第１項）

⑤ ○ 第31条第１項を参照。「締約国は，休息及び余暇についての児童の権利並びに児童がその年齢に適した遊び及びレクリエーションの活動を行い並びに文化的な生活及び芸術に自由に参加する権利を認める。」

正答 No.1 1　No.2 ③

実戦問題

★
No. 3 令和元年に改正された「児童虐待の防止等に関する法律」の説明について，正しいものを，次の１～４から１つ選び，番号で書きなさい。【名古屋市】

1 今回の改正で，親権者は，児童のしつけに際して体罰を加えてはいけないことが明記された。
2 今回の改正で，「児童虐待」の定義が見直された。
3 今回の改正で，「児童虐待は著しい人権侵害である」と明記された。
4 今回の改正で，親権者で立ち入り調査を拒否したものに対する罰則が強化された。

★★
No. 4 次の文は，「児童虐待の防止等に関する法律」（平成12年５月　法律第82号）の一部を抜粋したものである。文中の（　ア　）～（　オ　）に当てはまる語句の正しい組合せを，下の①～⑤から１つ選びなさい。【福岡市・改題】

第２条　この法律において，「児童虐待」とは，保護者（（　ア　）を行う者，未成年後見人その他の者で，児童を現に監護するものをいう。以下同じ。）がその監護する児童（18歳に満たない者をいう。以下同じ。）について行う次に掲げる行為をいう。

一　児童の身体に（　イ　）が生じ，又は生じるおそれのある暴行を加えること。

二　児童に（　ウ　）行為をすること又は児童をして（　ウ　）行為をさせること。

三　〈省略〉

四　児童に対する著しい暴言又は著しく（　エ　）な対応，児童が同居する家庭における配偶者に対する暴力（配偶者（婚姻の届出をしていないが，事実上婚姻関係と同様の事情にある者を含む。）の身体に対する（　オ　）攻撃であって生命又は身体に危害を及ぼすもの及びこれに準ずる心身に有害な影響を及ぼす言動をいう。）その他の児童に著しい心理的（　イ　）を与える言動を行うこと。

	ア	イ	ウ	エ	オ
①	育成	異常	わいせつな	高圧的	意図的な
②	親権	外傷	わいせつな	拒絶的	不法な
③	育成	外傷	法令に触れる	高圧的	意図的な
④	親権	異常	わいせつな	高圧的	不法な
⑤	育成	外傷	法令に触れる	拒絶的	不法な

実戦問題の解説

No.3の解説 児童虐待防止法改正 らくらくマスター ➡ P.222

しつけと称して，親が体罰を行うことは許されなくなった。

1 ○ 正しい。第14条第1項にて，「児童の親権を行う者は，児童のしつけに際して，**体罰を加えること**その他民法第820条の規定による監護及び教育に必要な範囲を超える行為により当該児童を懲戒してはならず，当該児童の親権の適切な行使に配慮しなければならない」と定められた。学校の教職員の体罰は，学校教育法第11条で禁止されている。

2 × 第2条の児童虐待の定義は変わっていない。

3 × 第1条の「**児童虐待が児童の人権を著しく侵害し**，その心身の成長及び人格の形成に重大な影響を与えるとともに，我が国における将来の世代の育成にも懸念を及ぼす」という文言は変わっていない。

4 × 児童虐待が行われている恐れがある場合，立ち入り調査が実施される。正当な理由なく，この立ち入り調査を拒否した場合，50万円以下の罰金が科される（児童虐待防止法第9条，児童福祉法第61条の5）。この規定は変わっていない。

No.4の解説 虐待の定義 らくらくマスター ➡ P.222

児童虐待とは何か。法律が定める4類型を知っておこう。省略した3番目の文はネグレクトである。条文を確認のこと。

ア **親権**が入る。親権とは，未成年の子に対して父母が有する権限および義務の総称をいう。大きく，監護・教育と財産管理の2つに分かれる。

イ **外傷**が入る。1番目の文は身体的虐待である。外傷があるので，比較的発見されやすい。傷は身体だけでなく，心にも刻印される。4番目の文の「心理的外傷」という言葉に要注意。これが持続し，生活に支障が及ぶような状態が「PTSD」である。

ウ 「**わいせつな**」が入る。2番目の文は性的虐待である。児童にわいせつな行為をさせることも該当する。相談件数の統計では，このタイプの虐待は最も少ないが，発覚していない「暗数」が膨大にあるとみられる。

エ **拒絶的**が入る。4番目の文は心理的虐待である。最近の相談件数の統計では，心理的虐待が最も多い。

オ 「**不法な**」が入る。2004年の法改正で，児童の面前での夫婦間の暴力も，心理的虐待に含まれることになった。

正答 No.3 1　No.4 ②

実戦問題

★★
No. 5 次の①～⑤の文は，児童虐待への対応として法律に定められている内容を説明したものである。内容が正しければ○，誤っていれば×とすると，○×を正しく組み合わせているものはどれか，下のア～オから１つ選びなさい。【京都府】

① 通告を受けた児童相談所はすべての事例について家庭内に立入調査を行う。
② 虐待を受けている児童を児童相談所が一時保護する場合，保護者の同意を得なければならない。
③ 児童虐待を受けていると思われる児童を発見した者は通告する義務がある。
④ 要保護児童の在宅支援においては，要保護児童対策地域協議会で関係機関が情報を共有し，協働して支援を行うことができる。
⑤ 児童養護施設に入所したケースについて，児童と保護者が家庭復帰を希望すれば家庭に戻さなければならない。

	①	②	③	④	⑤
ア	○	○	○	×	×
イ	×	×	○	○	○
ウ	×	○	×	○	○
エ	×	×	○	○	×
オ	○	○	×	×	○

★
No. 6 次の文は，「学校・教育委員会等向け虐待対応の手引き（文部科学省　令和２年６月改訂版）」の中の「学校・教職員の役割，責務」に関する記述です。次の⑴～⑸の文の内容が正しいものには○印，正しくないものには×印を書きなさい。【岩手県】

⑴ 虐待の早期発見に努めること。
⑵ 虐待を受けたと思われる子供について，市町村（虐待対応担当課）や児童相談所等へ通告すること。
⑶ 児童相談所や市町村（虐待対応担当課）から虐待に係る子供又は保護者その他の関係者に関する資料又は情報の提供を求められた場合，個人情報保護の観点から一切提供することはできない。
⑷ 虐待に係る保護者から情報元（虐待を認知するに至った端緒や経緯）に関する開示の求めがあった場合は，その求めに応じ情報元等の情報を開示しなければならない。
⑸ 虐待防止のための子供等への教育に努めること。

実戦問題の解説

No.5の解説　虐待への対応　らくらくマスター➡P.222

❶× 「都道府県知事は，児童虐待が行われているおそれがあると認めるときは，児童委員又は児童の福祉に関する事務に従事する職員をして，児童の住所又は居所に**立ち入り，必要な調査又は質問をさせることができる**」という規定になっている（児童虐待防止法第９条）。すべての事例について立ち入り調査を行う，という規定ではない。

❷× 一時保護は通告を受けた場合の措置の一つだが（児童虐待防止法第８条），保護者の同意が必須という規定はない。

❸○ 正しい。児童虐待防止法第６条による。「児童虐待を受けたと**思われる**児童」という文言に注意。確証がなくとも通告をする。

❹○ 正しい。児童福祉法第25条の２，第25条の３を参照。

❺× 施設入所等の措置を解除する場合，保護者への指導を行った**児童福祉司等の意見を聴き**，指導の効果や家庭環境等の事項を勘案する（児童虐待防止法第13条第１項）。

No.6の解説　虐待対応の手引き　らくらくマスター➡P.222

(1)○ 学校の教職員は，児童虐待を発見しやすい立場であることにかんがみ，虐待の**早期発見義務**を課されている（児童虐待防止法第５条第１項）。

(2)○ 正しい。虐待の**通告義務**については，同法第６条で定められている。

(3)× 「児童相談所や市町村（虐待対応担当課）から虐待に係る子供又は保護者その他の関係者に関する資料又は情報の提供を求められた場合，必要な範囲で提供することができる」とある。児童相談所等の専門職員が対応を行うに当たっては，当該事例の詳しい情報が必要となる。

(4)× 「保護者から情報元（虐待を認知するに至った端緒や経緯）に関する開示の求めがあった場合は，情報元を**保護者に伝えない**こととするとともに，児童相談所等と連携しながら対応する必要がある」と記されている。

(5)○ 正しい。児童虐待防止法第５条第５項にて，「学校及び児童福祉施設は，児童及び保護者に対して，児童虐待の防止のための**教育又は啓発に努めなければならない**」と定められている。

正答	No.5　エ	No.6　(1)　○　(2)　○　(3)　×　(4)　×　(5)　○

実戦問題

★★

No. 7 **次の文は,「こども基本法」(令和5年4月1日施行)の一部である。下の⑴,⑵の各問いに答えなさい。** **【名古屋市・改題】**

第3条　こども施策は,次に掲げる事項を基本理念として行われなければならない。

一　全てのこどもについて,個人として尊重され,その(　ア　)が保障されるとともに,差別的取扱いを受けることがないようにすること。

二　全てのこどもについて,適切に養育されること,その生活を保障されること,愛され保護されること,その健やかな成長及び発達並びにその自立が図られることその他の(　イ　)が等しく保障されるとともに,教育基本法(平成18年法律第120号)の精神にのっとり教育を受ける機会が等しく与えられること。

三　全てのこどもについて,その年齢及び発達の程度に応じて,自己に直接関係する全ての事項に関して(　ウ　)及び多様な社会的活動に参画する機会が確保されること。

四　全てのこどもについて,その年齢及び発達の程度に応じて,その意見が尊重され,その(　エ　)が優先して考慮されること。

五　…(中略)…家庭での養育が困難なこどもにはできる限り(　オ　)を確保することにより,こどもが心身ともに健やかに育成されるようにすること。

六　家庭や子育てに夢を持ち,子育てに伴う喜びを実感できる(　カ　)を整備すること。

⑴　文中の(　ア　)~(　ウ　)に当てはまる語句として正しいものを,次の1~6からそれぞれ1つ選び,番号で書きなさい。

1　意見を表明する機会　　**2**　最低限度の生活を営む権利

3　状況に応じた支援　　**4**　幸福な生活　　**5**　福祉に係る権利

6　基本的人権

⑵　文中の(　エ　)~(　カ　)に当てはまる語句の組み合わせとして正しいものを,次の1~6から1つ選び,番号で書きなさい。

1	エ	心身の状況	オ	家庭と同様の養育環境	カ	家庭環境
2	エ	最善の利益	オ	就学の機会	カ	教育環境
3	エ	学習活動に対する支援	オ	教育を受ける機会	カ	社会環境
4	エ	心身の状況	オ	教育を受ける機会	カ	家庭環境
5	エ	最善の利益	オ	家庭と同様の養育環境	カ	社会環境
6	エ	学習活動に対する支援	オ	就学の機会	カ	教育環境

実戦問題の解説

No.7の解説 こども基本法 らくらくマスター P.226

2022年に制定された法律である。こども施策の基本理念を定めた第３条がよく出題される。

(1)

ア **基本的人権**が入る。日本国憲法第11条では，「国民は，すべての基本的人権の享有を妨げられない。この憲法が国民に保障する基本的人権は，侵すことのできない永久の権利として，現在及び将来の国民に与へられる」と定められている，こどもの場合，特に**教育を受ける権利**が重要となる。

イ **福祉に係る権利**が入る。最も基本的なものとして，憲法第25条が定める生存権がある。近年，こどもの貧困が深刻化し，こうした生存権までもが脅かされつつある。

ウ **意見を表明する機会**が入る。こどもの意見表明権については，児童の権利条約第12条で定められている。そのための機会が確保されねばならない。

(2)

エ **最善の利益**が入る。多くの政策文書で登場する重要なキーワードだ。

ウ **家庭と同様の養育環境**が入る。最近では，里親による養育が増えている。

カ **社会環境**が入る。公的な子育て支援は，環境整備の中核に位置する。特に**経済的な支援**が重要だ。子育てに要する経済的負担は増す一方で，東京都内23区では，子育て世帯の半数近くが年収1000万円以上だ（下図）。

東京都内23区の子育て世帯の年収分布（%）

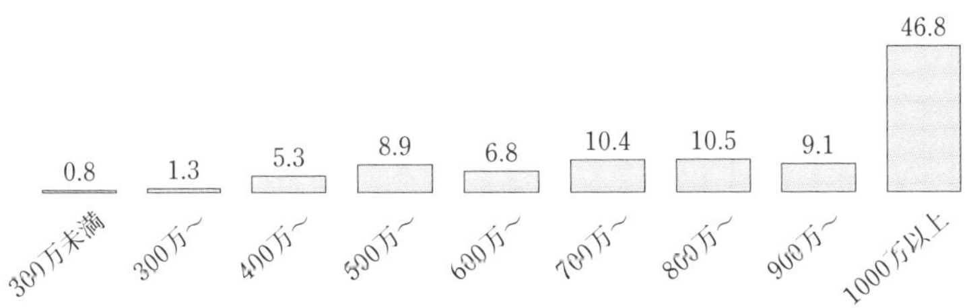

＊夫婦と子の世帯（世帯主が30代）。総務省『就業構造基本調査』（2022年）による。

こどもはあたかも「ぜいたく品」になってしまったかのようで，少子化に歯止めがかからない原因となっている。2023年に策定された『こども未来戦略』では，国民全員から「子育て支援金」を徴収する案が示されている。

正答 No.7 (1) アー6 イー5 ウー1 (2) 5

教職員

頻出度 B

必修問題

出題データ　東京都では5年間で3回出題されている。福島県では5年間で4回出題。

次の学校教育法の条文の一部を読んで,問1,2に答えなさい。【北海道・札幌市】

第三十七条　小学校には，校長，教頭，教諭，養護教諭及び［　1　］を置かなければならない。

② 小学校には，前項に規定するもののほか，副校長，［　2　］，指導教諭，栄養教諭その他必要な職員を置くことができる。

③ 第一項の規定にかかわらず，副校長を置くときその他特別の事情のあるときは教頭を，養護をつかさどる［　2　］を置くときは養護教諭を，特別の事情のあるときは［　1　］を，それぞれ置かないことができる。

問1　空欄1，2に当てはまる語句の組合せを選びなさい。

ア　1－教務主任　　2－学校医
イ　1－教務主任　　2－主幹教諭
ウ　1－事務職員　　2－教務主任
エ　1－事務職員　　2－主幹教諭
オ　1－学校医　　2－主幹教諭

問2　学校教育法第三十七条第四項以降の記述として適切なものの組合せを選びなさい。

① 校長は，校務をつかさどり，所属職員を監督し，及び必要に応じ児童の教育をつかさどる。
② 副校長は，校長を助け，命を受けて校務をつかさどり，及び必要に応じ児童の教育をつかさどる。
③ 教頭は，校長（副校長を置く小学校にあっては，校長及び副校長）を助け，校務を整理し，及び必要に応じ児童の教育をつかさどる。
④ 教諭は,校長（副校長を置く小学校にあっては,校長及び副校長）及び教頭を助け,命を受けて校務の一部を整理し,並びに児童の教育をつかさどる。
⑤ 養護教諭は，児童の養護をつかさどる。

ア ①②　イ ①④　ウ ②③　エ ③⑤　オ ④⑤

らくらくマスター P.228，230

必修問題の解説

学校に置かれる教職員の種類，ならびに各職員の職務について定めた学校教育法第37条が出題されている（本条文は，他の学校にも等しく準用される）。最近では，主幹教諭といった中間管理職的な職階も導入されている。

（問１）

1 **事務職員**が入る。学校において，「事務をつかさどる」者である（学校教育法第37条第14項）。小・中学校では，事務職員は原則必置であるが，特別な事情のある場合は，それを置かないことができる。ただし，高等学校と中等教育学校には，事務職員を必ず置かなければならない。

2 **主幹教諭**が入る。「校長（副校長を置く小学校にあっては，校長及び副校長）及び教頭を助け，命を受けて校務の一部を整理し，並びに児童の教育をつかさどる」者である（学校教育法第37条第９項）。2007年６月の学校教育法改正によって創設された職階である。

（問２）

①× 校長の職務は，「校務をつかさどり，所属職員を監督する」ことである（第４項）。

②× 副校長の職務は，「校長を助け，命を受けて校務をつかさどる」ことである（第５項）。

③○ 正しい。教頭の場合，「必要に応じ児童の教育をつかさどる」（第７項）。

④× 教諭ではなく，主幹教諭の職務である（第９項）。教諭の職務は，「児童の教育をつかさどる」ことである（第11項）。

⑤○ 正しい。第12項に定めがある。なお，養護教諭の職務を助ける職として，養護助教諭もある（第17項）。

正答　（問１）エ　（問２）エ

ここが問われる！出題ポイント

教員にはさまざまな職階があるが，名称と職務内容を対応させる問題が多い。副校長と教頭，主幹教諭と指導教諭の違いなどの区別がつくようにすること。学校教育法第37条を繰り返し読んでおきたい。教員免許状の問題も頻出。教員免許更新制の廃止に伴い，普通免許状と特別免許状の有効期限は撤廃されている。教員の任用に関する文章の正誤判定問題もよく出る。

実戦問題

★★
No. 1 教員の職務及び配置に関する記述として，学校教育法に照らして適切なものは，次の１～５のうちのどれか。 【東京都】

1 副校長は，校長を助け，命を受けて校務をつかさどる職として，すべての学校に１名以上置かなければならないことが規定されている。

2 教頭は，児童・生徒の教育をつかさどり，並びに教諭その他の職員に対して，教育指導の改善及び充実のために必要な指導及び助言を行う職として置くことができると規定されている。

3 主幹教諭は，校長及び副校長，教頭を助け，命を受けて校務の一部を整理し，並びに児童・生徒の教育をつかさどる職として置くことができると規定されている。

4 指導教諭は，副校長及び教頭に事故があるときは副校長及び教頭の職務を代理し，副校長及び教頭が欠けたときは副校長及び教頭の職務を行う職としてすべての学校に１名以上置かなければならないと規定されている。

5 栄養教諭は，児童・生徒の栄養の指導及び管理をつかさどる職として，学校給食を実施しているすべての小学校及び中学校に置かなければならないと規定されている。

★
No. 2 教育公務員の欠格事由を述べた次の１～４の中で，誤っているものを１つ選びなさい。 【和歌山県・改題】

1 禁錮以上の刑に処せられた者は，校長又は教員となることができない。

2 懲戒免職の処分を受けたことにより，免許状がその効力を失ってから三年が経過していない者は，校長又は教員となることができない。

3 懲戒免職の事由に相当する事由により解雇されたと認められ，免許状取り上げ処分を受けた者は，再び校長又は教員となることができない。

4 日本国憲法施行の日以後において，日本国憲法又はその下に成立した政府を暴力で破壊することを主張する政党その他の団体を結成し，又はこれに加入した者は，校長及び教員となることができない。

実戦問題の解説

No.1の解説　教員の職務及び配置　らくらくマスター ➡ P.228，230

学校教育法第37条の正確な理解・記憶が求められる問題である。

1 × 副校長は必置ではない。副校長は，「**置くことができる**」という規定になっている（学校教育法第37条第２項）。

2 × 教頭の職務は，「校長（副校長を置く小学校にあっては，校長及び副校長）を助け，校務を整理し，及び必要に応じ児童の教育をつかさどる」ことである（学校教育法第37条第７項，他の学校にも準用）。「教諭その他の職員に対して，教育指導の改善及び充実のために必要な指導及び助言を行う」のは，**指導教諭**の職務である（第10項）。

3 ○ 適切である。必要がある場合は，「養護又は栄養の指導及び管理をつかさどる主幹教諭を置くことができる」と規定されている（第19項）。

4 × 指導教諭の職務は，「児童の教育をつかさどり，並びに教諭その他の職員に対して，教育指導の改善及び充実のために必要な指導及び助言を行う」ことである（第10項）。また，指導教諭は必置ではない。

5 × 栄養教諭は必置ではない。副校長，主幹教諭，指導教諭と同じく，「置くことができる」と規定されている（第２項）。

No.2の解説　教育公務員の欠格事由　らくらくマスター ➡ P.232

校長，教員の欠格事由について定めた学校教育法第９条が出題されている。

1 ○ 学校教育法第９条第１号を参照。

2 ○ 同第２号を参照。

3 × 誤っている。「教育職員免許法第11条第１項から第３項までの規定により免許状取上げの処分を受け，**３年**を経過しない者」は，校長又は教員になることができない（学校教育法第９条第３号）。よって，免許状取り上げの処分を受けてから**３年**を経過すれば，再び校長又は教員になることができる。わいせつ等の非行で免許状が失効しても３年経てば免許状を再取得し，再び教壇に立てることが問題になっている。わいせつ教員対策法により，現在では免許状の再授与の可否を都道府県教育委員会が判断できることになっている。

4 ○ 同第４号を参照。

正答　No.1　3　　No.2　3

実戦問題

★
No. 3 次の文章は，令和元年に改正された「教育職員免許法」（昭和24年法律第147号）の一部抜粋である。①～③に入る語の組合せとして正しいものを，次のア～カから１つ選び，記号で答えよ。 【鹿児島県】

第４条　免許状は，（　①　）免許状，（　②　）免許状及び（　③　）免許状とする。

2　（　①　）免許状は，学校（義務教育学校，中等教育学校及び幼保連携型認定こども園を除く。）の種類ごとの教諭の免許状，養護教諭の免許状及び栄養教諭の免許状とし，それぞれ専修免許状，一種免許状及び二種免許状（高等学校教諭の免許状にあつては，専修免許状及び一種免許状）に区分する。

3　（　②　）免許状は，学校（幼稚園，義務教育学校，中等教育学校及び幼保連携型認定こども園を除く。）の種類ごとの教諭の免許状とする。

4　（　③　）免許状は，学校（義務教育学校，中等教育学校及び幼保連携型認定こども園を除く。）の種類ごとの助教諭の免許状及び養護助教諭の免許状とする。

	ア	イ	ウ	エ	オ	カ
①	臨時	普通	特別	臨時	普通	特別
②	普通	臨時	臨時	特別	特別	普通
③	特別	特別	普通	普通	臨時	臨時

★★★
No. 4 公立の小学校，中学校，高等学校および特別支援学校の教職員の任用に関する記述として，法令に照らして適切なものは，次の１～５のうちのどれか。

【東京都】

1　禁錮刑に処せられた者は教員となることはできないが，その刑の執行を猶予された者は，その猶予の期間内に教員となることができる。

2　公立学校の教諭として勤務していたが，当該地方公共団体において懲戒免職の処分を受けた者を，当該処分の日から２年を経過した時点で教諭として採用できる。

3　教員の採用は，競争試験によるものとし，その試験は，教員の任命権者である教育委員会の教育長が行う。

4　臨時的任用又は非常勤職員の任用の場合を除き，公務員の職務経験がない者の教諭への採用は全て条件付のものとし，１年間その職務を良好な成績で遂行したときに正式採用になる。

5　臨時又は非常勤の教職員についての区市町村別の学校の種類ごとの定数は，都道府県の条例で定める。

実戦問題の解説

No.3の解説 教員免許状 らくらくマスター➡P.234

教員免許状には3つの種類がある。大半は普通免許状だが，大学で教職課程を終えていなくとも取得できる，特別免許状と臨時免許状もある，

①　**普通**が入る。普通免許状は，大学等で取得する一種免許状のほか，大学院等で取得する専修免許状，短大等で取得する二種免許状がある。普通免許状の授与権者は都道府県の教育委員会で，有効期間はない。**教員免許更新制の廃止**により，普通免許状の有効期間はなくなっている。

②　**特別**が入る。特別免許状は，大学の教職課程を履修していなくとも，**教育職員検定**に合格することで授与される（教育職員免許法第5条第2項）。特別免許状の授与権者は都道府県の教育委員会で，有効期間はない。ただし，授与された都道府県内でのみ有効である。

③　**臨時**が入る。臨時免許状は，普通免許状を有する者を採用することができない場合に限り，教育職員検定に合格した者に授与される（同第5条第5項）。臨時免許状の授与権者は都道府県の教育委員会で，有効期間は3年間である（授与された都道府県内に限る）。近年，教員不足の影響もあり，臨時免許状の授与件数が増加傾向にある。

No.4の解説 教職員の任用 らくらくマスター➡P.232

1 ×　学校教育法第9条の規定により，禁錮以上の刑に処せられた者は教員となることができず，執行猶予中でも同じである。

2 ×　2年ではなく**3年**である。懲戒免職処分により「免許状がその効力を失い，当該失効の日から3年を経過しない者」は校長又は教員となることはできないとある（学校教育法第9条）。

3 ×　競争試験ではなく，**選考**である（教育公務員特例法第11条）。一般の公務員の採用は競争試験によるが（地方公務員法第17条の2第1項），教育公務員の採用は選考による。

4 ○　適切である。教育公務員特例法第12条による。一般の公務員の条件附任用期間は半年だが，教育公務員はその倍の1年間である。

5 ×　都道府県の条例で定めるのは，**県費負担教職員**の定数である（地方教育行政法第41条第1項）。県費負担教職員とは，市町村立の義務教育諸学校の教職員で，都道府県が給与を負担することからこのように呼ばれる。

正答　No.3　オ　　No.4　4

テーマ 12 教育法規

教員研修

頻出度 A

必修問題

出題データ　奈良県では5年間で4回出題されている。佐賀県，長崎県，熊本県などでも5年間で4回出題されている。

下のA～Fの文は，教育公務員特例法の教員の「研修」について述べたものである。正しいものに○，誤っているものに×をつけたとき，正しい組合せはどれか。次の1～6から1つ選べ。　【奈良県・改題】

A　教育公務員が，絶えず研究と修養に努めることを求められているのは，その職責を遂行するためである。

B　政令指定都市と中核市を除く公立の小学校の教諭の任命権者である市教育委員会は，当該教諭等に対して，その採用の日から一年間，初任者研修を実施しなければならない。

C　初任者研修を受ける者の所属する学校の校長は，教頭，主幹教諭，教諭又は講師のうちから，教諭の職務の遂行に必要な事項について指導及び助言を行う指導教員を命じる。

D　教員は，授業に支障のない限り，所属する学校の校長の承認を受けて，勤務場所を離れて研修を行うことができる。

E　公立学校の教職員のうち，小学校等の教諭，養護教諭は大学院修学休業をすることができるが，栄養教諭や講師は大学院修学休業をすることができない。

1　A－×　B－○　C－×　D－○　E－○
2　A－○　B－×　C－○　D－○　E－×
3　A－×　B－×　C－○　D－×　E－○
4　A－○　B－○　C－×　D－×　E－○
5　A－×　B－○　C－○　D－×　E－×
6　A－○　B－×　C－×　D－○　E－×

必修問題の解説

らくらくマスター ➡ P.236，238

教員研修について定めた，教育公務員特例法の条文が出題されている。研修の対象，実施主体，期間など，細かい部分について問われている。同法の第４章「研修」に含まれる条文（第21条～第25条の２）は，しっかり読み込んでおきたい。

A ○ 正しい。「教育公務員は，その**職責**を遂行するために，絶えず研究と修養に努めなければならない」と規定されている（教育公務員特例法第21条第１項）。

B × 政令指定都市と中核市を除く公立学校の教職員の任命権者は，市教育委員会ではなく，**都道府県**の教育委員会である。一年間の初任者研修を実施しなければならない，という記述は正しい（第23条第１項）。教育公務員の場合，初任者研修の期間が一般の公務員（６か月間）の倍である。

C × 指導教員を命じるのは，当該学校の校長ではなく，**指導助言者**である（第23条第２項）。指定都市を除く市町村立の小・中学校等の教職員（県費負担教職員）の場合，市町村の教育委員会である。また，指導教員は「**副校長**，教頭，主幹教諭，**指導教諭**，教諭又は講師」から任命されることとなっている。

D ○ 正しい。研修の機会について定めた第22条第２項の規定である。「教育公務員は，任命権者の定めるところにより，現職のままで，長期にわたる研修を受けることができる」という第３項も覚えておこう。

E × 大学院修学休業をすることができるのは，「公立の小学校等の主幹教諭，指導教諭，教諭，養護教諭，**栄養教諭**，主幹保育教諭，保育教諭又は**講師**」である（第26条第１項）。栄養教諭や講師も対象に含まれる。大学院修学休業をする教員は年々増加してきている。

正答 6

ここが問われる！出題ポイント

出題されるのは，教育公務員特例法の研修に関する条文である。第21条（研修義務），第22条（研修の機会），第23条（初任者研修），第24条（中堅教諭等資質向上研修），第25条の２（指導改善研修），および第26条（大学院修学休業）である。これらの条文の空欄補充や正誤判定が主であるが，上記の問題のＣのように，初任者研修の指導教員となり得る職階はどれかなど，細かい事項を問う問題も多い。初任者研修，中堅教諭等資質向上研修，指導改善研修の３つが法定研修であることも押さえておこう。

実戦問題

★★★
No. 1 教育公務員の研修に関する記述として，教育公務員特例法に照らして適切なものは，次の１～５のうちのどれか。 【東京都・改題】

1 校長は，教員の研修について，それに要する施設，研修を奨励するための方途その他研修に関する計画を樹立し，その実施に努めなければならない。

2 教員は，授業に支障がなければ，本属長の承認を受けずに，勤務場所を離れて研修を行うことができる。

3 教育公務員は，任命権者の定めるところにより，現職のままで，長期にわたる研修を受けることができる。

4 指導助言者は，初任者研修を受ける者の所属する学校の管理職を除く，主幹教諭，指導教諭，主任教諭，教諭，講師のうちから，初任者研修の指導教員を命じるものとする。

5 指導助言者は，中堅教諭等資質向上研修を実施するに当たり，小学校，中学校，高等学校，特別支援学校等のそれぞれの校種に応じた計画書を作成し，実施しなければならない。

★★★
No. 2 教育公務員特例法の内容として正しいものを，次のＡ～Ｄの中から２つ選べ。 【和歌山県・改題】

Ａ　文部科学大臣は，公立の小学校等の校長及び教員の計画的かつ効果的な資質の向上を図るため，次条第１項に規定する指標の策定に関する指針を定めなければならない。

Ｂ　公立の小学校等の校長及び教員の任命権者は，指針を参酌し，その地域の実情に応じ，当該校長及び教員の職責，経験及び適性に応じて向上を図るべき校長及び教員としての資質に関する基準を定めるものとする。

Ｃ　公立の小学校等の校長及び教員の研修実施者は，指標を踏まえ，当該校長及び教員の研修について，毎年度，体系的かつ効果的に実施するための計画を定めるものとする。

Ｄ　公立の小学校等の校長及び教員の任命権者は，指標の策定に関する協議並びに当該指標に基づく当該校長及び教員の資質の向上に関して必要な事項についての調査・研究開発を行うための学校運営協議会を組織するものとする。

実戦問題の解説

No.1の解説 教育公務員の研修

らくらくマスター P.236, 238

1 × 校長ではなく，**教育公務員の研修実施者**である（第21条第２項）。県費負担教職員（指定都市を除く市町村立の小・中学校等の教職員）の場合，任命権者の都道府県教育委員会である。中核市の県費負担教職員の場合は，当該市の教育委員会となる。

2 × 本属長の承認が要る（第22条第２項）。本属長とは，学校の場合は校長である。

3 ○ 適切である。第22条第３項による。たとえば，公立学校の教諭等は「任命権者の許可を受けて，３年を超えない範囲内で年を単位として定める期間，大学院の課程若しくは専攻科の課程又はこれらの課程に相当する外国の大学の課程に在学してその課程を履修するための休業をすることができる」と規定されている（第26条第１項）。これは**大学院修学休業**だが，民間企業等で社会経験を積む研修もある（長期社会体験研修）。

4 × 「学校の管理職を除く」という記述は誤り。初任者研修の指導教員としては，副校長，教頭という管理職も想定されている（第23条第２項）。指導助言者は，県費負担教職員の場合は市町村教育委員会である。

5 × 中堅教諭等資質向上研修の計画書は，「研修を受ける者の能力，適性等について評価を行い，その結果に基づき，**当該者ごとに**」作成する（第24条第２項）。校種ごとに作成するのではない。中堅教諭等資質向上研修は，2016年の教育公務員特例法改正によって新設され，それまでの10年経験者研修は廃止された。

No.2の解説 教育公務員特例法

らくらくマスター P.236

A ○ 正しい。第22条の２第１項による。

B × 基準ではなく**指標**である（第22条の３第１項）。客観的に数値化できる指標（measure）の作成が求められる。

C ○ 正しい。第22条の４第１項の規定による。**教員研修計画**と呼ばれ，初任者研修や中堅教諭等資質向上研修といった法定研修の方針が盛られる。

D × 正しくは「必要な事項についての協議を行うための**協議会**を組織ものとする」である（第22条の７第１項）。学校運営協議会は，学校運営に関する協議を行う機関で，指定学校ごとに置かれる。

正答 No.1 3　No.2 A，C

実戦問題

★★
No. 3 教育公務員の研修について，法令等に照らして適切なものは次のア～オのどれか。記号で答えよ。 【富山県】

ア　教育公務員は，児童・生徒の教育をつかさどるという職務の特性から，勤務場所を離れての長期にわたる研修を受けることはできないが，教員が大学院等で専修免許状を取得するための大学院修学休業制度が整備されている。

イ　教育公務員は，学校に勤務しながら採用の日から１年間の研修をうけることが義務づけられているが，大学院修学休業制度を希望した場合は，初任者研修は免除される。

ウ　校長は，夏季休業中のように授業への支障がない時期に，教員から勤務場所を離れて行う研修の申請があった場合，その研修を承認しなければならない。

エ　教育公務員は，教職の特殊性と研修の必要性に鑑み，絶えず研究と修養に努め，その職責を遂行しなければならない。

オ　任命権者は，県費負担教職員の研修を行うこととなっているが，その研修については任命権者の承認があれば，市町村教育委員会も実施することができる。

★★
No. 4 公立学校の教員の研修に関する記述として，法令に照らして適切なものは，次の１～５のうちのどれか。 【東京都】

1　教員は，絶えず研究と修養に努めなければならないため，授業に支障のない限り，本属長の承認を受けずに，勤務場所を離れて研修を行うことができる。

2　教員は，任命権者の定めるところにより，休職しなければ，長期にわたる研修を受けることができない。

3　任命権者は，当該教諭に対して，その採用の日から３年間の職務の遂行に必要な事項に関する実践的な研修を実施しなければならない。

4　任命権者は，中堅教諭等資質向上研修を実施するに当たり，受ける者の能力，適性等について評価を行い，その結果に基づき，研修に関する計画書を作成しなければならない。

5　任命権者は，児童生徒に対する指導が不適切であると認定した教諭等に対して，３年を超えない範囲内で，指導改善研修を実施しなければならない。

実戦問題の解説

No.3の解説 教育公務員の研修　らくらくマスター➡P.236, 238

ア × 「教員は，授業に支障のない限り，**本属長の承認**を受けて，勤務場所を離れて研修を行うことができる。」（教育公務員特例法第22条第２項）

イ × 初任者研修が免除されるのは，「政令で指定する者」である（同法第23条第１項）。「政令で指定する者」とは，①教諭等として国立，公立又は私立の学校において１年以上勤務した経験を有し，任命権者が初任者研修の対象とする必要がないと認める教諭等，②臨時的に任用された教諭等，③期限附で任用された教諭等，である（昭和63・６・３文教教51事務次官）。

ウ × 「教員は，授業に支障のない限り，**本属長の承認**を受けて，勤務場所を離れて研修を行うことができる」（教育公務員特例法第22条第２項）が，本属長が「研修を承認しなければならない」という規定はない。

エ ○ 正しい。教育公務員特例法第21条第１項の規定である。

オ × 「県費負担教職員の研修は，地方公務員法第39条第２項の規定にかかわらず，**市町村委員会**も行うことができる。」（地方教育行政法第45条第１項）とあるから，任命権者の承認は必要ではないと解される。なお，条文中の地方公務員法第39条第２項は，「研修は，**任命権者**が行うものとする。」と定めたものである。

No.4の解説 公立学校の教員の研修　らくらくマスター➡P.236, 238

1 × 「教員は，授業に支障のない限り，**本属長の承認を受けて**，勤務場所を離れて研修を行うことができる」とある（教育公務員特例法第22条第２項）。本属長とは，学校の場合は校長である。

2 × 「教育公務員は，任命権者の定めるところにより，**現職のままで**，長期にわたる研修を受けることができる」とある（同第22条第３項）。任命権者とは，県費負担教職員の場合，都道府県の教育委員会である。長期の研修として，大学院修学研修や民間企業派遣研修等がある。

3 × ３年間ではなく**１年間**である（同23条第１項）。教育公務員の初任者研修の期間は，一般の公務員（半年）の倍である。

4 ○ 適切である。同第24条第２項による。

5 × ３年ではなく**１年**である（同第25条第２項）。必要がある場合，２年を超えない範囲で延長ができる。指導改善研修を経ても改善が見られない場合，免職その他の措置がとられる。

正答 No.3 エ　No.4 4

テーマ 13　教育法規

教員の服務・勤務規則

頻出度 A

必修問題

出題データ　東京都では毎年欠かさず出題されている。福島県，埼玉県，滋賀県，佐賀県，熊本県などでも必出である。

次の図は，地方公務員の服務上の義務について模式的に示したものである。図中の空欄ア～オに当てはまる語句の組合せとして適切なものは，次の１～５のうちのどれか。　　【東京都】

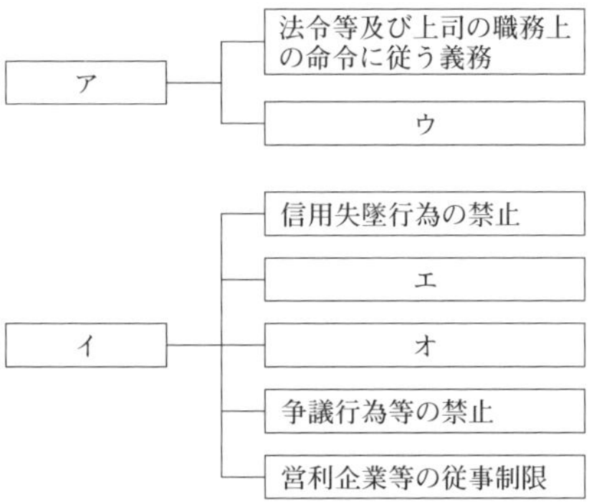

1　ア　職務上の義務　　イ　身分上の義務　　ウ　職務に専念する義務
　エ　秘密を守る義務　　オ　政治的行為の制限

2　ア　職務上の義務　　イ　身分上の義務　　ウ　秘密を守る義務
　エ　職務に専念する義務　　オ　政治的行為の制限

3　ア　身分上の義務　　イ　職務上の義務　　ウ　職務に専念する義務
　エ　秘密を守る義務　　オ　政治的行為の制限

4　ア　身分上の義務　　イ　職務上の義務　　ウ　秘密を守る義務
　エ　政治的行為の制限　　オ　職務に専念する義務

5　ア　身分上の義務　　イ　職務上の義務　　ウ　政治的行為の制限
　エ　職務に専念する義務　　オ　秘密を守る義務

必修問題の解説

らくらくマスター P.240，242

公務員としての教員は，職務上の義務を３つ，身分上の義務を５つ有する。本問は，それを模式図の形で示した良問である。選択肢が与えられなくても解答できるよう，しっかり覚えておこう。

ア 「**職務上の義務**」が入る。公務員としての職務を遂行するための義務である。図中の２つの他，あと一つ，**服務の宣誓義務**がある。服務の宣誓義務については，地方公務員法第31条，国家公務員法第97条に定めがある。

イ 「**身分上の義務**」が入る。公務員としての身分上の義務である。図中の５つがある。「禁止」と「制限」という文末の表現も押さえること。

ウ 「**職務に専念する義務**」が入る。「職員は，法律又は条例に特別の定がある場合を除く外，その勤務時間及び職務上の注意力のすべてをその職責遂行のために用い，当該地方公共団体がなすべき責を有する**職務にのみ**従事しなければならない」（地方公務員法第35条）。国家公務員法第101条第１項にも類似の規定がある。

エ 「**秘密を守る義務**」が入る。いわゆる守秘義務である。「職員は，職務上知り得た**秘密を漏らしてはならない**。その職を退いた後も，また，同様とする」（地方公務員法第34条第１項）。国家公務員法第100条第１項にも同様の規定あり。

オ 「**政治的行為の制限**」が入る。地方公務員法第36条第２項，教育公務員特例法第18条第１項，国家公務員法第102条第１項を参照。地方公務員は，自分が属する自治体の外で政治的行為ができるが，教育公務員は，どこにおいても政治的行為ができない，という違いがある。

よって，正答は**1**となる。

正答 1

ここが問われる！出題ポイント

本テーマは多くの自治体で頻出のテーマである。近年，教員の不祥事が続発していることを受けてであろう。公務員は，５つの身分上の義務を有する。これらについて，法的根拠となる条文とともに，しっかり押さえておこう。特に，一般の公務員の「政治的行為の制限」と教育公務員のそれとの違いについては，引っ掛け問題として出題されやすいので要注意である。教育公務員の場合，政治的行為の制限の範囲は全国に及ぶ。

実戦問題

★
No. 1 公立学校の教員の服務に関する記述として，法令に照らして適切なものは，次の１～５のうちのどれか。 【東京都】

1 教員は，その職務を遂行するに当たって，上司の職務上の命令に忠実に従わなければならないが，その命令は文書，口頭いずれの方法でも有効である。

2 教員は，他の事業若しくは事務に従事することが本務の遂行に支障がない場合，任命権者の許可がなくても，教育に関する事業若しくは事務であれば従事することができる。

3 教員は，職務上知り得た秘密を漏らしてはならないが，その職を退いた後であればこの限りではない。

4 教員は，当該教員の属する地方公共団体の区域外であれば，政党その他の政治的団体の構成員となるように，勧誘運動をすることができる。

5 教員は，その職の信用を傷付け，又は職員の職全体の不名誉となるような行為をしてはならないが，勤務時間外の行為はこれに該当しない。

★
No. 2 地方公務員法に定める職員の服務に関する記述として適切なものは，次の１～５のうちのどれか。 【東京都】

1 職員は，法律又は条例に特別の定がある場合を除く外，その勤務時間及び職務上の注意力のすべてをその職責遂行のために用い，当該地方公共団体がなすべき責を有する職務にのみ従事しなければならない。

2 職員は，職務上知り得た秘密を漏らしてはならないが，法令による証人，鑑定人等となり，職務上の秘密に属する事項を発表する場合においては，任命権者の許可を受ける必要はない。

3 職員は，その職務を遂行するに当たって，上司の職務上の命令に忠実に従わなければならず，職務命令に重大かつ明白な瑕疵がある場合でも，その命令に従わなければならない。

4 職員は，勤務条件の維持改善を図ることを目的として，職員団体を結成し，又はこれに加入することができ，争議行為をすることが認められている。

5 職員は，勤務時間外であれば，任命権者の許可を受けることなく，自ら営利を目的とする私企業を営み，又は報酬を得て事業若しくは事務に従事することが認められている。

実戦問題の解説

No.1の解説　公立学校教員の服務　らくらくマスター ➡ P.240，242

教員の服務の中には，退職後，地域外，勤務時間外でも適用されるものがある。

1 ○ 適切である。地方公務員法第32条の規定による。命令の方法と有効性に関する規定はない。

2 × 業種を問わず，**任命権者の許可を得なければ**営利事業に従事することはできない（地方公務員法第38条第１項）。公立学校教員（県費負担教職員）の場合，任命権者は都道府県の教育委員会である。

3 × 「職員は，職務上知り得た秘密を漏らしてはならない。その**職を退いた後も，また，同様とする**」とある（地方公務員法第34条第１項）。守秘義務は，退職後も適用される。

4 × 公立学校教員（教育公務員）の場合，国家公務員と同じく，**政治的行為の制限の範囲は全国に及ぶ**。よって属する自治体の区域外でも，人事院規則で定める政治的行為はできない。

5 × 地方公務員法第33条が定める信用失墜行為の禁止だが，勤務時間外の行為がこれに該当しない，という定めはない。

No.2の解説　地方公務員の服務　らくらくマスター ➡ P.240，242

1 ○ 正しい。地方公務員法第35条が定める，**職務に専念する義務**である。

2 × いわゆる守秘義務であるが，「法令による証人，鑑定人等となり，職務上の秘密に属する事項を発表する場合においては，**任命権者の許可を受けなければならない**」と法定されている（第34条第２項）。

3 × 法令等及び上司の職務上の命令に従う義務（第32条）であるが，「職務命令に重大かつ明白な瑕疵がある場合でも」従わねばならない，という記述は誤りである。

4 × 「職員は，地方公共団体の機関が代表する使用者としての住民に対して同盟罷業，怠業その他の**争議行為**をし，又は地方公共団体の機関の活動能率を低下させる怠業的行為をしてはならない」とある（第37条第１項）。公務員の争議行為等は禁止されている。

5 × 第38条の規定により，職員が**営利事業**を営む際は「任命権者の許可」が必要であるが，これは勤務時間の内外を問わない。

正答　No.1　1　　No.2　1

実戦問題

★
No. 3 下の文は，「地方公務員法（昭和25年法律第261号）」の条文または条文の一部である。下線部a～eについて，正しいものを○，誤っているものを×としたとき，正しい組合せはどれか。1～6から1つ選べ。 【奈良県】

第32条　職員は，その職務を遂行するに当つて，法令，条例，地方公共団体の規則及び地方公共団体の機関の定める規程に従い，且つ，上司の a 職務上の指示に忠実に従わなければならない。

第33条　職員は，その職の信用を傷つけ，又は b 職員の職全体の不名誉となるような行為をしてはならない。

第34条　職員は，職務上知り得た秘密を漏らしてはならない。 c その職を退いた後も，また，同様とする。

第35条　職員は，法律又は条例に特別の定がある場合を除く外，その d 勤務時間及び職務上の注意力のすべてをその職責遂行のために用い，当該地方公共団体がなすべき責を有する職務にのみ従事しなければならない。

第36条　職員は，政党その他の政治的団体の結成に関与し，若しくはこれらの団体の役員となつてはならず，又はこれらの団体の構成員となるように， e 若しくはならないように勧誘運動をしてはならない。

1　a－○　b－×　c－×　d－×　e－×
2　a－×　b－○　c－○　d－○　e－○
3　a－○　b－○　c－×　d－○　e－×
4　a－×　b－○　c－×　d－×　e－○
5　a－×　b－×　c－○　d－○　e－×
6　a－○　b－×　c－○　d－×　e－○

★★★
No. 4 次のア～キに，地方公務員法で職員が制限されているものが2つある。その2つを選び，記号で答えよ。 【秋田県・改題】

ア　法令及び上司の職務上の命令に従う　　イ　職務に専念する
ウ　信用失墜行為　　エ　秘密を守る　　オ　政治的行為
カ　争議行為　　キ　営利企業等の従事

実戦問題の解説

No.3の解説 公務員の服務の条文　　らくらくマスター ➡ P.240, 242

a × 誤っている。職務上の指示ではなく，**職務上の命令**である。公務員の「職務上の義務」の１つである，法令等及び上司の職務上の命令に従う義務である。

b ○ 正しい。公務員は身分上，信用失墜行為は禁止されている。しばしば新聞沙汰になる，生徒へのわいせつ行為などはその典型である。

c ○ 正しい。公務員の守秘義務は，職を退いた後も継続する。

d ○ 正しい。職務に専念する義務である。勤務中に私用のスマホを操作したり，自宅でのテレワークに際して飲酒しながら業務に当たるなどは，この規定に抵触すると考えられる。

e ○ 正しい。公務員は身分上，政治的行為を制限される。ただし，自分が勤務する自治体の外において，法で定められた政治的行為をすることは許される（地方公務員法第36条第２項）。ただし，教育公務員の政治的行為の制限は全国に及ぶ（教育公務員特例法第18条第１項）。

よって，正答は**2**である。

No.4の解説 地方公務員法で職員が制限されている行為　　らくらくマスター ➡ P.240, 242

制限規定と禁止規定の区別をつけること。

ア × 「…従わなければならない」という義務規定になっている（第32条）。

イ × 「…職務にのみ従事しなければならない」という義務規定（第35条）。

ウ × 「…不名誉となるような行為をしてはならない」という禁止規定になっている（第33条）。

エ × 「…秘密を漏らしてはならない」という禁止規定（第34条第１項）。

オ ○ 第36条は，「政治的行為の**制限**」と銘打っている。政治的行為は，義務づけられているのではないし，全面的に禁止されてもいない。

カ × 「争議行為をし，…怠業的行為をしてはならない」という禁止規定になっている（第37条第１項）。

キ ○ 第38条は，「営利企業への従事等の**制限**」と銘打っている。営利企業等の従事は，義務づけられているのではないし，全面的に禁止されてもいない。任命権者の許可を得れば，謝礼をもらって，講演会の講師をするなどは差しつかえない。

正答　No.3　2　　No.4　オ，キ

実戦問題

★
No. 5 次のア～オは地方公務員法に規定されている職員が分限又は懲戒の処分を受ける事由に関するものである。その内容が分限処分のものを「分」，懲戒処分のものを「懲」としたとき，正しい組合せはどれか選びなさい。【和歌山県】

ア　全体の奉仕者たるにふさわしくない非行のあつた場合
イ　職制若しくは定数の改廃又は予算の減少により廃職又は過員を生じた場合
ウ　勤務実績が良くない場合
エ　職務上の義務に違反し，又は職務を怠つた場合
オ　心身の故障のため，職務の遂行に支障があり，又はこれに堪えない場合

	ア	イ	ウ	エ	オ
1	懲	分	分	懲	懲
2	懲	分	分	懲	分
3	分	懲	懲	分	懲
4	懲	分	懲	分	分
5	分	懲	懲	懲	懲

★★★
No. 6 職員の勤務等に関する記述として，法令等に照らして適切なものは，次の1～5のうちのどれか。【東京都】

1　公立の小学校等の校長及び教員の給与は，その職務と責任に応じるものであり，超過した勤務時間に応じ，超過勤務手当が支給されなければならない。
2　職員の勤務実績が良くない場合において，職員の意に反して，これを降任し，または免職することはできない。
3　職員が，心身の故障のため長期の休養を要する場合は休職することができるが，刑事事件に関し起訴された場合は休職ではなく，免職としなければならない。
4　任命権者は，職員が，職務上の義務に違反し，または職務を怠った場合において，これに対し懲戒処分として戒告，減給，停職または免職の処分をすることができる。
5　職員の勤務時間が8時間を超える場合は，少なくとも1時間の休憩時間を勤務時間の途中に与えられているため，勤務時間内であれば各職員は都合のよい時間に休憩することができる。

実戦問題の解説

No.5の解説 分限・懲戒 らくらくマスター ➡ P.244

懲戒処分の事由と分限処分の事由を判別する問題である。懲戒処分は義務違反に対する制裁，分限処分は職務の効率化のため，という基本原理を知っておけば，条文を知らずとも正答できる問題である。

ア 懲 懲戒処分の事由にあたる。地方公務員法第29条第１項を参照。

イ 分 分限処分の事由にあたる。地方公務員法第28条第１項を参照。2009年の社会保険庁廃止に伴い，分限免職者が525人出たことは記憶に新しい。

ウ 分 分限処分の事由にあたる。地方公務員法第28条第１項を参照。

エ 懲 懲戒処分の事由にあたる。地方公務員法第29条第１項を参照。

オ 分 分限処分の事由にあたる。地方公務員法第28条第２項を参照。この事由は，分限処分の大半を占める**病気休職**の事由に相当する。

よって，正答は**2**となる。

No.6の解説 公務員の職務 らくらくマスター ➡ P.244，246

1 × 「教育職員については，時間外勤務手当及び休日勤務手当は，支給**しない**」とされる。(公立の義務教育諸学校等の教育職員の給与等に関する特別措置法第３条第２項)

2 × 「勤務実績が良くない場合」，職員を，「その意に反して，これを降任し，又は免職することができる」(地方公務員法第28条第１項)。これは，**分限処分**の事由に相当する。

3 × 「刑事事件に関し起訴された場合」に対する措置は，免職ではなく**休職**である（地方公務員法第28条第２項)。

4 ○ 正しい。懲戒処分の事由について定めた，地方公務員法第29条第１項を参照。ほか，「法律又はこれに基く条例，地方公共団体の規則若しくは地方公共団体の機関の定める規程に違反した場合」と「全体の奉仕者たるにふさわしくない非行のあつた場合」も同様である。

5 × 勤務時間が「８時間を超える場合においては少くとも１時間の休憩時間を労働時間の途中に与えなければならない」(労働基準法第34条第１項)。しかし，この「休憩時間は，**一斉**に与えなければならない」とされる（第34条第２項)。よって，「都合のよい時間に休憩することができる」という記述は誤り。

正答 No.5 2 No.6 4

テーマ 教育法規

14 教育委員会

頻出度 C

必修問題

出題データ　東京都では5年間で5回の出題。熊本県では5年間に4回出題されている。

教育委員会に関する記述として，「地方教育行政の組織及び運営に関する法律」に照らして適切なものは，次の1～5のうちのどれか。　【東京都】

1　委員は，当該地方公共団体の長の被選挙権を有する者で，人格が高潔で，教育，学術及び文化に関し識見を有するもののうちから，地方公共団体の長が，議会の同意を得て，任命する。

2　委員の任命に当たっては，委員の年齢，性別，職業等に著しい偏りが生じないように配慮するとともに，委員のうちに保護者である者が含まれないようにしなければならない。

3　委員の任期は3年とし，再任されることができる。

4　教育委員会の会議の議事は，在任委員の過半数で決し，可否同数のときは，教育長の決するところによる。

5　教育委員会の会議は，公開しない。ただし，人事に関する事件その他の事件について，教育長又は委員の発議により，出席者の3分の2以上の多数で議決したときは，これを公開することができる。

必修問題の解説

らくらくマスター ➡ P.248

地方教育行政の組織及び運営に関する法律（地方教育行政法）の教育委員会に関する規定が出題されている。委員の任命・任期，および教育委員会の議事運営に関する事項である。従来の教育委員長の廃止など，2014年の同法改正に伴う改正事項も知っておきたい。

1 ○ 適切である。第4条第2項の規定による。戦後初期の頃は住民の直接選挙で選ばれる公選制であったが，**1956年**の地方教育行政法制定に伴い，首長による**任命制**に変わった。

2 × 委員のうちに保護者である者が**含まれる**ようにしなければならない（第4条第5項）。2007年の地方教育行政法改正に伴い，委員のうちに保護者を含ませることが義務化された。民意を教育行政に反映させるためである。それまでは，「含まれるよう努めなければならない」という，努力義務の規定であった。

3 × 教育委員会の委員の任期は**4年**である。任期が3年であるのは，教育長である（第5条第1項）。ただし，補欠の教育長又は委員の任期は，前任者の残任期間となる。

4 × 教育委員会の会議の議事は，在任委員ではなく**出席者**の過半数で決する（第14条第4項）。なお教育委員会は，教育長及び在任委員の過半数が出席しなければ，会議を開き，議決をすることができない（第14条第3項）。

5 × 教育委員会の会議は，**公開**とされる（第14条第7項）。「ただし，人事に関する事件その他の事件について，教育長又は委員の発議により，出席者の3分の2以上の多数で議決したときは，これを公開しないことができる」とある。

正答 1

ここが問われる！出題ポイント

2014年6月の地方教育行政法改正に伴い，教育委員会制度が大きく変わった。2015年4月より新法が施行されている。重要なのは，教育委員会の組織について定めた第3条，教育長と委員の任命について定めた第4条，教育長と委員の任期を定めた第5条，教育委員会の職務権限について規定した第21条などである。

実戦問題

★
No. 1 次の文は，地方教育行政の組織及び運営に関する法律の一部を改正する法律（平成27年４月１日施行）の一部の内容を説明している。内容として誤っているものはどれか。【岡山県】

1　教育委員長と教育長を一本化した新たな責任者（新教育長）を置く。
2　いじめによる自殺の防止等，児童生徒等の生命又は身体への被害の拡大又は発生を防止する緊急の必要がある場合に，文部科学大臣が教育委員会に対して指示ができることとした。
3　地方公共団体の長は，総合教育会議を設ける。会議は，地方公共団体の長が招集し，地方公共団体の長，教育委員会により構成される。
4　教育長は，地方公共団体の長が議会の同意を得て，任命・罷免を行う。
5　教育委員長は，教育委員会の会務を総理し，教育委員会を代表する。

★★
No. 2 平成27年４月１日，「地方教育行政の組織及び運営に関する法律の一部を改正する法律」が施行された。これに伴い，改められた内容として正しいものを，下のＡ～Ｄから２つ選んだとき，正しい組合せはどれか。次の１～６から１つ選べ。【奈良県】

Ａ　教育委員会の会務を総理し，教育委員会を代表する教育長は，地方公共団体の長が議会の同意を得て任命した教育委員の互選により，選出されることになった。
Ｂ　教育長の任期は３年となり，議会の審議に必要な説明のため議長から出席を求められたときは，議場に出席しなければならなくなった。
Ｃ　教育長が招集し，地方公共団体の長及び教育委員会から構成される総合教育会議が設けられ，教育条件の整備等重点的に講ずべき施策等について協議等を行うことになった。
Ｄ　地方公共団体の長は，教育基本法第17条第１項に規定する基本的な方針を参酌し，その地域の実情に応じ，当該地方公共団体の教育，学術及び文化の振興に関する総合的な施策の大綱を定めることになった。

1　Ａ—Ｂ　　**2**　Ａ—Ｃ　　**3**　Ａ—Ｄ
4　Ｂ—Ｃ　　**5**　Ｂ—Ｄ　　**6**　Ｃ—Ｄ

実戦問題の解説

No.1の解説 地方教育行政の組織及び運営に関する法律の改正内容 らくらくマスター ➡ P.248

1 ○ 正しい。改正法第13条第1項では,「**教育長**は,教育委員会の会務を総理し,教育委員会を代表する」と規定されている。「教育長に事故があるとき,又は教育長が欠けたときは,あらかじめその指名する委員がその職務を行う」とされる(第13条第2項)。

2 ○ 正しい。第50条の規定による。

3 ○ 正しい。第1条の4の規定による。総合教育会議とは,「教育を行うための諸条件の整備その他の地域の実情に応じた教育,学術及び文化の振興を図るため重点的に講ずべき施策」,「児童,生徒等の生命又は身体に現に被害が生じ,又はまさに被害が生ずるおそれがあると見込まれる場合等の緊急の場合に講ずべき措置」などについて協議する機関とされる。

4 ○ 正しい。第4条第1項の規定による。教育委員も同じく,地方公共団体の長によって任命される(第4条第2項)。

5 × 誤っている。法改正により,教育委員長の職は廃止された。教育委員会の会務を総理し,教育委員会を代表するのは**教育長**である。

No.2の解説 教育委員会 らくらくマスター ➡ P.248

地方教育行政法改正により,地方公共団体の長(首長)の権限が強化された点がポイントである。

A × 正しくない。教育長は,教育委員の互選で選出されるのではない。「教育長は,当該地方公共団体の長の被選挙権を有する者で,人格が高潔で,教育行政に関し識見を有するもののうちから,**地方公共団体の長が,議会の同意を得て,任命する**」と法定された(第4条第1項)。

B ○ 正しい。第5条第1項の規定により,教育長の任期は**3年**となった(教育委員の任期は4年)。教育長の会議出席義務については,地方自治法第121条にて規定された。

C × 正しくない。総合教育会議は,**地方公共団体の長**が招集する(第1条の4第3項)。なお教育委員会は,「地方公共団体の長に対し,協議すべき具体的事項を示して,総合教育会議の招集を求めることができる」(第4項)。

D ○ 正しい。第1条の3第1項の規定による。この大綱を定める際は,総合教育会議において協議することとされる。

以上から,正答は**5**である。

正答 No.1 5　No.2 5

Column

大学進学率の地域間格差

教育基本法第4条第1項は，「すべて国民は，ひとしく，その能力に応じた教育を受ける機会を与えられなければならず，人種，信条，性別，社会的身分，経済的地位又は門地によって，教育上差別されない」と定めている。いわゆる**教育の機会均等**の原則であるが，初等・中等段階はともかく，高等教育段階では，それが具現されているとは言い難い状況である。

このことは，大学進学率の都道府県地図を描いてみるとよくわかる。現在，浪人込みの大学進学率は50％を超え，同世代の2人に1人が進学するというけれど，日本全国がそうなのではない。下の地図に見るように，大学進学率には著しい地域格差があり，最高の東京と最低の宮崎では倍近くの開きがある。

2023年春の大学進学率地図

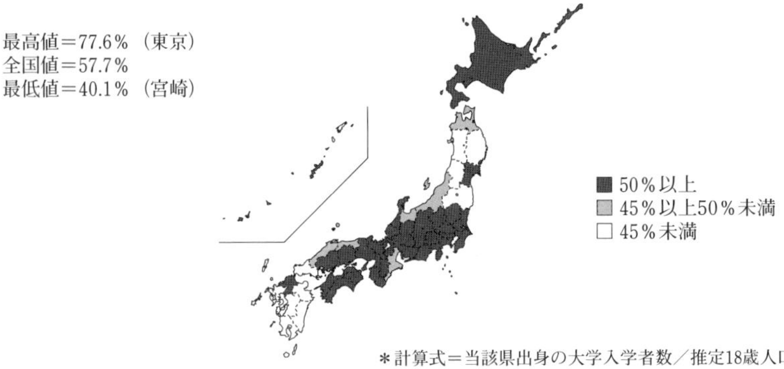

＊計算式＝当該県出身の大学入学者数／推定18歳人口
資料：文部科学省『学校基本調査報告書』

むろん，大学に進学する・しないは個人の自由であり，上記の地図の模様は，生徒個々人の意向の差とも読める。しかるに，各県の大学進学率は，県民所得のような指標と非常に強く相関している。所得水準の低い地方の家庭は，大学の高い学費を負担できない，大学のある都市部に子どもを送り出せない，という事情も大きいだろう。わが国の高等教育（大学）は「私学依存・大都市偏在」という構造的特性を持っていることからして，十分あり得る事態である。

上の地図をみると，子どもの学力トップとして注目される秋田の大学進学率は39.6％であり，全国水準よりもかなり低い。当人の意向や能力とは違った，外的要因によって進学機会を制約される生徒が少なくないのではなかろうか。地方に埋もれた才能。ヒトしか資源のない日本にとって，看過し得ない問題である。

Section

4

教育心理

発 達

頻出度 A

必修問題

出題データ　神奈川県では毎年出題，宮崎県でも毎年欠かさず出題されている。

次の記述の空欄［ア］～［オ］に当てはまる人物名の組合せとして最も適切なものを，後の①～⑤のうちから選びなさい。

【神奈川県・横浜市・川崎市・相模原市】

［ア］は，発達の最近接領域に働きかけることによって，教育は子どもの発達を引き上げることができると考えた。

［イ］は，乳児期から老年期までのライフサイクルを8つの段階に区切り，各段階に心理・社会的危機を設定した。

［ウ］は，ピアジェの理論を基礎にしながら青年期以降の道徳性発達について検討し，3水準6段階からなる道徳性発達理論を提唱した。

発達課題という概念を最初に用いた［エ］は，次の発達段階にスムーズに移行するために，それぞれの発達段階で習得しておくべき課題があると考えた。

［オ］は，パーソナリティを構造的，力動的に捉え，精神分析学の立場から理論を提唱した。

① ア　ヴィゴツキー　イ　フロイト　ウ　ハヴィガースト
　 エ　コールバーグ　オ　エリクソン

② ア　ハヴィガースト　イ　エリクソン　ウ　コールバーグ
　 エ　ヴィゴツキー　オ　フロイト

③ ア　コールバーグ　イ　エリクソン　ウ　ヴィゴツキー
　 エ　ハヴィガースト　オ　フロイト

④ ア　ヴィゴツキー　イ　エリクソン　ウ　コールバーグ
　 エ　ハヴィガースト　オ　フロイト

⑤ ア　ハヴィガースト　イ　フロイト　ウ　コールバーグ
　 エ　ヴィゴツキー　オ　エリクソン

必修問題の解説

らくらくマスター P.258, 260

著名な発達心理学者の人名を答えさせる問題である。各人物の学説のキーワードを知っていれば難なく正答できるはずだ。ヴィゴツキーは「発達の最近接領域」，コールバーグは「道徳性発達理論」，フロイトは「精神分析学」がキーワードとなる。『教職教養らくらくマスター』の282～283ページの人物一覧表をみておくとよい。

ア **ヴィゴツキー**が入る。発達の最近接領域とは，子どもが自力で到達可能な発達水準と，他者からの援助によって到達可能な発達水準の間の範囲をいう。教育の役割は，この領域に働きかけて，子どもの現時点での発達水準を引き上げるとともに，その潜在的な発達可能性を広げることである。

イ **エリクソン**が入る。読者は青年期の只中にあるが，青年期の発達課題は「自分は何者か，何ができるか」という自己アイデンティティを確立することで，これができないと自我の拡散という危機に陥る。

ウ **コールバーグ**が入る。道徳性のレベルを前慣習的，慣習的，脱慣習的の３水準に分け，それぞれを２つの段階に区分している（合計６段階）。最も低次な「罪と服従」中心の段階から，最も高次の「普遍的な道徳原則」中心の段階まで上がっていく。

エ **ハヴィガースト**が入る。人生を６つの時期に分け，各時期の課題のリストを示している。児童期の課題の一つに「男子，女子としての役割を学ぶこと」があるが，現在では，こうした性的役割観を植え付けるのは好ましくないとされる。

オ **フロイト**が入る。フロイトの精神分析理論によると，人間の人格は，イド，自我，そして超自我の３つ部位からなり，とくに，無意識下にある，性衝動としてのイドが重要な役割を果たしているという。フロイトは，そうした性衝動が発達の原動力であると考え，独自の性的発達段階説を提唱している。

正答 ④

ここが問われる！出題ポイント

教育心理の中で最も出題頻度が高いテーマである（神奈川県では必出）。なかでも頻出であるのは，ピアジェの認知の発達段階説やエリクソンの発達課題説である。文章を提示してどの段階のものかを答えさせたり，順番に並べ替えさせたりする問題が多い。ほかに，スキャモンの発達曲線やサイモンズの養育態度の類型図にも注意しておきたい。

実戦問題

★★
No. 1 次の文は，ピアジェの知能の発達段階について述べたものである。下の⑴，⑵の問いに答えよ。 【愛知県】

㋐ 運動と感覚を通して外界に働きかける時期。ものが急になくならないことが分かるといった対象の永続性が獲得され，象徴的な思考ができるようになる。

㋑ 保存概念が成立し，具体的対象物に対して見た目に左右されずに論理的に思考することができるようになる。

㋒ 自己中心的な思考を行い，直感的な認知に特徴がある。また，保存の概念も十分ではない。

㋓ 具体的事物を越えた論理的思考が可能となり，抽象的概念を操作できるようになる。

⑴ ㋐～㋓はどの段階について述べたものか，次のA～Hから1つずつ選び，その記号を書け。

A　感覚運動期　B　抽象的操作期　C　前操作期　D　洞察的思考期
E　形式的操作期　F　体験的操作期　G　具体的操作期　H　反射運動期

⑵ （イ）の段階は，どの年齢のときのものか，次のA～Dから1つ選び，その記号を書け。

A　0～2歳頃　B　2～7歳頃　C　7～11歳頃　D　11～15歳頃

★
No. 2 下表は，E.H.エリクソンの自我の発達を中心にした発達段階と発達課題の一部を示したものである。表の（　2　）と（　3　）に入る語句を語群ア～エから選び，その適切な組合せを①～⑤から1つ選び，記号で答えよ。

【神戸市・改題】

発達段階		発達課題
幼児期初期	→	自律性　対　恥・疑惑
遊戯期	→	（　1　）
学童期	→	（　2　）
青年期	→	（　3　）
前成人期	→	（　4　）
成人期	→	生殖性　対　停滞

ア　同一性　対　同一性混乱　　イ　勤勉性　対　劣等感
ウ　自主性　対　罪悪感　　エ　親密　対　孤独

① ⑵－イ　⑶－ウ　② ⑵－イ　⑶－ア　③ ⑵－ウ　⑶－エ
④ ⑵－エ　⑶－ア　⑤ ⑵－エ　⑶－ウ

実戦問題の解説

No.1の解説 ピアジェの知能の発達段階説 らくらくマスター P.258

(1)

ア A **感覚運動期**である。4段階の最初に位置するもので，0～2歳ごろの時期が該当する。この時期の幼児は，まだ言語を獲得しておらず，もっぱら感覚と運動的活動を通して外界の事物を認識する。

イ G **具体的操作期**である。前操作期に続く3番目の段階であり，7～11歳ごろの時期にあたる。液体を，背の低い容器から背の高い容器に移し替えたとき，量そのものは変わっていないことを見抜けるようになる（保存の概念の発達）。

ウ C **前操作期**である。感覚運動期に続く2番目の段階であり，2～6歳ごろの時期にあたる。実際に触れるなどの運動的活動を行わなくても，言語化された以前の認識体験（表象）をもとに，それを認識できるようになる。

エ E **形式的操作期**である。具体的操作期に続く4番目（最終）の段階であり，11～12歳ごろ，この段階に至る。この時期になると，具体物を目にしなくても，言語や記号だけを使った，抽象的な推論ができるようになる。

(2)

C **7～11歳頃**である。保存の概念の発達に象徴されるように，目の前の具体物について，論理的な思考ができるようになる。

No.2の解説 エリクソンの発達課題説 らくらくマスター P.260

左側は課題が達成された状態，右側はそれに失敗した状態である。なお，(1)にはウ，(4)には工が入る。

(2) イ 学童期は，6歳から青年期が始まる頃までであるが，この時期の課題は**勤勉**に物事に取り組む態度を身につけることとされる。勤勉に勉強し，知識を吸収することも含まれる。この課題達成に失敗すると劣等感に苛まれるが，相対比較のテストが多い現代日本では，こういう状態になる子どもが少なくない。

(3) ア 青年期は子どもと大人の中間の時期であり，各種の社会的役割の遂行が猶予されたモラトリアムの時期でもある。この時期の課題は，**自我同一性**（アイデンティティ）を確立することである。自分は何者か，社会に対して何ができるかを明確にすることであるが，近年，この課題達成に失敗し，自我の混乱状態に陥ってしまう青年が少なくない。

正答 No.1 (1) アーA イーG ウーC エーE (2) C No.2 ②

実戦問題

★★★
No. 3 **人間の発達に対する遺伝・環境両要因の立場について，誤っているものを，次の選択肢から１つ選び，番号で答えなさい。** **【宮崎県】**

1 ジェンセンは環境閾値説の立場から，個人がもつ潜在的な遺伝的素質が実際に発現するための環境要因の豊かさは特性によって異なると主張した。

2 行動主義心理学者であるワトソンは，ルクセンブルガーの図式を示し，人間の発達は生後の環境における経験によって規定されると考え，環境説の立場をとった。

3 発達は遺伝的に規定されたものが年齢に応じて展開されると主張し，遺伝的要因を重視したゲゼルは，一卵性双生児の階段登り実験を行った。

4 シュテルンは，ある特性の発達は遺伝と環境の両要因の効果が加算的に合わさってもたらされ，遺伝と環境の寄与する割合は特性によって異なるとする輻輳説を唱えた。

5 遺伝と環境の相互作用説は，ある遺伝的素質をもった個人と環境との動的な相互作用が個人の心身の発達を規定するという立場で，ピアジェの認知発達論が当てはまる。

★★
No. 4 **次のグラフは，スキャモン（アメリカの医学者・人類学者）の発育曲線である。A～Dの分類の組合せとして適切なものは，下の１～５のうちどれか。** **【新潟県・新潟市】**

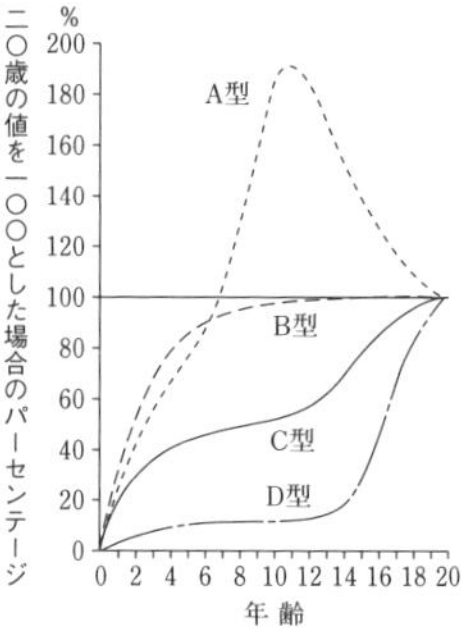

スキャモンの発育曲線

1 A：神経型　B：リンパ型　C：一般型　D：生殖型
2 A：リンパ型　B：神経型　C：一般型　D：生殖型
3 A：一般型　B：神経型　C：生殖型　D：リンパ型
4 A：生殖型　B：一般型　C：リンパ型　D：神経型
5 A：リンパ型　B：一般型　C：神経型　D：生殖型

実戦問題の解説

No.3の解説 発達の学説

らくらくマスター➡P.30，256，282

1 ○ 正しい。たとえば，身長の伸びや母国語の獲得などは，よほどの劣悪な環境条件に置かれない限り発現するが，絶対音感や外国語の才能が発現するには，かなり好ましい環境条件が必要になる。

2 × ルクセンブルガーの図式は，環境説ではなく，**輻輳説**を説明するものである。輻輳説によると，発達の個人差は，遺伝要因と環境要因の双方が加算的に作用し合うことによって起こるとされる。シュテルンが提唱した。

3 ○ 正しい。ゲゼルの説は，**成熟優位説**と言われる。人間の行動型の変化（発達）は，環境要因の影響をほとんど受けず，遺伝プログラムによってあらかじめ決定されたスケジュールにしたがう，というものである。

4 ○ 正しい。以下の図は，ルクセンブルガーの図式という。特性Xは遺伝の影響が大きいが，特性Yは環境の影響が大きいことになる。

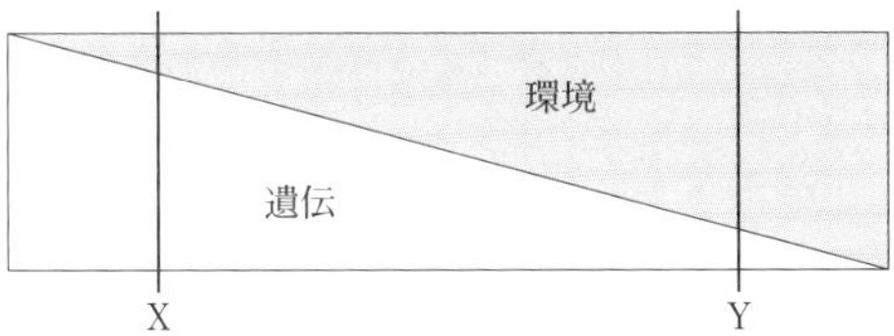

5 ○ 正しい。輻輳説では遺伝要因と環境要因は独立していると考えるが，相互作用説では両者が互いに影響していると考える。

No.4の解説 スキャモンの発育曲線

らくらくマスター➡P.262

曲線のグラフを提示して，型の名称を答えさせる典型問題である。

A **リンパ型**である。胸腺やリンパ節など，免疫機能に関わる組織の発達タイプであり，10代の前半に大きなピークを迎えた後，成人の水準に近づいていくという，やや変わった型である。

B **神経型**である。脳やせき髄など，生後に急激に発達し，その後はゆるやかな発達を遂げるタイプである。

C **一般型**である。骨や筋肉など，第一次性徴期と第二次性徴期にかけて急激に発達するタイプである。

D **生殖型**である。思春期ごろから急激に発達するタイプであり，睾丸や卵巣などの生殖器官の発達の型がこれに含まれる。

正答 No.3 2　No.4 2

動機と欲求

頻出度 C

必修問題

出題データ　岡山県では5年間で2回の出題。宮崎県では5年間で3回出題されている。

次の各文は，動機づけに関するものである。正しいものはどれか。

【岡山県】

1　人の内部に欲求がなければ，外部からその人の行動を引き起こし誘発することは難しいため，まず知的好奇心をもたせてから外発的動機づけを行うことが重要である。

2　報酬や賞賛などへの欲求によって導かれた動機づけでも，外的な圧力に従うように「自分で決定した」場合は，内発的動機づけに導かれたと解釈できる。

3　子どもに作業をさせる場合，自己決定や選択の自由を与えるより，遂行時間を定めて作業を行わせた方が，内発的動機づけが高まる。

4　金銭的報酬を与えたり，行動を監視したり，完成までの期限を設定することによって，内発的動機づけが損なわれることをエンハンシング効果という。

5　内発的動機づけを高めるにあたって，自らが課題を選択したという知覚と，環境と効果的に相互作用をしていくことができるという感覚を感じさせることは重要である。

必修問題の解説

らくらくマスター P.264

内発的動機づけは，学習を持続発展させ，将来にわたって学習意欲を育てる効果が期待されているため，特に授業で活用すべきものとされている。この内発的動機づけを高める環境条件がどのようなものか，ということが問われている。

1 × 外発的動機づけではなく，**内発的動機づけ**である。内発的動機づけには，問題を解くことが面白い，なぜだか知りたいというような知的好奇心による認知的動機づけが含まれる。

2 × 内発的動機づけではなく，**外発的動機づけ**である。賞を取りたい，褒められたい，という要求を満たすために学習行動を起すのは，「自分で決定した場合」であっても，外発的なものである。

3 × デシは，次のように述べている。「行動の原因が自己にあるという**自己決定性**と**自己の有能性**こそが，内発的動機づけの心理学的基盤である」。

4 × エンハンシング効果ではなく，**アンダーマイニング効果（過正当化効果）**である。過正当化効果とは，自己決定に基づく学習など内発的に動機づけられた行為に対して，報酬を与えるなど外発的動機づけを行うことによって，動機づけが低減する現象をいう。エンハンシング効果は，外発的動機づけで内発的動機づけが高まることである。

5 ○ 正しい。内発的動機づけを高めるにあたっては，選択肢でいわれているような**自己効力感**を高めることが重要である。自己効力感とは，自分が行為の主体であると確信していること，自分が外部からの要請にきちんと対応しているという確信のことをいう。この自己効力感が高ければ高いほど，動機づけが高まり，困難に直面した際によりがんばれる。

正答 5

ここが問われる！出題ポイント

子どもを学習にうまく動機づけることは，日々の授業実践の中できわめて重要である。そのためか，動機づけについては，試験でよく出題される。報酬に依存しない内発的動機づけについて詳しくみておこう。また，マズローの欲求の階層説も重要である。次ページの実戦問題No.1のように，各段階の欲求を低次から高次へと並べ替えさせる問題が出る。

テーマ 2

動機と欲求

実戦問題

★

No. 1 **心理学者のマズローは，人間の欲求について，５つの階層を提唱した。下の図の ア ～ オ に当てはまる言葉の組合せとして正しいものを次の①～⑤の中から１つ選べ。** **【岐阜県】**

〔マズローの欲求の階層組織図〕

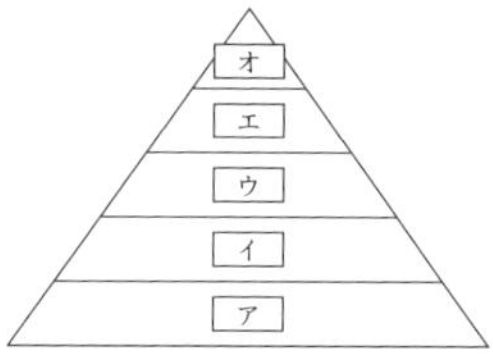

① ア　安全の欲求　　イ　生理的欲求　　ウ　愛と所属の欲求
　エ　尊敬の欲求　　オ　自己実現の欲求

② ア　生理的欲求　　イ　愛と所属の欲求　　ウ　安全の欲求
　エ　自己実現の欲求　　オ　尊敬の欲求

③ ア　安全の欲求　　イ　生理的欲求　　ウ　尊敬の欲求
　エ　愛と所属の欲求　　オ　自己実現の欲求

④ ア　生理的欲求　　イ　安全の欲求　　ウ　愛と所属の欲求
　エ　尊敬の欲求　　オ　自己実現の欲求

⑤ ア　生理的欲求　　イ　安全の欲求　　ウ　自己実現の欲求
　エ　愛と所属の欲求　　オ　尊敬の欲求

★★

No. 2 **動機づけについての記述として最も適切なものを，次の①～④のうちから選びなさい。** **【神奈川県・横浜市・川崎市・相模原市】**

① 自己決定感や自己効力感を感じていることが，内発的動機づけを可能にする心理的基盤につながる。

② 外的な報酬による行為の成功を繰り返すことで内発的な動機づけによる行為に変わることをアンダーマイニング効果という。

③ 成功することを恐れて，成功しそうになるとそれを回避しようとする動機を失敗回避動機という。

④ 仲良くなりたい，協力したい，友好的な関係を維持したいと欲する動機を達成動機という。

実戦問題の解説

No.1の解説 マズローの欲求階層説 らくらくマスター ➡ P.264

あらゆる行為の源泉は欲求であるが，マズローはそれを体系立ててみせている。

ア **生理的欲求**が入る。生存のため，最低限満たさねばならない欲求。飢えや渇きを満たそうという欲求などである。生理的欲求は，マズローのいう欲求階層の中で最も低次な欲求である。

イ **安全の欲求**が入る。外からの脅威に脅かされることなく，安全に生活したいという欲求。マズローの欲求階層でいうと，生理的欲求に次ぐ低次の欲求である。飢えや渇きなどの生理的欲求が満たされると，次は，こうした安全欲求が抱かれるようになる。

ウ **愛と所属の欲求**が入る。ここから先は，社会的存在である人間に固有の欲求としての性格が強くなる。

エ **尊敬（尊厳）の欲求**が入る。他者から認められたい，尊敬されたいという欲求である，集団生活，それも上下関係を伴うさまざまな地位からなる集団生活を営む人間に固有の欲求といえる。

オ **自己実現の欲求**が入る。自分の持てる能力や可能性を最大限に引き出し，創造的な活動をしたい，自己成長を遂げたいという欲求。マズローのいう欲求階層の頂点に位置する，最も高次の欲求である。

No.2の解説 動機づけ らくらくマスター ➡ P.264

①○ 正しい。動機づけには，賞や罰を用いる**外発的動機づけ**と，当人の内的な要因による**内発的動機づけ**がある。後者の基盤は，文中にあるような自己決定感や自己効力感である。

②× アンダーマイニング効果ではなく，**機能的自律**である。アンダーマイニング効果は，内発的に行われていた行動に対し，外的な報酬を与えることで，その行動が内発的に行われなくなることである。過正当化効果ともいう。

③× 失敗回避動機ではなく，**成功回避動機**である。男性より女性で強いといわれる。失敗回避動機は，失敗，ないしは失敗によって否定的に評価されることへの恐れから，課題に取り組むことを避けようという動機をいう。

④× 達成動機ではなく，**親和動機**である。達成動機は，難しいことをうまくやり遂げようとする動機である。双方とも，マーレーが考案した概念である。

正答 No.1 ④ No.2 ①

学 習

頻出度 A

必修問題

出題データ　奈良県では毎年出題されている。東京都と熊本県でも5年間で5回出題されている。

学習に関する説明として誤っているものを，1～6から1つ選べ。【奈良県】

1　学習のしくみを説明するための考え方の1つに，旧ソビエトの生理学者であるパブロフ（Pavlov）が提唱した古典的条件づけ（レスポンデント条件づけ）がある。

2　オペラント条件づけの実験手続きでは，スキナー箱とよばれる装置が用いられることがある。

3　レスポンデント条件づけの考えをもとにして開発された教授方法にプログラム学習がある。

4　ソーンダイク（Thorndike）は，問題箱を用いた実験から，効果の法則という学習の原理を提唱した。

5　ケーラー（Köhler）は，チンパンジーの問題解決過程をさまざまな実験状況で観察し，問題解決の糸口をつかんだ時の洞察があることで，問題解決に至ると考察した。

6　トールマン（Tolman）らは，ネズミなどの動物を用いた実験から，学習によって空間関係の表象をもつことが可能であることを示唆した。

必修問題の解説

らくらくマスター P.266

古典的条件づけと，道具的条件づけの区別がついてないと解けない問題である。後者は好ましい反応を強化するもので，プログラム学習という自学自習システムの基礎となっている。

1 ○ 正しい。古典的（レスポンデント）条件づけとは，条件刺激と無条件刺激を交互に繰り返し提示して，無条件刺激に対して起きていた反応を，条件刺激に対しても起こるようにすることをいう。

2 ○ 正しい。オペラント（道具的）条件づけとは，特定の反応が，賞を得たり罰を回避したりするための手段（道具）となるような状況を継続させて，そうした反応が自発的に生まれるようにすることである。スキナー箱は，レバーを押すと餌が出る仕掛けが施され，この中にネズミを入れると，ネズミは餌を求めて走り回るが，偶然レバーを押すと餌が出る。このことが繰り返されるうちに，ネズミは，次第に自発的にレバーを押すようになった。

3 × 誤っている。レスポンデント条件づけではなく，**オペラント条件づけ**である。プログラム学習はコンピュータを使った自学自習の教授法だが，好ましい反応を強化する仕組みが備わっている。

4 ○ 正しい。効果の法則とは，生体に満足をもたらすような反応は，その場面との結合が強められ，苦痛をもたらすような反応は，その場面との結合が弱められることをいう。

5 ○ 正しい。ケーラーの洞察説は，事態の構造の認知や見通しによって学習が起こると考える認知説の中に含められる。

6 ○ 正しい。学習とは，記号と意味の関連が把握されること，いかなる記号（sign）がいかなる意味（signification）を持つかが把握されることであると考え，サイン・ゲシュタルト説を提唱した。

正答 3

ここが問われる！出題ポイント

学習心理学の知見を知っておくことは，教授活動の効率を大いに高めてくれる。本腰を入れて学習しよう。よく出るのは，条件づけの理論である。オペラント条件づけとレスポンデント条件づけの区別をつけておくこと。また，プラトーやレミニッセンスといった重要概念に関する文章の正誤判定問題も頻出。『教職基本キーワード1200』（実務教育出版）で，意味を確認しておきたい。

実戦問題

★
No. 1 次の文の記号に当てはまる語句の組合せを，下の選択肢から１つ選び，番号で答えなさい。 【宮崎県】

（　ア　）は，教授方法の効果は学習者の適性によって影響を受けることを示し，適性処遇交互作用と呼んだ。これは例えば対人的積極性の（　イ　）学生は教師による指導の効果が高く，対人的積極性の（　ウ　）学生は映像資料による指導の効果が高くなるといった事例から示される。

1　ア：ピアソン　イ：低い　ウ：高い
2　ア：クロンバック　イ：低い　ウ：高い
3　ア：アロンソン　イ：低い　ウ：高い
4　ア：クロンバック　イ：高い　ウ：低い
5　ア：アロンソン　イ：高い　ウ：低い

★★★
No. 2 次の文章は，記憶についての説明である。（　A　）～（　E　）に当てはまる語句の組合せとして正しいものはどれか。 【岡山県】

記憶は，保持時間の長さによって３つに区分される。そのうち感覚記憶は，外界からの様々な情報が最初にとりこまれ，非常に短い時間保持されるものである。（　A　）は手続き的記憶と宣言的記憶に分類される。手続き的記憶は自転車の乗り方などの運動技能や習慣を指す。宣言的記憶は（　B　）とエピソード記憶にさらに分類される。（　B　）は「太陽は東から昇る」などの一般的な知識や概念などを指す。エピソード記憶は「昨日友達と映画を見に行った」など，いつどこで何があったかなどを伴う個人の体験に基づいた記憶を指す。

エビングハウス（Ebbinghaus, H.）は，無意味綴りを覚えて，時間経過により，どのくらい記憶が保持されているかを調べる実験を行った。その実験結果を表した曲線を（　C　）という。

また，記憶に関する実験を行う際に，記憶材料の提示順序が記憶の成績に影響を及ぼすとされている。これを（　D　）といい，提示順序の最初の方の再生率が高くなることを初頭効果，最後の方の再生率が高くなることを（　E　）と呼ぶ。

	A	B	C	D	E
1	短期記憶	作動記憶	学習曲線	系列位置効果	アンダーマイニング効果
2	短期記憶	意味記憶	忘却曲線	ハロー効果	アンダーマイニング効果
3	長期記憶	意味記憶	忘却曲線	系列位置効果	新近性効果
4	長期記憶	意味記憶	学習曲線	系列位置効果	アンダーマイニング効果
5	長期記憶	作動記憶	忘却曲線	ハロー効果	新近性効果

実戦問題の解説

No.1の解説　適性処遇交互作用　らくらくマスター→P.266

適性処遇交互作用とは，学習の成果は，学習者の適性と処遇（指導法）の組み合わせによって決まるという考え方である。生徒の適性によって，指導法に幅を持たせることも必要になる。

ア　**クロンバック**が入る。心理測定の研究者で，この人物が考案した「クロンバックα信頼性係数」は，テストの信頼性を測るための尺度としてよく用いられる。

イ　**高い**が入る。対人的積極性が高い学生は教師による指導の効果が高いと考えられる。

ウ　**低い**が入る。対人的積極性が低い学生は映像資料による指導の効果が高いと考えられる。以上の傾向を図にまとめると，以下のようになる。

ATIの概念図

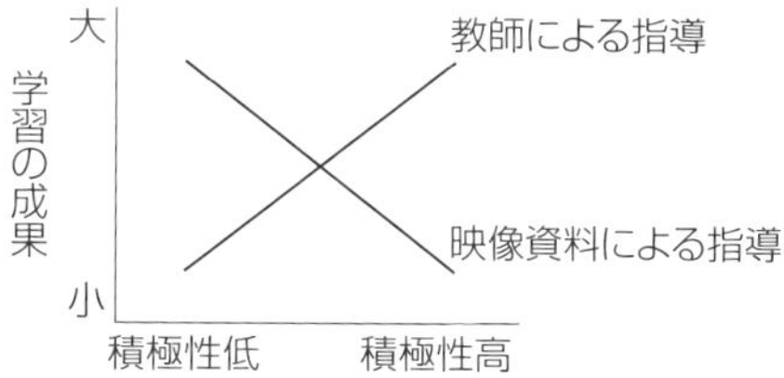

No.2の解説　記憶　らくらくマスター→P.266

A　**長期記憶**が入る。永続的に保持される記憶で，短期記憶が反復され，その意味が分析されるなどの処理を受けることで，安定した長期記憶になる。

B　**意味記憶**が入る。作動記憶は，作業や動作に要する情報を一時的に保持することで，ワーキング・メモリともいう。

C　**忘却曲線**が入る。経過時間を横軸，保持量を縦軸にとった座標上に描かれた曲線をみると，最初に急降下するが，ある程度時間が経過すると，勾配がゆるやかになる。

D　**系列位置効果**が入る。ハロー効果は，ある目立った特性に引きずられて，全体の評価が歪められることをいう。

E　**新近性効果**が入る。アンダーマイニング効果は，内発的な行為に報酬を与えることで，その行為が内発的に行われなくなることである。

正答　No.1　4　　No.2　3

実戦問題

★★

No. 3 次の(1)〜(5)の記述に関する語を下の語群(ア)〜(ツ)から選び，記号で答えよ。

【富山県】

(1) 学習曲線に現れる高原状態のことで，学習活動の途中で，練習を続けても成績が向上しなくなり，それでも練習を続けていると再び成績が向上することがある。この進歩が一時的に止まってしまう現象をいう。

(2) 生後まもなく起こる学習で，これによって習得された行動様式はその後維持され，かなり長い間続くことをいう。

(3) すでに学習したことがその後の学習に何らかの意味で影響を及ぼすこと。前学習が後学習を促進する場合と，阻害する場合がある。

(4) 教育や学習が効果的に行えるような発達的素地をいう。

(5) 記憶量は時間の経過とともに減少すると考えられてきたが，条件によっては学習直後よりも，ある時間を経過した後の方が保持の量が増加していることがあることをいう。

(ア) リビドー　(イ) レディネス　(ウ) 抑圧　(エ) モデリング
(オ) インプリンティング　(カ) 保持　(キ) 同化　(ク) 投影
(ケ) コーピング　(コ) プラトー　(サ) 記憶　(シ) カタルシス
(ス) 移行学習　(セ) レミニッセンス　(ソ) 統合　(タ) 動因
(チ) ドゥイング　(ツ) 学習の転移

★

No. 4 次の文の記号に当てはまる語句の組合せを，下の選択肢から１つ選び，番号で答えなさい。

【宮崎県】

セリグマンらは，回避不能な電気ショックに長時間さらされた犬が，その後，回避可能な状況に置かれても回避行動をしなくなるという実験結果から（　ア　）を提唱した。（　ア　）に陥りやすいかどうかは，失敗の原因を「自分は能力がない」などと内的・（　イ　）な要因に求める傾向がかかわっている。これに関連して，ドエックは，算数が非常に苦手で無力感に陥っている子どもに対して，訓練で内的・（　ウ　）な要因である努力に原因帰属させることを促し，失敗経験への耐性を高められることを示した。

1　ア：負の強化　イ：不安定　ウ：固定的
2　ア：学習性無力感　イ：不安定　ウ：安定的
3　ア：学習性無力感　イ：安定的　ウ：不安定
4　ア：負の強化　イ：安定的　ウ：不安定
5　ア：学習性無力感　イ：安定的　ウ：固定的

実戦問題の解説

No.3の解説　学習心理学の重要概念　らくらくマスター→P.266

(1)コ　プラトーは，学習が低次のものから高次のものへと移行する場合に生じやすい。他，興味や関心の低下，問題に対する取り組み方の変化，誤反応の固着，不適切な学習方法など，さまざまな原因によって起こる。

(2)オ　ローレンツによる**インプリンティング（刻印づけ）**の実験では，大型鳥類は孵化後の一定時間内に見た動く対象に対して追尾行動を示すことが明らかにされた。こうした刻印づけは，他の時期には可能でない，という臨界期を持っている。

(3)ツ　前学習が後学習を促進する場合を**正の転移**という。逆に，前者が後者を阻害する場合を**負の転移**という。

(4)イ　以前は，レディネスが自然に形成されるのを待つことが望ましいと考えられていたが，最近では，レディネスそのものを教育によって作り出す必要があると考えられている。**ブルーナー**は，その代表的論者である。

(5)セ　たとえば，詩や散文などの有意味材料は，記憶後2～3日してからのほうが明確に思い出されやすいという。

No.4の解説　学習性無力感　らくらくマスター→P.266

失敗経験にどれほど耐えられるかは，原因帰属のさせ方によって異なる。

ア　**学習性無力感**が入る。行動に結果が伴わない状態が続いたときに生じる，統制不能（どうせダメだ）という感情をさす。無気力で何もしなくなる。動物実験の結果をもとに，セリグマンらが提唱した概念である。

イ　**安定的**が入る。以下の表はワイナーの原因帰属の分類であるが，自分では動かし難い安定的な要因（能力）によると考えると，学習性無力感に陥りやすい。

		安定性	
		安定	不安定
原因の所在	内（自分）	能力	気分，努力
	外（自分以外）	課題の難易度	運

ウ　**不安定**が入る。可変的で自分で変えられる内的・不安定な要因に原因帰属させる子どもは，失敗経験への耐性が強い。

よって，**3**が正答となる。

正答　No.3　(1)ーコ　(2)ーオ　(3)ーツ　(4)ーイ　(5)ーセ　　No.4　3

テーマ 4 教育心理

人格・防衛機制

頻出度 B

必修問題

出題データ　宮崎県では5年間で4回出題されている。滋賀県でも5年間に4回出題されている。

次の太字で示した心理検査に関する記述のうち，適するものを，1つ選び，番号で答えなさい。　【宮崎県】

1　**ロールシャッハ・テスト**とは，左右対称のインクのシミについて，何に見えるか等を問い，その回答の内容や表現上の特徴を分析して性格特性を捉える質問紙法の一種である。

2　**SCT**とは，被験者に，具体的な生活場面や体験を示唆する絵を示し，その絵から，登場人物の現在・将来・過去にわたる空想的な物語を作らせるものである。おもに被験者の欲求の体系を明らかにするもので，マレーによって開発された。

3　**TAT**とは，「私の母は…」というような，未完成の文章の後半を，連想による自由記述で文章を完成させることで，性格特性を検査するものである。

4　**MMPI**とは，ハサウェイらが作成した550項目からなる性格検査である。抑うつや統合失調症等の各傾向を測定する臨床尺度に加え，被験者の回答態度を測定する妥当性尺度も含まれる。

5　**Y－G性格検査**とは，ガードナーの理論をもとに，16のパーソナリティ特性を合計120項目で測定するものである。結果をプロフィールにまとめることができる。

必修問題の解説

らくらくマスター ➡ P.270

血液型占いではないが，人格を測る科学的なテストは数多く開発されている。本問では代表的な性格検査が出題されているが，名称を答えさせる単純なものではなく，検査の中身について問われている。

1 × ロールシャッハ・テストは，質問紙法ではなく**投影法**に属する。投影法とは，曖昧な刺激に対する反応をもとに，性格特性を把握しようとする方法である。投影法による性格検査としては，ロールシャッハ・テスト，TAT，SCT，PFスタディなどがある。質問紙法は，性格特性に関する質問を盛り込んだ質問紙を配布し，回答してもらう方法である。

2 × TAT（主題統覚検査）に関する説明である。SCT（文章完成テスト）では，「私の母は…」，「世間は私を…」，「昔をふりかえって…」というような未完成の文章を提示し，自由に完成させ，それをもとに性格を推し量る。

3 × SCT（文章完成テスト）に関する説明である。TAT（主題統覚検査）は，1～2名の人物を含む絵を提示して，その絵に関する物語をつくらせ，それをもとに性格特性を把握しようとするものである。TATは，達成動機や親和動機を測定するのにも用いられる（マレー）。

4 ○ 適する。MMPIはミソネタ多面人格目録といい，質問紙による代表的な性格検査である。生活習慣，性格態度，精神病理などを測る550の項目からなり，これらの項目から心気症尺度などの9つの尺度が構成され，結果がチャート図の形で描かれる。

5 × ガードナーの理論（8つ知能の理論）は，Y-G（矢田部・ギルフォード）性格検査とは関係ない。Y-G性格検査は，抑うつ性，劣等感，支配性，外向性などの12の性格特性を測る120の質問項目からなり，企業の採用試験でもよく使われている。16のパーソナリティ特性という記述は誤り。

正答 4

ここが問われる！出題ポイント

人格検査の技法がよく出題される。内容の説明文と名称を結びつけさせる問題が多い。上記の問題のように，名称が英語の略記になっていることもあるので，こちらも押さえておく必要があるだろう。それぞれの技法が，どの大分類（投影法，質問紙法…）に属するかも知っておこう。

実戦問題

★
No. 1 **下のA～Cの文は，心理学のパーソナリティに関する理論や用語に関する説明である。対応する用語の正しい組合せはどれか。1～6から1つ選べ。【奈良県】**

A　個人のパーソナリティを「神経症傾向」「外向性」「親和性」「勤勉性」「経験への開放性」から説明しようとする理論。

B　個人のパーソナリティは複数の要素から構成されるとし，量的に測定することで特徴を知ろうとする理論。個人の特性を量的な違いとして記述でき，個人差を理解しやすい。

C　個人のパーソナリティはいくつかのタイプのうち，どれか1つに属すると考える理論。例として，ユングは，人は内向型と外向型のどちらかに属すると考えた。

1　A―ビッグ・ファイブ　B―特性論　C―類型論
2　A―ビッグ・ファイブ　B―類型論　C―特性論
3　A―特性論　B―ビッグ・ファイブ　C―類型論
4　A―特性論　B―類型論　C―ビッグ・ファイブ
5　A―類型論　B―特性論　C―ビッグ・ファイブ
6　A―類型論　B―ビッグ・ファイブ　C―特性論

★★
No. 2 **次の各文は，パーソナリティの理論について述べたものである。正しい内容のものを，次の①～⑤の中から1つ選びなさい。**

【神奈川県・川崎市・横浜市】

①　レヴィン（Lewin, K.）は，人間には自らを維持し強化する方向に全機能を発展させようとする内的な実現傾向が備わっているとした。

②　ギルフォード（Guilford, J.P.）は，意識水準について意識，前意識，無意識の3層を想定し，パーソナリティの構成要素としてイド，自我，超自我を考え，それらの力動的関係で心の働きを説明した。

③　クレッチマー（Kretschmer, E.）は，心的エネルギーの流れる方向として，外的な客観的環境に向けられる外向性と内的な主観的環境に向けられる内向性に分類した。

④　エリクソン（Erikson, E.H.）は，ライフサイクルを8段階に分けて各段階における課題を示し，それぞれの段階における課題達成という危機的状況を乗り切ることで，次の段階へ発達していくとした。

⑤　ユング（Jung, C.G.）は，パーソナリティはそれのみで存在するのではなく，つねに置かれた場との関連で理解されるものであると考え，行動が場の力学によって生起することを強調した。

実戦問題の解説

No.1の解説　性格の理論　らくらくマスター P.270

A **ビッグ・ファイブ**が入る。ゴールドバーグが提唱した。

B **特性論**が入る。特性論は，人格を構成する要素（因子）に着眼する。以下の3人の論者による説が有名である。

論者	人格の特性
オルポート	共通特性，個人的特性
キャッテル	表面的特性，根源的特性
アイゼンク	外向・内向性，神経症傾向，精神病的傾向

C **類型論**が入る。クレッチマーによる体格と人格類型の関連づけも有名である。

よって，**1**が正答となる。

No.2の解説　パーソナリティの理論　らくらくマスター P.260，270，282

①× レヴィンではなく，**ロジャーズ**に関する説明である。レヴィンは，アメリカのゲシュタルト心理学者であり，行動の場の理論で有名である。行動の根本原則は，人（P）と環境（E）を含む全体の事態であるとみなして，B＝f（P，E）という式で表現した。

②× ギルフォードではなく，**フロイト**に関する説明である。ギルフォードは，知性の構造モデル論で知られる。彼は，知的能力に関する因子分析的研究によって，3次元の立体ブロックからなる知性の構造モデルを提案した。

③× クレッチマーではなく，**ユング**に関する説明である。クレッチマーは，体格と性格を関連づけた類型論で知られる。分裂質を細身型，躁うつ質を肥満型，そして粘着質を闘士型に対応させた。

④○ 正しい。**エリクソン**は，ライフサイクルにわたる人格発達を体系化し，後の生涯発達研究に貢献した。彼の8段階説では，生涯の危機は，第1段階（乳幼児期の基本的信頼VS不信）から，第8段階（老年期の自我の統合性VS絶望）までの段階に分けられ，それぞれの段階におけるライフタスク（発達課題）が示されている。

⑤× ユングではなく，**レヴィン**に関する説明である。ユングは，心的エネルギー（リビドー）の流れる方向に着眼した，性格の類型論で知られる。

正答　No.1　1　　No.2　④

実戦問題

★
No. 3 次のA～Dの説明にあてはまる心理検査を，下の語句から選ぶとき，正しい組合せはどれか。1～5から選びなさい。 【長崎県】

A　絵を提示し，その絵から登場人物の欲求（要求），そしてその将来を含めた物語を構成させ，空想された物語の内容から欲求の体系を明らかにする検査である。

B　漫画風の絵を用いて，フラストレーションを体験した時にどのような対処方法を採用するかを明らかにする検査である。

C　左右対称のインクのしみの図版10枚からなり，図版を1枚ずつ提示し，何に見えるか，なぜそう見えたかを問い，人物を多面的に診断する検査である。

D　家，木，人物をそれぞれ別々の紙に描かせ，その大きさなどの形式的な特徴の分析と内容についての分析から知能や人格の査定をおこなう検査である。

語句　TAT　HTPテスト　P-Fスタディ　ロールシャッハ・テスト

	A	B	C	D
1	TAT	P-Fスタディ	ロールシャッハ・テスト	HTPテスト
2	TAT	HTPテスト	P-Fスタディ	ロールシャッハ・テスト
3	P-Fスタディ	TAT	ロールシャッハ・テスト	HTPテスト
4	HTPテスト	ロールシャッハ・テスト	P-Fスタディ	TAT
5	HTPテスト	P-Fスタディ	ロールシャッハ・テスト	TAT

★★
No. 4 次の(1)～(4)に該当する心理検査を下の語群からそれぞれ1つ選び，記号で答えよ。 【滋賀県】

(1)「継次尺度」「同時尺度」「学習尺度」「計画尺度」といった認知尺度，及び「語彙尺度」「読み尺度」「書き尺度」「算数尺度」といった習得尺度の2つの総合尺度から構成されている検査。

(2) 左右対称の曖昧な刺激図版を用いて，人格や心理的機能を評価する検査。

(3) 樹木画による人格診断法で，全体的印象や樹木の構成などの分析を通して，人格を理解する検査。

(4) 簡単な一桁の数字の足し算を一定時間行うもので，能力面の特徴と性格・行動面の特徴を総合的に測定する検査。

(語群)

ア LDI-R学習障害評価調査票　**イ** 絵画語い発達検査　**ウ** WISC-Ⅳ
エ ロールシャッハ・テスト　**オ** バウムテスト　**カ** P-Fスタディ
キ 内田クレペリン精神作業検査
ク KABC-Ⅱ心理・教育アセスメントバッテリー

実戦問題の解説

No.3の解説 心理検査　らくらくマスター P.270

著名な心理検査について問われている。アルファベットの略称が使用されることが多いが，日本語表記も知っておきたい。

A **TAT**である。Thematic Apperception Testの略をとって，TATと呼ばれる。和訳は，主題統覚検査。マレーによって考案された。**投影法**の一つである。

B **P-Fスタディ**である。Picture-Frustration Studyを略して，P-Fスタディといわれる。和訳は，絵画フラストレーションテスト。ローゼンツワイクが考案した。TATと同じく，投影法の心理検査である。

C **ロールシャッハ・テスト**である。投影法による性格検査の一つ。スイスの精神科医ロールシャッハが考案した。分析の観点は，図の見方（全体か部分か…），見ている内容（動物か人間か…）などとされる。

D **HTPテスト**である。描画法による性格検査の一つ。バックによって考案された。House Tree Person Testを略して，HTPテストという。

よって，正答**1**となる。

No.4の解説 心理検査　らくらくマスター P.270

(1)ク カウフマン夫妻が開発した知能検査である。KABCとは，Kaufman Assessment Battery for Childrenの略である。対象は，２～12歳の幼児児童とされる。

(2)エ 曖昧な刺激に対する反応をもとに，当人の人格を推し量る**投影法**による検査の一つである。

(3)オ 「実のなる一本の木を描いてください」という指示を出して，自由に樹木画を描かせ，樹木の形態的特徴や配置状況などをもとに，対象者の性格測定が行われる。**描画法**による性格検査で，コッホによって考案された。紙と鉛筆だけで実施できる簡便性を利点としている。

(4)キ 作業検査法による性格検査の一つ。名称は，ドイツのクレペリンの研究成果に基づいて，内田勇三郎が開発したことにちなんでいる。分ごとに作業量が記録され，検査終了後，それらを結んだ作業曲線が描かれる。この曲線の型から分かる練習効果や疲労などをもとに，対象者の性格や精神機能が推定される。

正答 No.3　1　　No.4　(1)ーク　(2)ーエ　(3)ーオ　(4)ーキ

実戦問題

★
No. 5 次の(1)～(5)の文章は，適応機制に関して述べたものである。それぞれ何という名称で呼ばれているか，最も適当なものを，下記の1～9のうちからそれぞれ1つずつ選び，番号で答えよ。 **【熊本県】**

(1) 行動目標への到達がむずかしいとき，あるいは欲しいものが得られないとき，到達可能な他の目標や事物に置き換えて欲求を満足する。例えば進学したいと思っていた親が果たせなかった希望を，子どもに託して満足を得る。

(2) 社会的に容認されない願望や欲望を，社会的に価値の高い目標に置き換えて実現する。例えば攻撃的欲求や性的な衝動をスポーツや芸術活動に向ける。

(3) 憎悪の対象が特定の人に向けられたとき，それが社会的に容認されない場合，他のものに置き換えて欲求を満足する。例えば憎しみを持つ相手を直接罵倒できないので，その代わりに犬をいじめて満足を得る。

(4) 自分の欲望や本当の感情を抑え，それとは異なるふるまいをしてもとの欲求や感情の表出を防ぐ。例えば好きな人にわざと意地悪をしたり冷たくしたりする。

(5) 自分の持っている望ましくない特性を他人の中に見いだし，それを指摘したり非難したりすることによって不安を解消する。例えば自信のない人が他人の欠点を批判したりする。

1 投射（投影）	**2** 退行	**3** 代償	**4** 同一視(同一化)
5 昇華	**6** 抑圧	**7** 置き換え	**8** 逃避
9 反動形成			

★
No. 6 次の文章は，葛藤について述べたものである。③の例として最も適当なものをア～オから1つ選び，記号で答えよ。 **【鹿児島県】**

互いに相容(あいい)れない性質をもつ欲求が同時に存在し，なかなか行動を起こせない状態を葛藤状態という。社会心理学者のレヴィンは，葛藤を次のタイプに分けた。

① 接近－接近の葛藤　② 回避－回避の葛藤　③ 接近－回避の葛藤

ア 好きな2種類のお菓子を出されたが，どちらかしか選べないので悩む。
イ 宿題をしたくないが，先生に叱られたくないので悩む。
ウ パイロットになりたいが，宇宙飛行士にもなりたいので悩む。
エ 人と仲良くなりたいが，人と話すのは緊張するので悩む。
オ 頼まれたスピーチを断りたいが，周囲の信頼を失うのは嫌なので悩む。

実戦問題の解説

No.5の解説 適応機制 らくらくマスター P.272

(1) 3 **代償**とは，欲求を本来のものとは別の対象に置き換えることで充足すること。子どもの情緒的な緊張を軽減する目的で行う遊戯療法は，攻撃欲求などの代理的満足を得させるための効果的な心理療法である。

(2) 5 **昇華**とは，非社会的な欲求を，社会的に受け入れられる価値ある行動へと置き換えること。昇華は，置き換えの一種である。昇華は，攻撃衝動や性的欲求を社会的に価値の高い活動に移し変えるので，最も健全な防衛機制とされる。

(3) 7 **置き換え**とは，欲求を本来のものとは別の対象に置き換えることで充足することである。昇華の上位概念である。昇華のように，抑圧された衝動や欲求が，社会的に認められた活動に移し変えられるとは限らない。

(4) 9 **反動形成**とは，抑圧されたものと正反対のものを意識にもっていることである。本心と裏腹なことを言ったり，したりする。反動形成によって意識上に持ち込まれた感情や態度は，不自然なほど，大げさ，ぎこちなさが目立つ。強い競争心や利己心を持つ人が，きわめて控えめな態度をとるなど。

(5) 1 **投射（投影）**とは，自己が抱いている他人に対しての不都合な感情を，相手が自分に対して抱いていると思うことである。いわれのない他者批判，責任転嫁，被害妄想などは投影による場合が少なくない。

No.6の解説 葛藤 らくらくマスター P.272

「～したい（接近欲求）」と「～したくない（回避欲求）」の区分をしてみよう。

ア ① 接近したいプラスの欲求が並存することで悩むのは，「**接近－接近**」の葛藤である。

イ ② 回避したいマイナスの欲求が並存することで悩むのは，「**回避－回避**」の葛藤である。

ウ ① 接近したいプラスの欲求の狭間で悩んでいる。「**接近－接近**」の葛藤である。

エ ③ 「人と仲良くなりたい（接近したい欲求）」と「人と話すのは緊張する（話すのは避けたい欲求）」という間で悩んでいる。これは「**接近－回避**」の葛藤である。

オ ② 避けたい2つの欲求の間で悩んでいる。「**回避－回避**」の葛藤である。

正答 No.5 (1)－3 (2)－5 (3)－7 (4)－9 (5)－1 No.6 エ

テーマ **5** 教育心理

心理療法

頻出度 **C**

必修問題

出題データ 山口県，大分県，沖縄県では5年間で3回出題。青森県や鹿児島県では5年間で2回出題されている。

カウンセリングや心理療法について述べた文として適切でないものは，次の1～5のうちどれか。 **【新潟県】**

1 カウンセリングは，情緒的な問題，心理的な要因による行動上の問題を抱え，手助けを求めている人に対する援助という意味で使われている言葉である。

2 カウンセリングを求めて来る人は，一般的に，治療を受ける患者であるという意味からクライアントと呼ばれている。

3 行動療法は，問題行動を消去したり，社会的に望ましい行動を再学習させたりして，問題行動を治療しようとする方法である。

4 クライアント中心療法は，問題をもった人の自ら解決し成長する力を信頼し，それを援助する考え方で，ロジャースによって提唱された方法である。

5 認知療法は，不適応的な感情や行動は不合理な思い込みやゆがんだ認知によるものだと考え，こうした偏った認知を修正することで問題を解決しようとする方法である。

必修問題の解説

らくらくマスター ➡ P.274

カウンセリングの概念や，代表的な心理療法について問われている。どの選択肢ももっともらしい内容であるので，誤りを見つけ出すことはなかなか難しい。専門用語について正確に理解しておくことが求められる。

1 ○ 正しい。なお，カウンセリングには，心理的な問題を解決するための治療的カウンセリングと，対象者が問題を抱えないように教育する，問題が本格化する前にその兆候を発見し，対応するなどの，予防的カウンセリングとがある。

2 × 誤り。**クライエント（クライアント）**とは，治療を受ける患者という意味ではなく，来談者という意味である。なお，クライエントの話を聞く者，つまりカウンセラーは面接者という意味を含んでいる。

3 ○ 正しい。**行動療法**は，学習理論に基づいて，不適応行動を変容，除去し，適応行動を強化する治療法である。治療では，宿題を課したり，面接室の外で実際に不安に直面させたりする場合もある。

4 ○ 正しい。**クライエント（来談者）中心療法**では，カウンセラー側の知識の量や権威は不必要とされ，それよりも，カウンセラーの態度，すなわち，無条件の肯定的関心，共感的理解，自己一致をどう実現するかが重視される。

5 ○ 正しい。**認知療法**は，ベックによって創始された。それによると，認知の歪みこそ，問題の源であるという。なお，認知の歪みは，自動思考と仮説（スキーマ）という2つのレベルにおいて現れるという。

正答 2

ここが問われる！出題ポイント

子どもの不適応や問題行動を治療するための心理療法に関する知識を得ておくことは，教職志望者にとって非常に重要なことである。しかし，専門のカウンセラーを志すわけではないので，専門的な部分まで学習する必要はない。代表的な心理療法としてどのようなものがあるかを知っておこう。主な心理療法に関する文章を提示して，正誤を判定させる問題が多い。

実戦問題

★★★
No. 1 カウンセリングに関する記述について誤っているものはどれか。次の1～5の中から1つ選べ。 【和歌山県】

1 面接者と相談者との間に調和的な信頼関係が構築され，安心して感情的交流が行える状態のことをラポールという。
2 ロジャーズ（Rogers, C. R.）は，相談者の感情の動きを相談者の枠組みに従って，あたかもその人のように，理解することを共感的理解と呼んだ。
3 エリス（Ellis, A.）は，相談者に診断や指示をし，相談者の話に耳を傾け，教授的な関係をつくることを重視する非指示的カウンセリングを提唱した。
4 ウィリアムソン（Williamson, E. G.）は，科学的方法による診断と治療を重視する指示的カウンセリングを提唱した。
5 より意欲的でより健康的になることを目的に行われるカウンセリングのことを，開発的カウンセリングという。

★
No. 2 次の文A，Bがそれぞれ表す用語の組合せとして正しいものを，あとの1～4のうちから1つ選びなさい。 【宮城県・仙台市】

A 災害や事件・事故などを契機としてPTSDとなった場合，それが発生した月日になると，いったん治まっていた症状が再燃することをあらわす。
B 無気力，無関心を意味し，学習活動や社会的活動への関心や意欲を失ってしまう現象をあらわす。

1 A アニバーサリー効果（反応） B アパシー
2 A レミニッセンス（レミニセンス） B アニバーサリー効果（反応）
3 A レミニッセンス（レミニセンス） B アパシー
4 A アニバーサリー効果（反応） B 中心化傾向

★★★
No. 3 次の文章は，ある精神疾患に関する記述である。記述から考えられる疾患名を答えよ。 【大分県・改題】

自宅など慣れ親しんだ場面では流暢に話すことができるにもかかわらず，学校などの特定の社会状況では一貫して話すことができなくなることが1か月以上続いている状態。学校・園生活を含めて日常生活に支障をきたしていることも多い。

実戦問題の解説

No.1の解説 カウンセリング
らくらくマスター→P.274

1 ○ 正しい。カウンセリングに際しては，面接者と相談者の間に信頼関係が築かれていることが前提となる。

2 ○ 正しい。共感的理解は，ロジャーズが提唱した**カウンセリング・マインド**の3要素の1つである。残りの2つは，自己一致と受容である。

3 × 非指示的カウンセリングを提唱したのは，エリスではなく**ロジャーズ**である。エリスは，論理療法の提唱者として知られる。非指示的カウンセリングは，クライエントの自発的な力による問題解決や成長を促すもので，来談者中心カウンセリングとも言われる。

4 ○ 正しい。指示的カウンセリングでは，命令，禁止，助言，解釈といった技法が中心となる。

5 ○ 正しい。開発的カウンセリングはスクールカウンセリングの最初に位置づくもので，「将来，児童生徒が自立して豊かな社会生活が送られるように，児童生徒の心身の発達を促進し，社会生活で必要なライフスキルを育てるなどの人間教育活動」をいう（文部科学省）。対象は**全ての児童生徒**である。対して予防的カウンセリングと問題解決的カウンセリングは，問題兆候のある児童生徒を対象とする。

No.2の解説 カウンセリング
らくらくマスター→P.274

A アニバーサリー効果（反応）である。災害が発生した月日においては，注意が必要となる。レミニッセンスは，記憶したことが，その直後よりも一定の時間を置いた後で明確に思い出されることである。

B アパシーである。以前は，政治的無関心という限定した意味で使われていたが，最近では，子どもや青年の勉学意欲に乏しい状態を指す言葉として用いられている（スチューデント・アパシー）。中心化傾向は，評価が評価尺度の中心付近に集中する現象をいう。

No.3の解説 選択性緘黙
らくらくマスター→P.274

選択性緘黙である。場面緘黙ともいう。あらゆる場面で話せない場合は，全緘黙という。

正答 No.1 3　No.2 1　No.3 選択性緘黙

実戦問題

★★
No. 4 次の各文は，一般的な心理療法について述べたものである。誤っているものを，次の①～⑤の中から１つ選びなさい。 **【神奈川県・川崎市・横浜市】**

① 精神分析療法では，精神分析理論に基づいて，無意識下に抑圧されているものを想起し，その体験を克服するという「無意識の意識化」を骨子とする。

② 行動療法では，自己理論に基づいて，受容，感情の反射，明確化などの技術が用いられる。

③ クライエント（来談者）中心療法では，純粋性，無条件の積極的関心，共感的理解を，カウンセラーに必要不可欠な援助の態度としている。

④ 遊戯療法は，遊びを中心とした心理療法で，主に言語表現が十分でない子どもに対して行われる。

⑤ 心理劇では，即興劇のなかで，自由に自己の問題を表現する。

★
No. 5 心理療法に関する記述として適切なものは，次の１～５のうちのどれか。 **【東京都】**

1 ゲシュタルト療法とは，クライエントに今まさにその時点での自分に集中するのではなく，過去の体験や生育歴の探索をすることを通して，感情を正直に開示するよう求める療法である。

2 行動療法とは，現代学習理論に基づいて行動の改善を図るための技法の総称で，対象となる行動上の問題は，不適応行動を学習した結果として考えている。治療的対応は，不適応行動を学習の原理に基づいて消失させるとともに，適応行動を強化していく療法である。

3 箱庭療法とは，即興の役割演技を通じ，自発性や洞察を促し，柔軟な実践行為を身に付けさせることを意図した療法である。

4 森田療法とは，同一のパーソナリティ中に共存すると想定された，子供，大人，親的自我という状態間のバランスを調整することによって対人関係を改善することを主な目的とする療法である。

5 交流分析とは，言葉によるコミュニケーションが十分ではない子供を対象として，セラピストと子供が遊びを主な表現手段として治療関係をつくりあげていく療法である。

実戦問題の解説

No.4の解説　心理療法　らくらくマスター➡P.274

1 ○　正しい。**精神分析療法**は，患者自身の内部に封じ込められている無意識的葛藤の意識化によって，患者を心のしこりから解放させること，つまり，洞察による自我の強化とエスの解放を目指すものである。治療法としては，自由連想法が基本となる。

2 ×　誤っている。**行動療法**は，学習理論に基づいて，不適応行動を変容，除去し，適応行動を強化する治療法である。選択肢で述べられているのは，来談者中心療法に関する説明である。

3 ○　正しい。**来談者中心療法**では，カウンセラー側の知識の量や権威は不必要とされ，それよりも，選択肢でいわれているような，カウンセラーの態度が重要視される。

4 ○　正しい。**遊戯療法**は，対象となる子どもの数によって，個人遊戯療法と集団遊戯療法とに分けられる。遊戯療法の過程は，①導入期，②中間期，そして③終結期の３つに分けられる。

5 ○　正しい。**心理劇**は，精神科医モレノが創始した集団心理療法の一つである。そこでは，患者が劇の中でさまざまな役割を演じることを通して，カタルシスや自己洞察に導かれ，葛藤状況を克服することを学ぶこととなる。

No.5の解説　心理療法　らくらくマスター➡P.274

1 ×　「その時点の自分に集中するのではなく」という箇所は誤り。ゲシュタルト療法では，「今どうするか（now and how）」ということを最も重視する。

2 ○　正しい。行動療法では，神経症や異常行動は外から学習されたものと考える。学習によってそれを消去し，行動を変容させることが目指される。

3 ×　**心理劇**（サイコドラマ）に関する記述である。箱庭療法は，患者に箱庭を自由につくらせることで，言語化されにくい，心の深い部分を表現させようとするものである。

4 ×　**交流分析**に関する記述である。森田療法は，あるがままになることを原理とする遮断療法であり，個室での臥床や作業療法からなる。

5 ×　**遊戯療法**に関する記述である。交流分析とは，自分の自我に気づき，対人関係の改善を図るために用いられる技法である。

正答　No.4　②　　No.5　2

集団

頻出度 C

必修問題

出題データ　和歌山県での出題のほか，東京都や徳島県では5年間で2回出題されている。

次のA～Dは集団の心理に関するものである。正しいものを○，誤っているものを×としたとき，正しい組合せを1～5から1つ選びなさい。【和歌山県】

A　モレノは，心理劇による集団心理療法の技法や，ソシオメトリックテストなど，社会集団の分析的方法の創始者として知られている。

B　アイデンティティを確立し社会的成熟を図るために，エリクソンは青年期を社会的責任を担うことが免除される「モラトリアム（責任猶予期間）」として位置づけた。

C　「クラスのみんなから信頼されているのは誰ですか？」とか「クラスの中で困っている人の世話をすることが多い人は誰ですか？」などという設問をして，集団内の子どもの地位や性格・行動を把握するために行う検査を「ギルフォード性格検査」という。

D　三隅二不二は，教師のリーダーシップの機能を「目標達成機能（P機能）」と「集団維持機能（M機能）」の2次元からとらえ，図のように類型化を行った。P機能は，児童生徒の学習活動を促進する行動や学校生活の規則を守らせようとする行動などであり，M機能は，児童生徒の気持ちを配慮し，学習場面での緊張を和らげたり，子どもと一緒に遊ぶなどの親近性を示す行動などに当てはまる。このとき，PM型，Pm型，pM型，pm型の順に児童生徒の学校生活に対する積極的な態度や意欲が高いということを分析している。

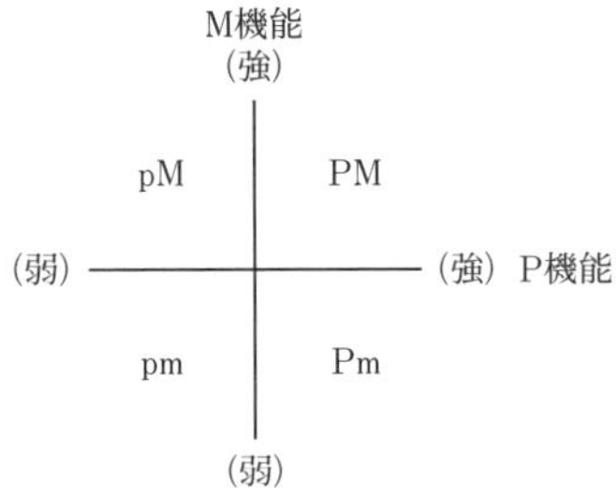

	A	B	C	D
1	○	○	×	×
2	×	○	○	×
3	×	○	○	○
4	×	×	×	○
5	○	×	○	○

必修問題の解説

らくらくマスター P.276

集団の把握するための技法や，集団の統率者である教師のリーダーシップの理論について問われている。とくに，Dの三隅によるリーダーシップの4類型は重要である。児童生徒の士気を高めるには，どの型が最も望ましいかを知っておこう。

A○ 正しい。**ソシオメトリー**は，集団構造の分析と測定に関する理論である。すなわち，集団内におけるメンバー間の対人的選択・反発・無関心の関係を測定，分析する理論とその測定法である。学校教育における人間関係の把握や，適応・パーソナリティーの改善治療に利用されている。

B○ 正しい。**エリクソン**は，人間のライフサイクルの観点から，自我の発達過程を8段階に区分した。中でも，エリクソンが最も注目したのが**青年期**である。青年期は，自我同一性の確立を図るための時期である。しかし，人間観や価値観が多様で変化の激しい現代社会において，青年が価値観の取り入れや生き方の選択をうまく行うことができず，混乱することも少なくない。このことを，**同一性の拡散**という。

C× ギルフォード性格検査ではなく，**ゲス・フー・テスト**である。ギルフォード性格検査は，代表的な質問紙法による性格検査で，12個の性格特性を各尺度10個の項目で測定するものである。**YG性格検査**（矢田部・ギルフォード性格検査）ともいわれる。

D× 児童生徒の学校生活に対する積極的な態度や意欲は，PM，pM，Pm，pm，の順に高くなる。すなわち，Pの課題達成機能よりは，Mの集団維持機能が重要であることになる。

以上から，**1**が正答となる。

正答 1

ここが問われる！出題ポイント

いうまでもなく，学校は集団生活の場である。児童生徒の集団の性質を理解し，指導に生かすことは，教師にとってきわめて重要なことである。ソシオメトリック・テストなど，集団の様態を把握するための技法を知っておこう。また，集団を指揮する教師のリーダーシップの理論も重要。三隅のPM理論は頻出である。

実戦問題

★★
No. 1 準拠集団について述べた文のうち，適切でないものはどれか。①～⑤から選び，番号で答えよ。 **【神戸市】**

① 準拠集団は，個人が自分の態度を心理的に関係させる集団で，個人が自分自身と共通の興味・関心，態度，価値を保持していると感じ，また，個人の態度・評価の基準となる社会集団である。

② 準拠集団は，その果たす機能により，規範（機能）的準拠集団と比較（機能）的準拠集団に分類できる。

③ 準拠集団は，個人が現実に所属する成員集団と必ず一致する。

④ 現代においては個人が複数の準拠集団を持つことがしばしばあり，このことによって特定の行動をめぐり強い葛藤が生じることがある。

⑤ 準拠集団は，個々人の役割遂行の適切な水準を設定し，それを達成させるという社会的機能の働きを持つ。

★
No. 2 次のA～Cはホワイトとリピットによるリーダーシップの型の説明である。それぞれの説明とリーダーシップの型の組合せとして正しいものはどれか。 **【岡山県】**

[説明]

A リーダーにより刺激と助力を受けて，全政策を集団的に討議し集団的に決定する。成員は自由に自分で選んだ者と仕事をし，そして仕事の分担は集団に一任される。

B リーダーがあらゆる政策を決定する。仕事の分担については，リーダーは常にそれぞれの成員に特定の仕事といっしょに仕事をする仲間を指示する。

C リーダーの介入を最小限にして完全に自由に個人的ないし集団的に決定する。仕事の分担については，リーダーは全く参加しない。

[リーダーシップの型]

ア 放任型　イ 社会型　ウ 民主型　エ 孤立型　オ 専制型

	A	B	C
1	ウ	オ	ア
2	イ	エ	ア
3	イ	ウ	エ
4	ウ	オ	エ
5	ア	エ	オ

実戦問題の解説

No.1の解説 準拠集団 らくらくマスター P.276

1 ○ 正しい。**準拠集団**は関係集団ともいう。最も強力な準拠集団になりやすいのは，人種，宗教，職業，性などを同じくする社会的枠組みである。

2 ○ 正しい。準拠集団は，2つの機能を持つ。一つは，個人の意見や行動様式などがその集団の規範と一致していることを保障することである。もう一つは，個人の能力や社会的地位の高さを判断するときの比較対象の基準を与えることである。規範的準拠集団は前者，比較的準拠集団は後者の機能に重点を置いている。

3 × 準拠集団が所属集団と一致するとは限らない。たとえば，ある大学生が，どこでもよいから大卒の資格がほしいためにその大学に在籍しているだけである場合，当人にとってその大学は所属集団ではあるが，準拠集団ではない。逆に，所属していないにしてもその集団を理想としてそれに準拠することもある。

4 ○ 正しい。自己の帰属する集団が複数存在し，自己の準拠する諸規範が異和的であれば，相互の規範の間の葛藤・矛盾・混乱・対立が生じる。

5 ○ 正しい。準拠集団は，環境認知や自己評価のための枠組や基準を与える認知的側面を持っている。

No.2の解説 リーダーシップの類型 らくらくマスター P.276

教師には，民主型リーダーシップが求められる。

A ウ **民主型**である。リーダーが，独り善がりに陥ることなく，成員の意志や感情を尊重しながら，集団の目標達成や維持存続に貢献する。このようなリーダーシップがあると，成員同士の関係が友好的になり，目標達成への意欲も高い水準に維持される。

B オ **専制型**である。リーダーは成員の意見を無視して，自分の好きなように，集団の目標達成や維持を推し進める。このようなリーダーシップのもとでは，集団の作業成績は高くなるものの，集団内は敵意と不満で満たされ，成員が攻撃的になるか，あるいは無気力化する。

C ア **放任型**である。リーダーがとくに何もせず，集団の目標達成や維持存続を，もっぱら成員に委ねる。このようなリーダーシップのもとでは，集団の作業成績が質量ともに悪く，成員の作業への意欲も低くなる。

よって，正答は**1**である。

正答 No.1 ③ No.2 1

評価・知能

頻出度 B

必修問題

出題データ　島根県での出題のほか，佐賀県では毎年，宮崎県や沖縄県でも5年間で5回出題されている。

次のA～Eは教育評価に関する記述である。正しいものの組合せを①～⑤から1つ選べ。 【島根県】

A　診断的評価は，単元終了時等，比較的長期間にどれだけの教育成果が得られたか，どれだけ習得目標が達成されたかを明らかにするものである。

B　形成的評価は，単元学習の指導の途上で生徒の理解度等を把握し，指導の軌道を修正したり確認したりするために行うものである。

C　教育目標から導き出された指導目標に準拠して基準を決め，児童生徒の学習成果が目標とする水準にどれほど到達しているかを評価することを相対評価という。

D　自分が自発的に学びの伸びや変容を多面的多角的かつ長期的に評価し，新たな学びに生かすために学習物等を集めたものをポートフォリオという。

E　個人ごとに他教科の成績や過去の成績等から評価基準を立てる個人内評価では，他の児童生徒と比較できないため，当人の努力の度合いを明らかにすることが難しい。

① A　B　D
② A　C　E
③ B　C　E
④ A　D
⑤ B　D

必修問題の解説

らくらくマスター P.278

ブルームによる有名な教育評価の3類型や，評価の基準について問われている。それぞれの違いを押さえるとともに，各々の一長一短についても知っておく必要がある。

A × **総括的評価**に関する説明である。診断的評価は，学習指導の前に，生徒の現状を診断し，効果的な学習指導計画の立案に生かすことである。双方とも，ブルームが考案した評価類型である。

B ○ 正しい。診断的評価や総括的評価と並ぶ，ブルームの評価3類型の一つである。単元の節目ごとに形成的テストを行い，学習が十分である生徒には定着指導，つまずいている生徒には治療指導，さらに上を望める生徒には発展的指導，などの措置がとられる。

C × **絶対評価**に関する説明である。相対評価とは，生徒の学習の成果が，集団内でどのような位置を占めるかに依拠して，評価をするものである。2000年の教育課程審議会答申では，「集団に準拠した評価（いわゆる相対評価）は，…目標を実現しているかどうかの状況や，一人一人の児童生徒のよい点や可能性，進歩の状況について直接把握することには適していない」と指摘され，絶対評価や個人内評価を重視すべきであるとされている。

D ○ 正しい。学習の過程で作成したメモ，資料，教師とのやり取りの記録，自己評価，テストなどをファイルする。そのファイルが，画家がメモや作品をしまい込む折りカバン（**ポートフォリオ**）に似ていることから，このように呼ばれる。

E × 当人の成績が過去に比してどれほど伸びたかなど，当人の努力（がんばり）の度合いを明らかにすることが可能である。なお，過去の成績と比較することを縦断的個人内評価，他教科の成績と比較することを横断的個人内評価という。

正答 ⑤

ここが問われる！出題ポイント

出題される内容は決まっている。ブルームによる教育評価の3類型，評価の基準（絶対，相対，個人内），ならびに評価の阻害要因である。『教職教養らくらくマスター』の教育心理のテーマ11にポイントが凝縮されている。ビネー式検査やWISCといった主な知能検査についても知っておきたい。

実戦問題

★★
No. 1 次の文章を読んで，後の問いに答えなさい。　【福井県】

ブルームは，教育評価をその機能と①実施時期という観点から，診断的評価，②計画的評価，総括的評価という３つに分類しました。

また，どのような基準が用いられるかによって，評価は一般的に，絶対評価，相対評価，個人内評価の３つに分けられます。さらに絶対評価は，③到達度評価と認定評価に分けられます。2000年初頭に「新しい学力観」が示され，これとともに学校では，④相対評価中心の教育評価へと大きな転換を遂げることとなりました。

⑴　下線部①～④について，正しければ○を，間違っていれば正しい語句を書き入れなさい。

⑵　個人内評価に役立てる方法の１つで，個人ごとに授業などで作った作品，答案，資料，教師や他の子どもたちからのコメントなどをファイリングし，振り返ることによって評価する方法を何というか，答えなさい。

★
No. 2 次の文は，様々な心理的効果の特徴についての説明である。A～Eについて正しいものを○，誤っているものを×としたとき，その組合せとして正しいものはどれか。　【岡山県】

A　ピグマリオン効果とは，人に対してある種の期待が形成されたとき，その期待に合う行動をとっても，結果として期待通りにはならない現象のことをいう。

B　ハロー効果とは，ある人物を評価するときに，その人が何か好ましい（または好ましくない）特性をもっていると，他の特性に対しても好ましい（または好ましくない）と判断する傾向のことをいう。

C　スリーパー効果とは，説得的コミュニケーションにおいて，説得にあたった直後よりもしばらく時間が経過してから，その影響がでる現象のことをいう。

D　ブーメラン効果とは，説得的コミュニケーションにおいて，説得にあたった者が，逆に説得しようとした者から説得されてしまう現象のことをいう。

E　ホーソン効果とは，ある人が注目されたときに，目立ちたくないという気持ちから動機づけが低くなってしまう効果のことをいう。

	A	B	C	D	E
1	×	×	○	○	×
2	○	○	×	×	○
3	○	×	×	○	○
4	×	○	○	○	×
5	×	○	○	×	×

実戦問題の解説

No.1の解説　ブルームの教育評価類型　らくらくマスター ➡ P.278

ブルームによる，教育評価の3類型は非常に有名である。

(1)

①○ 正しい。診断的評価は指導前，形成的評価は指導途中，総括的評価は指導後である。

②× **形成的評価**である。学習指導の途中で，生徒の理解度を確認し，指導計画の修正や改善を図るために実施するものである。

③○ 正しい。前もって設定した到達目標をどれほど達成できたかに着目するものである。

④× **絶対評価**である。2000年の教育課程審議会答申では，「目標に準拠した評価（いわゆる絶対評価）を一層重視する」と明言されている。

(2) **ポートフォリオ評価**という。生徒の活動や思考の変化をたどり，学習のプロセスを評価するのに適しており，総合的な学習の時間などで活用される。

No.2の解説　心理的効果　らくらくマスター ➡ P.278

A× 誤り。ピグマリオン効果とは，教師が期待をかけ，肯定的な態度で接した生徒の成績がよくなる現象をいう。ローゼンタールらに実験で実証された。

B○ 正しい。ハロー（halo）とは，神様の頭上に浮かんでいる光の輪のことである。つまり，こうした輝かしい部分にのみ目がいき，全体の評価が歪められる，ということである。

C○ 正しい。ホヴランドによって提唱された。

D× 誤り。ブーメラン効果とは，強く説得されるとかえって態度を硬化させてしまう現象をさす。前に投げたブーメランが自分に返ってくるがごとく，意図した結果とは逆の結果になることから，このように呼ばれる。

E× 誤り。ホーソン効果とは，集団の作業能率は，集団内の人間関係的条件に強く影響されること。アメリカのホーソン工場の実験から明らかにされた効果なので，このように呼ばれる。その実験結果によると，従業員の生産性の向上に最も強く影響していたのは，室内の気温や照明のような物理的条件ではなく，作業集団内の人間関係や集団の凝集性に関わる要因であったという。

正答	
	No.1　(1)①○　②**形成的評価**　③○　④**絶対評価**　(2)**ポートフォリオ評価**
	No.2　5

実戦問題

★
No. 3 **授業改善のために次の学習評価を行った。A～Cの波線部に関連が深い語句として適切な組合せを①～⑥の中から１つ選んで番号で答えなさい。**

【福井県】

A　子どもの作品や自己評価の記録，教師の指導と評価の記録などを系統的に蓄積したものを用いて，学びのプロセスや成果を評価した。

B　知識やスキルを総合して使いこなすことを求めるような課題（論説文やレポート，展示物といった完成作品や，スピーチやプレゼンテーションの実演など）によって評価した。

C　評価指標（学習活動に応じたより具体的な到達目標）と，評価指標に即した評価基準（どの程度達成できればどの評点を与えるかの特徴の記述）で示される配点表を用いて評価した。

① A：ポートフォリオ　B：ルーブリック　C：パフォーマンス
② A：ポートフォリオ　B：パフォーマンス　C：ルーブリック
③ A：パフォーマンス　B：ポートフォリオ　C：ルーブリック
④ A：パフォーマンス　B：ルーブリック　C：ポートフォリオ
⑤ A：ルーブリック　B：ポートフォリオ　C：パフォーマンス
⑥ A：ルーブリック　B：パフォーマンス　C：ポートフォリオ

★★
No. 4 **教育評価について，誤っているものを，次の選択肢から１つ選び，番号で答えなさい。**　**【宮崎県】**

1　学力偏差値とは，個人の得点から集団の平均点を減じた得点を標準偏差で除した値（標準得点）に10を乗じ，50を加えた値である。

2　信頼性とは，同一個人に対して同一の条件の下で同一のテストを繰り返し実施した時，一貫して同一の得点が得られる程度を表す概念である。

3　妥当性とは，テストが測定を目指したものを実際に測定している程度を表す概念である。

4　児童生徒がある側面で望ましい評価を持っていると，教師がその評価を当該児童生徒に対する全体的評価にまで広げてしまう傾向をバーナム効果という。

5　ブルーム（Bloom, B. S.）は，完全習得学習を理想的学習と考え，学習過程において診断的評価，形成的評価，総括的評価の３つの評価を行い，指導法を調整する方法を提唱した。

実戦問題の解説

No.3の解説 学習評価 らくらくマスター P.278

A **ポートフォリオ**である。子どもの作品や指導・評価の記録等をファイルしたものが，画家の折り込みカバン（ポートフォリオ）に似ていることから，このように呼ばれる。

B **パフォーマンス**である。文中でいわれているような「パフォーマンス課題」を課して，思考力や表現力等を評価する。

C **ルーブリック**である。ルーブリックとは，成功のレベル（scale）と，各レベルに該当するパフォーマンスの記述（description）のマトリクスを用いる評価法である。この表をルーブリックといい，学習者のパフォーマンスがどのレベルに相当するかが一目で分かる仕掛けになっている。

No.4の解説 教育評価 らくらくマスター P.278

1 ○ 正しい。偏差値とは，分布の中での相対位置を表す尺度で，平均値が50，標準偏差が10となるようにした時の値である。以下の式で算出される。当該のデータをX，平均値をμ，標準偏差をσとする。

$$偏差値 = 10\frac{(X-\mu)}{\sigma}+50$$

2 ○ 正しい。科学が成り立つ重大な前提条件の1つに，再現可能性がある。異なる研究者が，同一の対象に対し同一の調査（実験）を行った場合，同一の結果が得られるかである。**信頼性**（reliability）とは，その程度を表す概念である。信頼性を確認するための追試（test）を他者が容易に行えるようにするため，調査（実験）の対象・方法については詳細に記しておく必要がある。

3 ○ 正しい。質問紙調査に即して言うと，測定しようとしている事項を測るのに適切な設問が盛られているか，ということである。

4 × 誤り。バーナム効果ではなく，**ハロー効果**に関する記述である。特定部分の評価（印象）に引きずられて，全体の評価が歪められてしまうことである。バーナム効果は，誰にでも当てはまるような性格の特徴を言われた時，それを自分に固有のものと捉えてしまうことである。

5 ○ 正しい。診断的評価は事前，形成的評価は途中，総括的評価は事後に実施する。

正答 No.3 ② No.4 4

実戦問題

★★★
No. 5 下のA～Dの文は，心理学の知能に関する理論について述べたものである。正しいものを全て選べ。

【奈良県・改題】

A　サーストンは，知能に関する57種類の課題について因子分析を行った結果から，知能には7つの因子が存在するという，知能の多因子説を提唱した。

B　創造性を知能の一部であると考えたギルフォードは，創造性は与えられた情報から様々な方向に多数の解決策を生み出す「収束的思考」と，与えられた情報から単一の結論あるいは妥当な答えを求める「拡散的思考」の2つに分けられるとした。

C　スピアマンは，知能は全ての知的活動に共通して働く一般知能因子（g因子）と，個々の知的活動のみに特有な特殊因子（s因子）があることを見出し，知能の2因子説を提唱した。

D　知能についてキャッテルは，教育や文化的背景に大きく依存する知識や経験に基づく能力である「流動性知能」と，新しい場面や状況に適応する時に働く能力である「結晶性知能」の2つが存在すると考えた。

★★★
No. 6 次の表は，心理検査の名称とその説明である。正しい組合せとして，最も適当なものを選びなさい。

【千葉県・千葉市】

	名称	説明
①	新版K式発達検査	発達年齢ごとに，言語，動作，記憶，数量，知覚，推理などの内容の項目が配置され，精神年齢，知能指数として知的発達水準を測定する。
②	田中ビネー知能検査	言語の理解力のうち，語彙の理解を基本的な指標として，その発達の状況を測定する。結果は，語彙年齢（VA）と評価点（SS）で示される。
③	PVT（絵画語彙発達検査法）	知的な能力について，認知処理能力と習熟度に分けて測定する。認知処理能力をさらに継次処理能力と同時処理能力に分けて測定する。
④	K-ABC心理・教育アセスメントバッテリー	姿勢・運動，認知・適応，言語・社会の3領域に分類され，年齢段階ごとに配列された検査項目に対する被験者の反応を観察し，評価する。
⑤	WISC-Ⅲ知能検査	言語性知能と動作性知能，または群指数として言語理解，知覚統合，注意記憶，処理速度の4つの尺度を測定する。「個人内差」という視点から，知的能力の偏りがわかる。

実戦問題の解説

No.5の解説 知能　らくらくマスター→P.280

A ○ 正しい。サーストンによると，知能は①言語を使う能力の因子，②語の流暢性の因子，③空間の因子，④数の因子，⑤記憶因子，⑥推理の因子，及び⑦知覚の因子の**7因子**から構成されるという。

B × 収束的思考と拡散的思考が逆である。前者は，与えられた情報をもとに，論理的推論によって，論理的に確定された答えを導く思考様式で，**1つの答え**に収束する意味で収束的思考と呼ばれる。後者は，与えられた情報から，論理的に考えられ得る多様な新しい情報を生み出す思考様式で，思考が**様々な方向に拡散**することから拡散的思考と言われる。

C ○ 正しい。スピアマンの説は**2因子説**と言われ，サーストンの7因子説と対比されることが多い。

D × 流動性知能と結晶性知能の説明が逆である。流動性知能は，新しい場面に適応する際に働くもので，結晶性知能は，過去に学んだことを上手く適用して問題に対処するものである。後者は，加齢とともに緩やかに上昇する。

No.6の解説 代表的な知能検査　らくらくマスター→P.280

① × **田中ビネー知能検査**の説明である。この検査では，それぞれの年齢段階に応じた検査項目から精神年齢（MA）が出され，それを生活年齢（CA）と対比し，知能指数（IQ）が出される。<IQ＝(MA／CA)×100>である。

② × **PVT（絵画語彙発達検査法）**の説明である。語彙年齢と評価点が出され，それをもとに語彙理解力の発達水準を評価するものである。PVTとは，Picture Vocaburary Testの略である。

③ × **K-ABC心理・教育アセスメントバッテリー**の説明である。カウフマン夫妻が開発した，2歳～12歳の幼児児童向けの知能検査であり，認知処理と習得度を分けて評価する。

④ × **新版K式発達検査**の説明である。姿勢・運動，認知・適応，言語・社会の3領域から構成される。領域別と領域総合の発達年齢と発達指数が出される。

⑤ ○ 正しい。**ウェクスラー**が開発した児童用の知能検査であり，Wechsler Intelligence Scale for Childrenを略して**WISC**という。現在では，WISC-V（第5版）が出ている。

正答 No.5 A，C　No.6 ⑤

テーマ 8 教育心理

心理学史

頻出度 A

必修問題

出題データ　滋賀県では5年間で4回，東京都や福井県などでは毎年出題されている。

次のA～Eの記述と最も関連の深い人物を下のア～オから選ぶとき，正しい組合せはどれか。1～5から選びなさい。　【滋賀県】

A　認知のあり方がうつなどの情緒状態と深く関連していることを明らかにし，非適応的な認知を修正して精神疾患を治療する認知療法を提唱した。

B　ソシオメトリーやサイコドラマを創始し「今・ここ」での相互作用の自発性や創造性を重視し，独自の人間理解の方法を模索した。

C　ドイツのライプチヒ大学に世界最初の心理学実験室を開設した。

D　社会的学習（社会的認知）理論を提唱し，他者の行動の遂行とその帰結を観察することで学習が成立することを示した。

E　行動に随伴した結果が生じない状態が継続して与えられる時に生じる統制不能な感情と，無気力で行動しなくなる状態を学習性無力感という概念で説明した。

ア　セリグマン（Seligman,M.E.）　イ　ベック（Beck,A.T.）

ウ　バンデューラ（Bandura,A.）　エ　モレノ（Moreno,J.L.）

オ　ヴント（Wundt,W.）

	A	B	C	D	E
1	ア	エ	ウ	オ	イ
2	ア	オ	イ	ウ	エ
3	イ	ウ	ア	オ	エ
4	イ	エ	オ	ウ	ア
5	エ	ウ	オ	イ	ア

必修問題の解説

らくらくマスター P.282

著名な心理学の理論や業績に関する文章と，人名を結びつけさせる典型問題である。それぞれの記述の中に，判別のポイントとなるキーワードが含まれているので，それに注目のこと。Aは「認知療法」，Bは「ソシオメトリー」，Dは「社会的学習」という語がキーとなる。

A イ **ベック**に関する記述である。この人物が創始した認知療法は，精神疾患の原因を認知の歪み（誤解，思い込み，拡大解釈など）に求め，それを是正することで問題の解決を図ろうとするものである。

B エ **モレノ**に関する記述である。この人物が開発したソシオメトリーは，集団内の人間関係を把握する技法として，教育現場でも用いられている。サイコドラマは心理劇ともいい，患者に即興劇（台本を用意しない劇）を自由に演じさせることで，言葉のみならず，身振り手振りを交えて，心の深い部分を表現させ，自己への洞察を深めさせるものである。

C オ **ヴント**に関する記述である。ヴントは，心理学を哲学から独立させ，実験を重視する経験科学としての心理学を確立することを目指した。このことにかんがみ，近代心理学の祖と仰がれる人物でもある。

D ウ **バンデューラ**に関する記述である。判別のキーワードは，「社会的学習」である。攻撃などの社会的行動の学習が，モデルの観察による模倣によって形成されるとする，モデリング理論を提唱した人物として知られる。

E ア **セリグマン**に関する記述である。「学習性無力感」という用語に注目。彼の実験において，電気ショックを回避できない状況に置かれたイヌは，最初は電気ショックを避けようしたが，そうした行動に結果が伴わない状態が続いたことから，徐々に行動を起こさなくなったという。

正答 4

ここが問われる！出題ポイント

上記の問題のように，心理学に貢献した人物名とその業績に関する文章を対応させる問題がほとんどである。「クロンバックー適性処遇交互作用」，「スキナーーオペラント条件づけ」，「ポルトマンー生理的早産」というように，各人の文章を見分けるためのキーワードを押さえておこう。『教職教養らくらくマスター』の教育心理テーマ13の重要人物一覧表では，このような整理がなされている。さしあたり，この表に記載されている人物を知っておけば十分だろう。

実戦問題

★
No. 1 次のア～オは，著名な心理学者について述べたものである。正しいものを2つ選ぶとき，その組合せを解答群から1つ選び，番号で答えよ。【愛知県】

ア　ワトソンは，集団の実践的研究方法として，アクション・リサーチを提唱した。

イ　マズローは，発達における遺伝要因と環境要因の関係について輻輳（ふくそう）説を唱えた。

ウ　クレッチマーは，体格と性格の関係について性格類型論を唱えた。

エ　シュテルンは，人間性心理学の先駆者で，自己実現の理論を構築した。

オ　ソーンダイクは，問題箱と呼ばれる装置を使った実験を行い，効果の法則を提唱した。

【解答群】① ア，イ　② ア，ウ　③ ア，エ　④ ア，オ
⑤ イ，ウ　⑥ イ，エ　⑦ イ，オ　⑧ ウ，エ
⑨ ウ，オ　⑩ エ，オ

★
No. 2 心理学の研究に携わった人物に関する記述として適切なものは，次の1～5のうちのどれか。【東京都】

1　アドラーは，理論，経済，審美，社会，政治，宗教の6種類の基本的な生活領域を考え，どの領域に最も価値を置き，興味をもって生活をしているかにしたがって生活形式による類型を考えた。

2　ユングは，人間が劣等感を補償するためにより強くより完全になろうとする意志を「権力への意志」と呼び，この「権力への意志」が人間を動かす根本的な欲求であると考えた。

3　シュプランガーは，人の体格を細長型，肥満型などに分け，各体型に認められる一定の共通した心的特徴に着目し，躁うつ質及び粘着質などという類型を考えた。

4　ワトソンは，心理学は行動の科学であり，観察・実験・テストなど客観的方法のみを用い，心理学における概念は刺激・反応・習慣といった行動的概念でなければならないと考えた。

5　クレッチマーは，無意識を個人的無意識と人類に普遍的な集合的無意識に分けるとともに，人間の心的エネルギーの向かう方向により内向型と外向型に分類できると考えた。

実戦問題の解説

No.1の解説 著名な心理学者 らくらくマスター→P.282

ア × アクション・リサーチではなく，**行動主義心理学**である。アクション・リサーチは，レヴィンによって提唱された。アクション・リサーチは，グループ・ダイナミクスの理論に依拠して，偏見や葛藤などの社会心理学的研究を，実践的問題と統合させることを意図して提唱された。

イ × マズローは，**欲求の階層構造説**で知られる。輻輳説を唱えたのはシュテルンである。シュテルンは，人間の発達には，遺伝も環境も影響するという，**輻輳説**を唱えた。

ウ ○ 正しい。クレッチマーは，精神病者の分析結果から，分裂気質は**細長型**，躁うつ気質は**肥満型**，そして粘着気質は**闘士型**の体型に多くみられることを明らかにした。

エ × シュテルンではなく，**マズロー**に関する記述である。シュテルンは，発達における遺伝要因と環境要因の関係について，輻輳説を唱えた。

オ ○ 正しい。**ソーンダイク**は，行動の結果によって学習が進むことを効果の法則と呼び，多くの失敗を重ねながら，成功をもたらす行動に絞っていく過程を試行錯誤学習と呼んだ。

No.2の解説 心理学史 らくらくマスター→P.282

1 × **シュプランガー**に関する記述である。ドイツの哲学者，教育学者であり，主著として『生の形式』と『青年期の心理学』がある。

2 × **アドラー**に関する記述である。人間の行動や発達の規定要因として，劣等感を克服し，社会的優越性を得ようという，権力への意志を重視した。

3 × **クレッチマー**に関する記述である。この人物による，体型と性格の対応理論は有名である。それによると，分裂質の者には細長型，躁鬱質の者には肥満型，粘着質の者には闘士型，の体型が多いという。

4 ○ 正しい。ワトソンは，意識を扱うことの非科学性を批判し，心理学は，人間の行動を対象にすべきであるという，行動主義心理学を提唱した。また，人間の発達の規定因として環境が決定的に重要であるとする，環境説を強く支持した。

5 × **ユング**に関する記述である。文中の「心的エネルギー」を**リビドー**という。ユングは，このリビドーの向かう方向に着眼して，外向性と内向性という2つの性格類型を明らかにした。

正答 No.1 ⑨ No.2 4

実戦問題

★★
No. 3 **次の各文の（　　）には下のA群から該当する人名を，〔　　〕には下のB群から適語をそれぞれ1つ選んで，記号で答えなさい。** **【福井県】**

⑴ 社会心理学者の（　①　）は，人に対する印象の形成過程において，最初に与えられる情報がいかにその人に対する印象形成を決定的にするかを実験的に証明した。このように，最初に与えられる情報が以後に与えらえる情報の受け取り方に影響を及ぼすことを〔　②　〕効果という。

⑵ （　③　）は，犬を逃げられない状況にした上で電気ショックを繰り返し与えると，やがてその犬は逃げられる状況になっても，もはや逃げようとしなくなるという〔　④　〕の存在を発見した。

⑶ 動物行動学者の（　⑤　）は，ハイイロガンの観察から，生後まもなく習得される動物が行動様式がその後習性として維持され，消えたり変化したりしない〔　⑥　〕という現象があることを発見した。

⑷ （　⑦　）は，人が社会の一員として健全で幸福な成長を遂げるために，各段階で克服しておくべき〔　⑧　〕という概念を打ち立てた。

⑸ （　⑨　）は，言語の機能として，それまで知られていたコミュニケーションの道具以外に，個人の思考の道具としての働きに着目して，これを〔　⑩　〕と呼んだ。

⑹ 動物学者の（　⑪　）は，人間は他の動物と比較して，生まれてすぐには一人で移動や歩行ができないことなどから，〔　⑫　〕の状態にあると述べた。

【A群】
A　ワトソン　　B　ヴィゴツキー　　C　アッシュ　　D　シュテルン
E　ハヴィガースト　　F　エリクソン　　G　オーズヴェル　　H　ポルトマン
I　セリグマン　　J　ローレンツ　　K　ユング　　L　シュプランガー

【B群】
ア　思考停止　　イ　内言　　ウ　推論機能　　エ　ピグマリオン
オ　生理的早産　　カ　初頭　　キ　刻印付け（刷り込み）　　ク　自我同一性
ケ　社会的未熟　　コ　PTSD　　サ　学習性無力感　　シ　発達課題

実戦問題の解説

No.3の解説 著名な心理学者 らくらくマスター→P.282

①C **アッシュ**は，ポーランド出身でアメリカ合衆国で活動した心理学者。ゲシュタルト心理学者で，実験社会心理学の開拓者のひとりである。

②カ 複数の情報に基づいて態度や印象を形成したり判断を下すときに最初に提示された情報が特に影響を与えることを**初頭効果**，判断の直前に提示された情報が強く影響することを**新近効果**という。

③I **セリグマン**はアメリカの心理学者。犬を被験体とした電気ショックの実験から，学習性無力感という概念を提起し，動機づけの研究に一石を投じた。

④サ 無気力は生まれつきのものではなく，自力でコントロールできない経験を重ねるうちに，その不快な刺激を避けようとする努力を放棄してしまうようになる。これを**学習性無力感**という。

⑤J **ローレンツ**はオーストリアの動物学者。動物の初期学習（**インプリンティング**）の重要性を強調した。

⑥キ **刻印づけ**（刷り込み，インプリンティング）は，孵化後の一定時間（臨界期）を過ぎると不可能になる。

⑦E **ハヴィガースト**は，アメリカの発達心理学者。はじめて，発達課題の概念を組織的な形で導入した。

⑧シ ある段階の課題を達成しておけば，次の段階への移行は容易に進むが，課題達成に失敗すれば，次の段階の課題達成も困難になるという。

⑨B **ヴィゴツキー**は，旧ソ連の心理学者。子どもの発達に教育が主導的役割を果たすとする発達の最近接領域説を唱えたことでも知られる。

⑩イ ヴィゴツキーは，ことばの発達について，**外言**（音声を伴う発話）から**内言**（音声を伴わない心の中での発話）への移行過程を分析した。

⑪H **ポルトマン**は，スイスの動物学者。主著に，『人間はどこまで動物か』がある。

⑫オ ポルトマンは，人間が多くの可能性を宿しているからこそ，未成熟な脳髄で生まれて，社会的文化的環境に委ねる必要があるのだと主張している。

正答 No.3 ①－C ②－カ ③－I ④－サ ⑤－J ⑥－キ ⑦－E ⑧－シ ⑨－B ⑩－イ ⑪－H ⑫－オ

執筆者紹介
舞田敏彦（まいた　としひこ）
教育社会学者。東京学芸大学大学院博士課程修了。教育学博士。
著　書『47都道府県の子どもたち――あなたの県の子どもを診断する――』
『47都道府県の青年たち――わが県の明日を担う青年のすがた――』
『教育の使命と実態――データからみた教育社会学試論――』
（以上，武蔵野大学出版会）
『データで読む教育の論点』（晶文社）
『教員採用試験　教職教養らくらくマスター』（実務教育出版）ほか教員採用試験対策の著書多数。

●本書の内容に関するお問合せについて

本書の内容に誤りと思われるところがありましたら，まずは小社ブックスサイト（books.jitsumu.co.jp）中の本書ページ内にある正誤表・訂正表をご確認ください。正誤表・訂正表がない場合や訂正表に該当箇所が掲載されていない場合は，書名，発行年月日，お客様の名前・連絡先，該当箇所のページ番号と具体的な誤りの内容・理由等をご記入のうえ，郵便，FAX，メールにてお問合せください。

〒163-8671　東京都新宿区新宿1-1-12　実務教育出版　第二編集部問合せ窓口
FAX：03-5369-2237　　E-mail：jitsumu_2hen@jitsumu.co.jp

【ご注意】
※電話でのお問合せは，一切受け付けておりません。
※内容の正誤以外のお問合せ（詳しい解説・受験指導のご要望等）には対応できません。

2026年度版
教員採用試験　**教職教養 よく出る過去問224**

2024年9月10日　初版第1刷発行　〈検印省略〉

編　者　資格試験研究会
発行者　淺井　亨

発行所　株式会社 実務教育出版
〒163-8671　東京都新宿区新宿1-1-12
☎ 編集　03-3355-1812　販売　03-3355-1951
振替　00160-0-78270

組　版　明昌堂
印　刷　壮光舎印刷
製　本　東京美術紙工

ISBN 978-4-7889-5993-4 C0037　Printed in Japan